TRONO DE VIDRO

Obras da autora publicadas pela Galera Record

Série Trono de Vidro
A lâmina da assassina
Trono de vidro
Coroa da meia-noite
Herdeira do fogo
Rainha das sombras
Império de tempestades
Torre do alvorecer
Reino de cinzas

Série Corte de Espinhos e Rosas
Corte de espinhos e rosas
Corte de névoa e fúria
Corte de asas e ruína
Corte de gelo e estrelas
Corte de chamas prateadas

Série Cidade da Lua Crescente
Casa de terra e sangue
Casa de céu e sopro
Casa de chama e sombra

SARAH J. MAAS

TRONO
DE
VIDRO

Tradução
Bruno Galiza
Lia Raposo
Rodrigo Santos
Mariana Kohnert

52ª edição

Galera
RIO DE JANEIRO
2025

CIP-BRASIL. CATALOGAÇÃO NA FONTE
SINDICATO NACIONAL DOS EDITORES DE LIVROS, RJ

M11t
52ª ed.
Maas, Sarah J.
  Trono de vidro / Sarah J. Maas; [tradução Mariana Kohnert, Bruno Galiza, Lia Raposo e Rodrigo Santos]. – 52ª ed. – Rio de Janeiro: Galera Record, 2025.

  Tradução de: Throne of Glass
  ISBN 978-85-01-40138-0

  1. Ficção americana. I. Kohnert, Mariana. II. Título.

13-01427

CDD: 028.5
CDU: 087.5

Título original em inglês:
Throne of Glass

Copyright © 2012 Sarah Maas

Leitura sensível:
Lorena Ribeiro

Revisão:
Paula Prata
Carolina Rodrigues

Texto revisado segundo o novo Acordo Ortográfico da Língua Portuguesa.

Todos os direitos reservados. Proibida a reprodução, no todo ou em parte, através de quaisquer meios. Os direitos morais da autora foram assegurados.

Direitos exclusivos de publicação em língua portuguesa somente para o Brasil adquiridos pela
EDITORA GALERA RECORD LTDA.
Rua Argentina, 120 – Rio de Janeiro, RJ – 20921-380 – Tel.: (21) 2585-2000, que se reserva a propriedade literária desta tradução.

Impresso no Brasil

ISBN: 978-85-01-40138-0

Seja um leitor preferencial Record.
Cadastre-se e receba informações sobre nossos lançamentos e nossas promoções.

Atendimento e venda direta ao leitor:
sac@record.com.br

A todos os meus leitores da FictionPress — por estarem comigo no começo e permanecerem bem depois do final.
Obrigada por tudo.

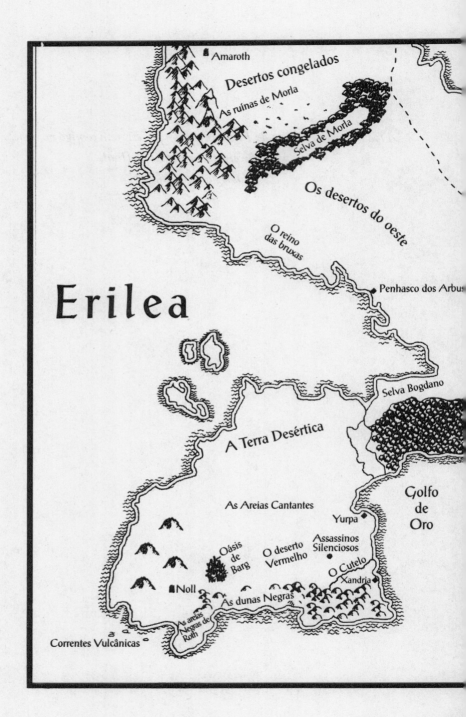

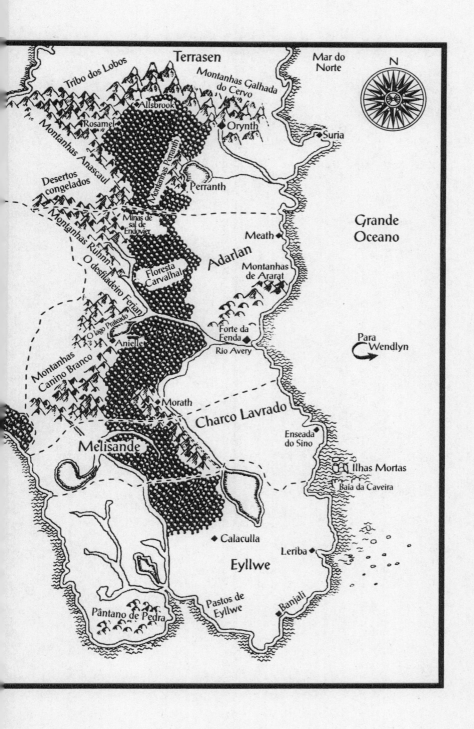

❧ 1 ❧

Depois de um ano de escravidão nas Minas de Sal de Endovier, Celaena Sardothien estava acostumada a ser conduzida a todos os lugares em grilhões e com espadas apontadas para si. A maioria dos milhares de escravizados de Endovier era tratada da mesma forma – mas meia dúzia de guardas adicionais sempre escoltava Celaena para dentro e para fora das minas. Isso era esperado pela assassina mais famosa de Adarlan. O que Celaena não esperava, porém, era um homem encapuzado, todo vestido de preto ao seu lado – como havia naquele momento.

Ele segurava-lhe o braço enquanto a conduzia pelo prédio reluzente onde a maior parte dos oficiais e capatazes de Endovier estavam alocados. Seguiram por corredores, subiram lances de escada e deram voltas e mais voltas até não haver mais a mínima chance de Celaena encontrar o caminho da saída.

Pelo menos essa era a intenção do seu acompanhante, pois Celaena percebeu que eles subiram e desceram a mesma escadaria dentro de poucos minutos. Ela também não deixou de notar que, apesar de o prédio ser uma estrutura padronizada de corredores e escadarias, tinham ziguezagueado entre os andares. Como se Celaena fosse se perder assim, com tanta facilidade. Se o homem não estivesse se esforçando tanto, talvez ela tivesse se sentido insultada.

Entraram em um corredor bem longo, silencioso exceto pelo som dos passos. O homem que segurava seu braço era alto e forte, mas ela não conseguia ver as feições do rosto escondido sob o capuz. Outra tática para confundi-la e intimidá-la. As roupas pretas também deviam fazer parte da estratégia. Ele se virou na direção de Celaena, e ela lhe lançou um sorriso. O homem olhou para a frente de novo e apertou mais o braço da assassina.

Celaena imaginou que deveria se sentir lisonjeada, mesmo *sem* saber o que estava acontecendo ou por que o homem ficara à sua espera na saída da mina. Depois de um dia inteiro extraindo sal grosso das entranhas da montanha, encontrá-lo parado lá fora com outros seis guardas não melhorara seu humor.

Mas Celaena ficara mais alerta quando o homem se apresentou ao seu capataz como Chaol Westfall, capitão da Guarda Real. O céu, de súbito, pareceu desabar sobre sua cabeça, as montanhas foram empurradas para cima dela e até a terra, por um momento, pareceu inchar na direção de seus joelhos. Há algum tempo Celaena não sentia medo – não se *permitia* sentir medo. Todas as manhãs, quando acordava, repetia as mesmas palavras: *Eu não terei medo*. Durante um ano, essas palavras significaram a diferença entre se partir e ceder; evitaram que Celaena se despedaçasse na escuridão das minas. Mas ela não deixaria o capitão desconfiar de nada daquilo.

Ela examinou a mão enluvada que apertava seu braço. O couro escuro era quase da mesma cor da sujeira que cobria sua pele.

Celaena ajustou a túnica rasgada e imunda com a mão livre e prendeu um suspiro. Como entrava nas minas antes da aurora e saía depois do crepúsculo, quase nunca conseguia ver o sol. Por baixo de toda aquela sujeira, estava assustadoramente pálida. Era verdade, porém, que um dia já fora atraente, até mesmo bela, mas já não fazia mais diferença, não é?

Eles chegaram a outro corredor, e Celaena estudou a espada bem-trabalhada do estranho. O punho dourado tinha o formato de uma águia de asas abertas. Percebendo o olhar de Celaena, o homem desceu a mão enluvada e a repousou sobre a cabeça de ouro da águia. A prisioneira sorriu novamente.

– Você está bem longe do Forte da Fenda, capitão – disse ela, pigarreando. – Veio com o exército que escutei chegar mais cedo?

Celaena tentou ver o que havia sob o capuz, mas não enxergou nada. Sentiu, porém, os olhos do homem em seu rosto, julgando-a, avaliando-a, testando a assassina. Celaena encarou de volta. O capitão da Guarda Real seria um adversário interessante. Talvez até digno de algum esforço da parte dela.

O homem finalmente ergueu a mão da espada, e as dobras da capa voltaram a esconder a lâmina. Quando o tecido se moveu, Celaena viu uma serpente alada bordada na túnica. O selo real.

– Qual é o seu interesse no exército de Adarlan? – replicou ele.

Como era bom escutar uma voz como a dela, calma e bem-articulada, mesmo que fosse a voz de um brutamontes.

– Nenhum – respondeu Celaena, dando de ombros. O capitão emitiu um pequeno rosnado de irritação.

Seria bom ver o sangue dele derramar-se no chão de mármore. A assassina já perdera o controle uma vez quando seu primeiro capataz escolhera o dia errado para provocá-la. Ainda se lembrava da sensação de fincar a picareta no estômago dele e do sangue viscoso nas mãos e no rosto. Celaena podia desarmar dois daqueles guardas em menos de um segundo. Será que o capitão se sairia melhor que o capataz falecido? Imaginando os possíveis resultados do confronto, ela sorriu novamente para ele.

– Não olhe assim para mim – avisou o capitão, e sua mão voltou à espada. Celaena escondeu o sorriso dessa vez.

Eles passaram por diversas portas de madeira que a prisioneira vira há alguns minutos. Se quisesse escapar, era só virar à esquerda no próximo corredor e descer três lances de escada. A única coisa que aquela tentativa de confundi-la conseguiu foi familiarizá-la melhor com a estrutura do prédio. Babacas.

– Para onde vamos mesmo? – disse ela, com doçura, tirando o cabelo do rosto. Quando o capitão não respondeu, Celaena trincou os dentes.

Os corredores ecoavam alto demais para que Celaena conseguisse atacá-lo sem chamar a atenção do prédio inteiro. Além do mais, ela não sabia onde estava a chave das correntes e os seis guardas que os seguiam seriam um grande empecilho. Isso sem falar dos grilhões.

Eles entraram em um corredor repleto de candelabros de ferro. Do lado de fora das janelas enfileiradas já era noite; as tochas brilhavam tanto que mal havia sombras onde se esconder.

Celaena conseguia escutar os outros escravizados no pátio se deslocando em direção ao prédio de madeira onde dormiam. Os gemidos de agonia e o retinir das correntes formavam um coro tão familiar quanto o das monótonas canções de trabalho que eles entoavam o dia todo. O ocasional estalar dos chicotes contribuía para a sinfonia de brutalidade que Adarlan criara para seus piores criminosos, seus mais pobres cidadãos e suas mais recentes conquistas.

Embora alguns prisioneiros fossem pessoas acusadas de tentar praticar magia – não que isso fosse *possível*, pois há muito a magia desaparecera do reino –, mais e mais rebeldes chegavam a Endovier naqueles dias. A maioria era de Eyllwe, um dos últimos países que ainda combatiam o imperialismo de Adarlan. Mas quando Celaena os importunava em busca de notícias, eles a encaravam com olhos vazios. Sem esperanças. Ela se arrepiava ao pensar no que teriam sofrido nas mãos das tropas de Adarlan. Às vezes, se perguntava se não teria sido melhor para eles se tivessem morrido no campo de abate. E se não teria sido melhor para ela também ter morrido na noite em que fora traída e capturada.

Mas Celaena tinha outras coisas em que pensar enquanto caminhava. Será que seria finalmente enforcada? Seu estômago embrulhou. Ela *era* importante o suficiente para merecer ser executada pelo próprio capitão da Guarda Real. Mas então para que levá-la primeiro para dentro do prédio?

Finalmente, pararam diante de portas de vidro vermelhas e douradas, tão grossas que Celaena não conseguia ver o que havia além. O capitão Westfall fez um sinal com o queixo para os dois guardas ao lado das portas, e eles bateram as lanças no chão em um cumprimento.

O capitão apertou dolorosamente o braço da prisioneira. Puxou-a mais para perto, mas os pés de Celaena pareciam feitos de chumbo e ela fez força na direção oposta.

– Prefere ficar nas minas? – perguntou ele, parecendo divertir-se com a ideia.

– Talvez se me contassem do que isso tudo se trata, eu não me sentiria tão inclinada a resistir.

– Você logo vai saber.

As palmas das mãos de Celaena estavam úmidas. Sim, ela realmente estava prestes a morrer. A hora finalmente chegara.

As portas rangeram ao abrir, revelando o salão do trono imperial. Um candelabro de vidro no formato de um cacho de uvas ocupava a maior parte do teto, refletindo prismas de fogo nas janelas do outro lado do aposento.

Comparada à aridez do lado de fora das janelas, a opulência ali era como um tapa na cara. Mais uma evidência do lucro que o trabalho de Celaena lhes proporcionara.

– Por aqui – rosnou o capitão da guarda, e finalmente a soltou, empurrando-a com a mão livre.

Celaena tropeçou, e seus pés calejados escorregaram no chão liso enquanto ela se endireitava. A prisioneira olhou para trás e viu outros seis guardas aparecerem.

Catorze guardas, mais o capitão. O emblema dourado real bordado no peitoral dos uniformes pretos. Aqueles eram membros da guarda pessoal da família real: impiedosos, rápidos como raios, treinados desde pequenos para proteger e matar. Celaena engoliu em seco, nervosa.

Desorientada e sentindo-se estranhamente pesada, ela postou-se no salão. Em um trono ornamentado, feito de madeira de sequoia, sentava-se um belo jovem. O coração de Celaena parou enquanto os outros se curvavam em reverência.

Estava diante do príncipe herdeiro de Adarlan.

⧉ 2 ⧉

— **V**ossa Alteza – disse o capitão da Guarda, fazendo uma reverência.

Ele se endireitou e retirou o capuz, revelando o curto cabelo castanho. A função do capuz certamente fora intimidar Celaena, fazer com que ficasse submissa. Como se um truque assim tão simplório pudesse funcionar com *ela*. Mesmo irritada, Celaena ficou surpresa ao ver o rosto dele pela primeira vez. Era tão jovem!

O capitão Westfall não era excessivamente bonito, mas era difícil não achar o rosto de traços fortes e os olhos claros, castanho-dourados, atraentes. Ela abaixou a cabeça, intensamente consciente de quanto estava imunda.

– É ela? – perguntou o príncipe herdeiro de Adarlan, e Celaena olhou de um para o outro enquanto o capitão assentia com a cabeça.

Os dois a encararam, esperando que ela se curvasse em reverência. Celaena permaneceu ereta, e Chaol remexeu-se, inquieto. O príncipe lançou um olhar para o capitão e ergueu o queixo um pouco mais alto.

Celaena não iria se curvar para ele! Se já estava destinada à forca, *não* perderia os últimos momentos de vida submetendo-se àquela humilhação.

Passos firmes soaram atrás de Celaena, e alguém a agarrou pelo pescoço. Ela só percebeu bochechas vermelhas e um bigode ruivo antes de ser jogada no chão gelado de mármore. A dor irradiou por seu rosto, e pequenos focos de luz salpicaram-lhe a visão. Os braços da prisioneira doíam, pois as mãos atadas impediam que ela ajustasse as articulações corretamente. Embora tivesse tentado evitar, lágrimas de dor irromperam.

– *Esta* é a forma adequada de cumprimentar seu futuro rei – disparou um homem de rosto avermelhado para Celaena.

A assassina rosnou, mostrando os dentes ao se virar para o babaca ajoelhado. Ele era quase tão grande quanto seu capataz e vestia vermelho e laranja, combinando com o pouco cabelo. Seus olhos cor de obsidiana brilhavam enquanto o homem apertava o pescoço de Celaena. Se ela conseguisse mexer o braço direito um pouco, poderia desequilibrá-lo e tomar-lhe a espada. Os grilhões pressionavam o estômago da prisioneira, e a raiva faiscante lhe afogueava o rosto.

Depois de um longo momento, o príncipe herdeiro falou:

– Não compreendo que sentido há em forçar alguém a se curvar quando do o propósito do gesto é mostrar lealdade e respeito. – Suas palavras demonstravam um profundo tédio.

Celaena tentou olhar para o príncipe, mas só conseguiu ver um par de botas de couro pretas descansando no chão branco.

– Está óbvio que *você* me respeita, duque Perrington, mas é um tanto desnecessário se esforçar tanto para obrigar *Celaena Sardothien* a ter a mesma opinião. Nós dois sabemos muito bem que ela não tem apreço pela minha família. Talvez sua intenção, então, seja humilhá-la. – O príncipe pausou, e Celaena poderia jurar que seus olhos pousaram nela por um breve momento. – Mas acho que já é o bastante.

Ele fez outra pausa e então perguntou:

– Você não tem uma reunião com o tesoureiro de Endovier? Não quero que se atrase, principalmente depois de ter vindo até aqui só para encontrá-lo.

Compreendendo que havia sido dispensado, o algoz de Celaena grunhiu e soltou a assassina. Celaena descolou a bochecha do mármore, mas permaneceu deitada até que ele se levantasse e fosse embora. Se algum dia conseguisse escapar, talvez procurasse esse tal duque Perrington para retribuir a gentileza.

Ao se levantar, Celaena franziu a testa ao perceber a mancha que deixara no chão impecável e ao escutar o tilintar dos grilhões ecoando pelo salão silencioso. Mas ela fora treinada para ser uma assassina desde os 8 anos, quando o rei dos Assassinos a encontrou quase morta às margens de um rio congelado e a levou para seu forte. Depois de tudo que passara, nada a humilharia, muito menos o simples fato de estar suja. Depois de recompor seu orgulho, ela jogou a longa trança para trás de um dos ombros e levantou a cabeça. Seus olhos encontraram os do príncipe.

Dorian Havilliard sorriu para Celaena. Era um sorriso polido, repleto de charme cortesão. Sentado confortavelmente no trono, ele apoiava o queixo em uma das mãos, e sua coroa de ouro refletia a luz suave do salão. O emblema dourado da serpente alada real lhe ocupava todo o peito. Um manto vermelho cobria graciosamente o príncipe e o trono.

Mas algo em seus impressionantes olhos azuis – da cor das águas dos países do sul – e no contraste que faziam com seus cabelos pretos a deixou sem reação por um instante. Ele era extremamente belo e não devia ter mais de 20 anos.

Príncipes não deveriam ser bonitos! Eles são criaturas revoltantes, arrogantes, estúpidas! Esse... esse... Como é injusto que seja membro da realeza e bonito.

Celaena trocou o peso do corpo de um pé para outro enquanto o príncipe franzia a testa para ela, avaliando-a.

– Achei que tivesse pedido a você que a limpasse – disse ele ao capitão Westfall, que deu um passo à frente.

Celaena esquecera que havia mais gente no salão, olhou para os trapos que usava e para a pele encardida e não conseguiu suprimir uma pontada de vergonha. Que estado mais miserável para uma moça que um dia já fora tão bela!

À primeira vista, os olhos de Celaena pareciam azuis ou cinzentos, talvez até esverdeados, dependendo da cor das roupas que usasse. De perto, porém, a ambiguidade de tons era ofuscada pelo anel de ouro que envolvia suas pupilas. Mas eram seus cabelos dourados – que ainda retinham vestígios do antigo esplendor – que chamavam a atenção da maioria das pessoas. Em resumo, Celaena Sardothien fora abençoada com algumas características atraentes que compensavam a mediocridade dos outros traços; e, no início da adolescência, ela já descobrira que, com a ajuda de cosméticos, os traços comuns podiam facilmente passar por extraordinários.

Agora, porém, postava-se diante de Dorian Havilliard sentindo-se quase um rato de esgoto! Celaena sentiu as bochechas queimarem quando o capitão Westfall falou.

– Não queria fazê-lo esperar.

O príncipe herdeiro balançou a cabeça quando Chaol estendeu a mão na direção de Celaena.

– Não se preocupe com o banho agora. Já posso ver que ela tem potencial. – O príncipe endireitou a coluna, concentrado em Celaena. – Não acredito que tenhamos tido o prazer de nos conhecer formalmente. Mas como você já deve saber, sou Dorian Havilliard, príncipe herdeiro de Adarlan, e talvez agora o príncipe herdeiro da maior parte de Erilea.

Celaena ignorou a onda de emoções amargas que sentiu ao ouvir o nome maldito.

– E você é Celaena Sardothien, a maior assassina de Adarlan. Talvez a maior assassina de toda Erilea. – Ele pareceu perceber os músculos tensionados de Celaena e levantou as sobrancelhas pretas e bem-cuidadas. – Você parece um pouco jovem demais. – O príncipe apoiou os cotovelos nas coxas antes de continuar: – Escutei histórias fascinantes sobre você. O que está achando de Endovier depois de ter vivido com tanto luxo no Forte da Fenda?

Canalha arrogante.

– Mais feliz impossível – cantarolou ela, enquanto enfiava as unhas pontiagudas nas palmas das mãos.

– Depois de um ano, você parece mais ou menos viva. Pergunto-me como isso é possível quando a expectativa de vida nestas minas é de apenas um mês.

– Um mistério fascinante, sem dúvida – respondeu ela, piscando maliciosamente e ajustando os grilhões como se fossem luvas de renda.

O príncipe herdeiro virou-se para o capitão.

– Ela tem a língua bem afiada, não? E não fala como alguém da ralé.

– Eu realmente espero que não! – interrompeu Celaena.

– Vossa Alteza – corrigiu Chaol, ríspido.

– O quê? – perguntou ela.

– Você deve chamá-lo de "Vossa Alteza".

Celaena lançou-lhe um sorriso zombeteiro e voltou a se concentrar no príncipe.

Dorian Havilliard, para surpresa da assassina, gargalhou.

– Você *sabe* que agora é escravizada, não sabe? Será que não aprendeu nada com sua sentença?

Se os braços de Celaena não estivessem atados, ela os teria cruzado.

– Não sei como trabalhar em uma mina pode ensinar qualquer coisa além do modo certo de segurar uma picareta.

– E você nunca tentou escapar?

Um sorriso perverso apareceu lentamente no rosto da assassina.

– Uma vez.

O príncipe levantou as sobrancelhas e voltou-se para o capitão Westfall.

– Isso ninguém me contou.

Celaena se virou para trás e viu Chaol lançar ao príncipe um olhar culpado.

– O capataz-chefe me informou esta tarde que houve apenas *um* incidente. Três meses...

– Quatro meses – corrigiu ela.

– Quatro meses – disse Chaol – depois que Sardothien chegou, ela tentou fugir.

Celaena aguardou o resto da história, mas o capitão nitidamente não tinha intenção de continuá-la.

– Mas essa não é nem a melhor parte!

– Há uma "melhor parte"? – perguntou o príncipe herdeiro, com a expressão do rosto entre a perplexidade e um sorriso.

Chaol encarou Celaena, furioso, antes de começar a falar:

– É impossível escapar de Endovier. Seu pai se certificou de que cada vigia de Endovier fosse capaz de acertar um esquilo a 200 passos de distância. Tentar escapar é suicídio.

– Mas você sobreviveu – disse o príncipe para Celaena.

O sorriso de Celaena desapareceu quando as lembranças do incidente retornaram.

– Sim.

– O que aconteceu? – perguntou Dorian.

Os olhos de Celaena endureceram, frios como gelo.

– Perdi o controle.

– É assim que você explica o que fez? – indagou o capitão Westfall, indignado. – Ela matou o capataz e mais 23 guardas antes de ser capturada. Estava a uma *unha* da muralha quando os soldados finalmente a nocautearam.

– E...? – disse Dorian.

Celaena se irritou.

– "E"? Você tem ideia da distância entre as minas e a muralha? – O príncipe a encarou com a expressão vazia. Ela fechou os olhos e suspirou dramaticamente. – São 110 metros desde a minha cela. Eu pedi que alguém medisse.

– E...? – repetiu Dorian.

– Capitão Westfall, até onde os escravizados costumam chegar quando tentam fugir das minas?

– Um metro – murmurou ele. – Normalmente os guardas de Endovier os atingem antes que consigam avançar 1 metro.

O silêncio do príncipe herdeiro não era a reação que Celaena desejava.

– Você sabia que era suicídio – disse ele, finalmente, e sua expressão estava mais séria. Talvez tivesse sido má ideia mencionar a questão da muralha, pensou ela.

– Sim – respondeu Celaena.

– Mas eles não mataram você.

– Seu pai ordenou que me mantivessem viva o máximo possível para que sofresse toda a miséria que Endovier tem a oferecer – respondeu Celaena, sentindo calafrios que não tinham nada a ver com a temperatura do corpo. – Eu não tinha intenção alguma de escapar. – A pena nos olhos do príncipe fez com que Celaena quisesse bater nele.

– Você carrega muitas cicatrizes? – perguntou o príncipe.

A prisioneira deu de ombros, e o príncipe sorriu, tentando amenizar o clima sombrio. Ele desceu do estrado onde o trono se assentava.

– Vire de costas, deixe-me ver – disse o príncipe herdeiro.

Celaena franziu a testa, mas obedeceu. Chaol, alerta, se aproximou um passo.

– Não consigo vê-las com tanta sujeira – reclamou o príncipe, inspecionando a pele exposta por entre os rasgos da blusa de Celaena. Ela fez uma careta de raiva e intensificou-a ainda mais quando ele exclamou: – E que fedor horrível!

– Quando não se tem acesso a um sabonete e uma banheira, é difícil ter um perfume tão agradável quanto o seu, *Vossa Alteza*.

O príncipe herdeiro estalou a língua e andou lentamente ao redor da assassina, avaliando-a. Chaol e o resto dos guardas os observavam com as mãos nas espadas – como deveriam. Em menos de um segundo, Celaena poderia passar os braços algemados por cima da cabeça do príncipe e esmagar a traqueia dele. Valeria a pena tentar só para ver a expressão no rosto de

Chaol. Mas o príncipe continuou, sem perceber o quanto estava perigosamente próximo dela. Celaena quase se sentia ofendida.

– Pelo que vejo – disse ele –, há três grandes cicatrizes e talvez algumas menores também. Não tão horríveis quanto eu esperava, mas... bem, os vestidos irão escondê-las, suponho.

– Vestidos? – repetiu Celaena, sem entender, tão próxima dele que podia ver cada detalhe do paletó do príncipe e sentir o cheiro, não de perfume, mas de cavalos e de ferro.

Dorian sorriu.

– Que olhos impressionantes você tem! E como é raivosa!

Perto o suficiente para estrangular o príncipe herdeiro de Adarlan, filho do homem que a sentenciara a uma morte lenta e miserável, o autocontrole de Celaena se equilibrava perigosamente na beira de um abismo.

– Exijo saber – começou ela, tentando se aproximar, mas o capitão da guarda a puxou para trás com toda a força. – Eu não ia matá-lo, seu tolo.

– Cuidado com a língua antes que eu a jogue de volta nas minas – disse o capitão de olhos castanhos.

– Ah, não acho que você faria isso.

– E por que não? – replicou Chaol.

Dorian voltou ao trono e se sentou; os olhos cor de safira brilhavam.

Celaena olhou de um homem para o outro e endireitou a coluna.

– Porque há algo que vocês querem de mim, algo que querem tanto que vieram até aqui pessoalmente. Não sou burra, embora tenha sido tola o bastante para ser capturada, e já entendi que isso é algum assunto sigiloso. Por que mais vocês sairiam da capital e se arriscariam a vir tão longe? Estão me testando para ver se estou apta física e mentalmente. Bom, sei que ainda não estou louca, apesar do que o incidente na muralha possa sugerir. Então exijo saber por que vocês estão aqui e que serviço desejam de mim, se é que não estou destinada à forca.

Os homens trocaram olhares. Dorian entrelaçou os dedos.

– Tenho uma proposta para você.

Celaena sentiu um aperto no peito. Nunca, nem nos sonhos mais fantasiosos, ela imaginara que teria a oportunidade de falar com Dorian Havilliard em pessoa. Poderia matá-lo tão facilmente, arrancar-lhe aquele sorriso do rosto... poderia destruir o rei como ele a destruíra...

Mas talvez a proposta do príncipe herdeiro pudesse possibilitar sua fuga. Se passasse pela muralha, conseguiria fugir. Correr e correr e desaparecer nas montanhas e viver em solidão, na escuridão verde da floresta, com um tapete de folhas de pinheiro sob os pés e um cobertor de estrelas sobre a cabeça. Era realmente possível. Ela só precisava passar pela muralha. Já chegara tão perto...

– Estou disposta a ouvir – disse Celaena.

❧ 3 ❧

Os olhos do príncipe brilharam com fascínio pela ousadia de Celaena e detiveram-se demoradamente no corpo da assassina. Ela podia rasgar o rosto dele com as unhas por olhá-la daquela forma, mas o fato de o príncipe sequer se incomodar em *olhar* quando Celaena estava tão imunda... Um sorriso se abriu lentamente no rosto dela.

O príncipe cruzou as longas pernas.

– Deixe-nos – ordenou ele aos guardas. – Chaol, você fica onde está.

Celaena se aproximou enquanto os guardas saíam, ruidosamente, e fechavam a porta. Decisão tola, muito tola. Mas o rosto de Chaol era indecifrável. Ele não podia realmente acreditar que conseguiria impedi-la agora, caso Celaena tentasse escapar! Ela endireitou a coluna. Que plano era aquele que os deixava tão irresponsáveis?

O príncipe soltou uma gargalhada.

– Você não acha arriscado ser tão ousada na minha presença quando sua liberdade está em jogo?

De todas as coisas que poderia ter dito, *aquilo* era o que ela menos esperava.

– Minha liberdade? – O som da palavra a fez imaginar uma terra de pinheiros e neve, de penhascos ensolarados e mares espumantes, uma terra onde a luz sumia nos recessos e elevações da grama verde – uma terra que Celaena já esquecera.

– Sim, sua liberdade. Eu sugiro, então, *senhorita* Sardothien, que você controle a arrogância antes que acabe voltando para as minas. – O príncipe descruzou as pernas. – Se bem que talvez sua atitude seja útil. Não vou fingir que o reino de meu pai foi construído com confiança e compreensão. Mas você já deve saber disso. – Celaena fechou as mãos em punhos enquanto esperava que ele continuasse. O olhar do monarca cruzou com o dela, alerta, como se a testasse. – Meu pai enfiou na cabeça que precisa de um campeão.

Celaena levou um segundo delicioso para entender o que ele queria dizer, então jogou a cabeça para trás e riu.

– Seu pai quer que *eu* seja a campeã? O que… não me diga que ele deu um jeito de eliminar todas as almas nobres lá fora! Certamente ainda existe *um* cavalheiro cortês, um senhor de coração determinado e coragem.

– Cuidado com o que fala – avisou Chaol, postado ao lado dela.

– E quanto a você, hein? – disse Celaena, levantando as sobrancelhas para o capitão. Ah, era engraçado demais. *Ela,* a campeã do rei! – Nosso querido rei não acha você bom o suficiente?

O capitão levou a mão à espada.

– Fique quieta para escutar o que Sua Majestade tem a dizer.

Ela se virou de volta para o príncipe.

– Pois bem?

Dorian se recostou no trono.

– Meu pai precisa de alguém que ajude o império, alguém que o ajude a lidar com pessoas difíceis.

– Quer dizer que precisa de um lacaio para fazer o trabalho sujo.

– Se prefere ser direta, sim – disse o príncipe. – O *campeão* do rei deve silenciar os oponentes.

– Deixá-los como túmulos – completou ela, com doçura.

Um sorriso pairou na face de Dorian, mas ele conseguiu se conter.

– Sim.

Trabalhar para o rei de Adarlan como serva real. Celaena levantou o queixo. Matar *em nome* dele, ser mais um dente na boca do monstro que já consumira metade de Erilea…

– E se eu aceitar?

– Então, depois de seis anos, ele devolverá sua liberdade.

– Seis anos! – Mas a palavra "liberdade" ecoou na mente de Celaena mais uma vez.

– Se recusar – disse Dorian, antecipando a próxima pergunta dela –, você permanecerá em Endovier. – Os olhos cor de safira do príncipe endureceram, e Celaena engoliu em seco. Ele não precisou acrescentar: *E morrerá aqui*.

Seis anos fazendo o papel de arma nas mãos de um rei corrupto... ou uma vida inteira em Endovier.

– Porém – advertiu o príncipe –, há uma condição.

Celaena manteve o rosto neutro enquanto ele brincava com um anel.

– O cargo não está sendo oferecido a você. Ainda não. Meu pai quer se divertir um pouco antes. Ele está organizando uma competição e convidou 23 integrantes do conselho para que cada um patrocine um candidato a campeão, para treinar no castelo de vidro e, por último, competir em um duelo. Se por acaso ganhar – disse ele, com um meio-sorriso –, será nomeada *oficialmente* a Assassina de Adarlan.

Celaena não retribuiu o sorriso.

– Quem são meus adversários, exatamente?

Vendo a expressão de Celaena, o sorriso do príncipe desapareceu devagar.

– Ladrões e assassinos e guerreiros de toda Erilea. – Ela abriu a boca para retrucar, mas o príncipe a interrompeu: – Se ganhar, se provar que é habilidosa e digna de confiança, meu pai *jurou* devolver sua liberdade. *E*, enquanto for a campeã, receberá um salário bem razoável.

Ela mal prestou atenção nas últimas palavras. Uma competição! Contra uns desconhecidos sabe-se lá de onde! E assassinos!

– Que outros assassinos? – indagou ela.

– Nunca ouvi falar de nenhum. Com certeza, ninguém tão famoso quanto *você*. E, aliás, você não competirá como Celaena Sardothien.

– Quê?

– Você competirá sob um nome falso. Presumo que não soube do que aconteceu depois de seu julgamento.

– É difícil para um escravizado das minas escutar notícias do mundo lá fora.

Dorian deu uma risada, balançando a cabeça.

– Ninguém sabe que Celaena Sardothien é só uma jovem mulher... todos achavam que você fosse bem mais velha.

– O quê? – repetiu Celaena, sentindo o rosto ficar vermelho. – Como isso é possível? – Ela deveria estar orgulhosa por ter protegido aquele segredo do resto do mundo, mas...

– Você manteve uma identidade secreta durante todos os anos em que esteve solta, matando. Depois do julgamento, meu pai achou que seria mais... sábio não informar Erilea da sua verdadeira identidade. Ele prefere que as coisas continuem como estão. O que diriam nossos inimigos se soubessem que estávamos todos morrendo de medo de uma menininha?

– Então eu estive trabalhando nesse lugar miserável esse tempo todo por um nome e um título que nem mesmo me pertencem? Quem o povo de Erilea *acha* que é realmente a Assassina de Adarlan?

– Não sei e pouco me importa. O que eu *sei* é que você era a melhor e que as pessoas ainda cochicham quando mencionam seu nome. – O príncipe encarou Celaena. – Se você aceitar lutar para mim, se for *minha* campeã durante os meses da competição, garanto que estará livre depois de *cinco* anos.

Embora ele tentasse esconder, Celaena percebeu a tensão no corpo do príncipe. Ele queria muito que ela concordasse. Precisava tanto daquilo que estava disposto a negociar com Celaena. Os olhos da assassina começaram a brilhar.

– Como assim, *"era* a melhor"?

– Você está em Endovier há um ano. Quem sabe o que ainda é capaz de fazer?

– Ah, sou capaz de bastante coisa, pode ter certeza – respondeu ela, cutucando as unhas maltratadas. Celaena tentou não sentir nojo da sujeira acumulada sob elas. Quando fora a última vez que tivera oportunidade de limpar as mãos?

– Veremos – replicou Dorian. – Você terá todos os detalhes da competição quando chegarmos ao Forte da Fenda.

– Essa competição parece desnecessária, apesar da *diversão* que vocês nobres terão apostando em nós. Por que não me contrata de uma vez?

– Como acabei de dizer, você precisa provar que é digna.

Ela pousou uma das mãos no quadril, as correntes retiniram, ecoando pelo salão.

– Bem, acho que ser a Assassina de Adarlan já é prova mais do que suficiente.

– Sim – respondeu Chaol, e seus olhos cor de bronze brilharam. – Prova de que você não passa de uma criminosa e de que não devemos confiar em você com os negócios secretos do rei assim tão facilmente.

– Eu juro solenemente...

– Duvido muito que o rei daria valor à palavra da *Assassina de Adarlan* como juramento.

– Sim, mas eu não vejo por que tenho de passar pelo treinamento e pela competição. Quer dizer, devo estar um pouco... fora de forma, mas... o que mais esperava levando em conta que tenho de me virar com pedras e picaretas neste lugar? – Celaena lançou um olhar raivoso para Chaol.

Dorian franziu a testa.

– Então vai recusar a proposta?

– É lógico que vou aceitar a proposta – disse ela, bruscamente. Os pulsos de Celaena roçavam nos grilhões com tanta força que seus olhos lacrimejaram. – Serei sua ridícula campeã se você concordar em me libertar em três anos, não cinco.

– Quatro.

– Muito bem – disse ela. – Está fechado. Posso estar trocando uma forma de escravidão pela outra, mas não sou boba.

Ela poderia recuperar a liberdade. *Liberdade*. Celaena sentia o ar frio do mundo livre, a brisa que vinha das montanhas para levá-la embora. Poderia viver bem longe do Forte da Fenda, a capital que um dia fora seu domínio.

– Espero que esteja certa – replicou Dorian. – E espero que sua reputação corresponda à realidade. Prevejo uma vitória e não ficarei satisfeito se você me fizer de tolo.

– E se eu perder?

Os olhos do príncipe perderam o brilho, e ele respondeu:

– Será mandada de volta para cá, para terminar de cumprir sua sentença.

Os belos devaneios de Celaena se dissolveram como areia entre os dedos.

– Então posso muito bem saltar da janela. Um ano neste lugar já me deixou assim, imagine o que aconteceria se voltasse. Eu morreria no segundo ano. – Ela levantou o queixo. – Sua oferta parece justa.

– Justa, sim – disse Dorian, e acenou para Chaol. – Leve-a para o quarto e limpe-a. – Ele a encarou. – Partimos para o Forte da Fenda amanhã de manhã. Não me decepcione, Sardothien.

Era besteira, lógico. Quão difícil seria para ela superar os competidores em inteligência e habilidade e então acabar com eles? Celaena só não sorriu porque sabia que, se o fizesse, aquilo a abriria para um universo de esperanças que há muito se fechara. Mesmo assim, sentiu vontade de pegar o príncipe e sair dançando pelo salão. Tentou pensar em música, tentou pensar numa canção de comemoração, mas só conseguiu se lembrar de um único verso de uma das amargas canções de trabalho de Eyllwe, uma canção profunda e lenta como mel derramando-se de uma jarra. *"E então, finalmente, voltar para casa..."*

Celaena nem se deu conta quando o capitão a levou embora, nem reparou enquanto atravessavam corredor atrás de corredor.

Sim, ela iria – para o Forte da Fenda ou qualquer lugar, até atravessaria os portais de Wyrd a caminho do próprio inferno, se isso significasse liberdade.

Afinal, não é à toa que você é a Assassina de Adarlan.

⊰ 4 ⊱

Quando Celaena finalmente caiu na cama após a reunião na sala do trono, não conseguiu adormecer, apesar da exaustão que lhe dominava o corpo. Após ser banhada rispidamente por servos grosseiros, as feridas em suas costas latejavam, e ela sentia como se o rosto tivesse sido esfregado até o osso. Movendo-se para ficar de lado e assim poupar as costas enfaixadas, Celaena passou a mão pelo colchão e espantou-se com a liberdade de movimentos. Antes que entrasse no banho, Chaol removera seus grilhões. Ela sentira tudo: a reverberação da chave virando na fechadura e os pesados elos de ferro se afrouxando e caindo ao chão. Ainda podia sentir o peso fantasmagórico das correntes sobre a pele. Ao olhar para o teto, Celaena flexionou as articulações doloridas e deu um suspiro de contentamento.

Mas era tão esquisito deitar em um colchão, ter a pele acariciada por sedas e um travesseiro amparando seu rosto! Ela se esquecera do gosto de comida que não fosse papa de aveia fria e pão duro e se esquecera também da diferença que corpo e roupas limpas faziam na vida de alguém. Agora tudo parecia estranho.

Mas o jantar não fora *tão* maravilhoso. O frango assado não estava grande coisa, e, depois de algumas garfadas, Celaena teve de correr para o banheiro, para esvaziar o conteúdo do estômago. Ela queria *comer*, passar a mão na barriga cheia, desejar jamais ter comido um pedaço e jurar que nunca mais comeria. Celaena comeria bem no Forte da Fenda, não comeria? E o mais importante: seu estômago se acostumaria.

Tinha emagrecido demais. Em lugar de carne firme, suas costelas apareciam sob a camisola. E os seios! Outrora bem formados, agora não pareciam maiores do que durante a puberdade. Um nó se formou na garganta de Celaena, e ela engoliu em seco. A maciez do colchão a sufocava, então se moveu outra vez, deitando-se de barriga para cima, apesar da dor nas costas.

O rosto de Celaena não estava muito melhor quando ela o viu de relance no espelho do banheiro. Estava fatigado: maçãs do rosto protuberantes, maxilar pronunciado e olhos levemente, porém inquietantemente, profundos. Celaena respirou devagar, saboreando a esperança. Ela comeria. Muito. E se exercitaria. Poderia ficar saudável de novo. Enquanto imaginava banquetes magníficos e a si mesma recuperando a antiga glória, Celaena finalmente adormeceu.

***

Quando Chaol foi buscá-la, na manhã seguinte, encontrou-a dormindo no chão, enrolada em um lençol.

– Sardothien – disse ele. Celaena murmurou algo e enterrou o rosto mais fundo no travesseiro. – Por que está dormindo no chão?

Ela abriu um olho. É claro que ele não mencionou quão diferente Celaena parecia agora que estava *limpa*.

Enquanto se levantava, Celaena não se preocupou em esconder o corpo com o lençol. Os metros de tecido que chamavam de camisola a cobriam bastante.

– A cama não estava confortável – respondeu, mas prontamente se esqueceu do capitão ao perceber a luz do sol.

Pura, fresca e morna luz do sol. Luz em que Celaena poderia se banhar todos os dias se conseguisse a liberdade, luz na qual poderia afogar a escuridão infinita das minas. A luz se infiltrava pelas cortinas pesadas e manchava o cômodo com linhas espessas. Celaena esticou a mão com cautela.

O membro estava pálido, quase esquelético, mas havia algo ali, algo por trás dos ferimentos, dos cortes e das cicatrizes, que parecia belo e novo à luz da manhã.

Celaena correu até a janela e quase arrancou as cortinas ao abri-las para ver as montanhas cinzentas e a desolação de Endovier. Os guardas lá embaixo não olharam para o alto, e Celaena observou pasma o céu cinzento, as nuvens que se apressavam na direção do horizonte.

Eu não terei medo. Pela primeira vez em muito tempo as palavras soaram verdadeiras.

Os lábios de Celaena se abriram em um sorriso. O capitão levantou uma sobrancelha, mas não disse nada.

Celaena estava alegre – radiante, na verdade – e sentiu o humor melhorar quando os servos prenderam-lhe as tranças na nuca e vestiram-na em roupas de montaria de qualidade surpreendente, que escondiam sua silhueta terrivelmente magra. Ela adorava roupas – amava o toque da seda, do veludo, do cetim, da camurça e do chifon – e era fascinada pela elegância das costuras, pela perfeição intricada de uma superfície bordada. Quando finalmente vencesse a tal competição ridícula, estaria livre... poderia comprar todas as roupas que quisesse.

Celaena riu quando Chaol, irritado por ela estar há cinco minutos se admirando na frente do espelho, arrastou-a do quarto. O céu da manhã fez com que Celaena quisesse dançar e pular pelos salões até chegarem ao pátio principal. Mas ela hesitou ao ver as rochas cor de osso nos limites do complexo e os pequenos vultos entrando e saindo dos buracos escuros escavados nas montanhas.

O trabalho do dia já começara e continuaria sem Celaena depois da partida; os prisioneiros permaneceriam lá, abandonados àquele destino terrível. Com o estômago apertado, Celaena desviou o olhar dos trabalhadores e correu para acompanhar o capitão enquanto se aproximavam de uma caravana de cavalos perto da alta muralha.

De repente, latidos ecoaram, e três cães pretos partiram do centro da caravana para encontrá-los. Eram todos esguios feito flechas – sem dúvida pertenciam aos canis do príncipe. Celaena apoiou um joelho no chão, sentindo as feridas protestarem ao acariciar as cabeças dos cães e alisar o pelo suave dos animais. Eles lamberam os dedos e o rosto dela, os rabos batendo no chão feito chicotes.

Um par de botas pretas parou diante Celaena, e os cães se acalmaram imediatamente, sentando-se. Celaena olhou para o alto e encontrou os olhos cor de safira do príncipe de Adarlan estudando seu rosto. Ele deu um leve sorriso.

– Estranho eles terem notado você – disse o príncipe, coçando a orelha de um dos cães. – Você deu comida a eles?

Celaena negou com um movimento de cabeça enquanto o capitão se aproximava pelas costas da assassina, tão perto que os joelhos dele roçaram as dobras da capa de veludo verde-escuro dela. Bastariam dois movimentos para desarmá-lo.

– Você gosta de cães? – perguntou o príncipe. Celaena assentiu. Por que já estava tão quente? – Será que serei agraciado com sua voz ou você está decidida a ficar em silêncio pelo resto da jornada?

– Acho que suas perguntas não mereceram uma resposta verbal.

Dorian fez uma mesura.

– Peço que me perdoe, gentil senhora! Quão terrível deve ser o esforço de responder uma pergunta! Da próxima vez, vou pensar em algo mais interessante para dizer.

Com isso, o príncipe se virou e se afastou, os cães o seguindo de perto.

Celaena fez uma careta ao se erguer e fechou ainda mais o rosto ao perceber que o capitão da guarda ria enquanto seguiam até o grupo que se aprontava para partir. No entanto, a vontade irresistível de arremessar alguém contra uma parede diminuiu quando lhe trouxeram uma égua malhada.

Celaena montou. O céu ficou mais próximo, espraiando-se no infinito sobre sua cabeça, por terras distantes das quais ela jamais ouvira falar. Celaena agarrou a cabeça da sela. Estava mesmo indo embora de Endovier. Todos aqueles meses sem esperança, as noites gélidas… agora no passado. Ela inspirou profundamente. Sabia – apenas *sabia* – que se tentasse, conseguiria voar da sela. Mas então sentiu o aperto dos grilhões nos braços.

Era Chaol, algemando seus pulsos enfaixados. Uma longa corrente ia até o cavalo dele e desaparecia sob as capangas amarradas à sela. Ele montou o garanhão preto, e Celaena cogitou por um instante pular do cavalo e usar a corrente para enforcá-lo na árvore mais próxima.

O grupo era numeroso, vinte pessoas no total. Atrás de dois guardas portando a flâmula imperial, seguiam o príncipe e o duque Perrington. Depois, um grupo de seis guardas reais, entediantes e desinteressantes como mingau. Mas, ainda assim, tinham sido treinados para protegê-lo – *dela*. Celaena bateu com as correntes na sela e olhou para Chaol. Ele não reagiu.

O sol já estava mais alto no céu. Após uma última inspeção dos suprimentos, eles partiram. Com a maior parte dos escravizados trabalhando nas minas e o restante dentro dos precários barracões de refino, o pátio gigante estava quase deserto. A muralha assomou subitamente, e o sangue de Celaena pulsou forte nas veias. A última vez em que estivera tão perto assim...

Um chicote estalou, seguido de um grito. Celaena olhou para trás, para além dos guardas e da carroça de suprimentos, na direção do pátio quase vazio. Nenhum daqueles escravizados sairia dali, nem depois de mortos. A cada semana, cavavam novas sepulturas coletivas atrás dos barracões de refino. E a cada semana, essas sepulturas se enchiam.

Ela se lembrou das três grandes cicatrizes nas costas. Mesmo se conquistasse a liberdade... mesmo se conseguisse viver em paz em algum lugar... as cicatrizes seriam sempre uma lembrança do que suportara. E de que embora fosse livre, outros não eram.

Celaena olhou à frente para expulsar aqueles pensamentos da mente enquanto o grupo entrava na passagem da muralha. O interior era denso, quase enfumaçado, e úmido. Os sons dos cavalos ecoavam como trovões. Os portões de ferro se abriram, e ela vislumbrou o nome amaldiçoado da mina, que então se dividiu em dois, afastando-se para dar-lhes passagem. Um piscar de olhos e os portões se fecharam, rangendo. Celaena tinha saído.

Mexeu as mãos atadas, vendo as correntes balançando e batendo entre ela e o capitão da guarda. A corrente estava atada à sela dele, a qual estava afivelada ao cavalo, que, quando parassem, poderia ser desselado sutilmente, apenas o bastante para que um puxão forte de Celaena arrancasse a sela do animal, lançando o capitão ao solo, então ela...

Celaena sentiu que o capitão Westfall a observava. Ele a encarava com o cenho franzido e os lábios apertados, e ela deu de ombros inocentemente, largando a corrente.

À medida que a manhã avançava, o azul do céu ficava mais intenso e quase não havia nuvens. Seguindo pela trilha da floresta, eles passaram rapidamente dos ermos montanhosos de Endovier para o interior mais agradável.

Pelo meio da manhã, já tinham alcançado a floresta Carvalhal, a qual cercava Endovier e servia como divisão entre os países "civilizados" do leste e as terras não mapeadas a oeste. As lendas ainda falavam das pessoas estranhas e perigosas que as habitavam, os cruéis e sanguinários descendentes do decaído Reino das Bruxas. Uma vez Celaena conhecera uma jovem daquela terra amaldiçoada e, embora tivesse se revelado realmente cruel e sanguinária, ainda era apenas uma humana. E sangrara como humana.

Depois de horas de silêncio, Celaena voltou-se para Chaol.

– Dizem que quando o rei terminar essa guerra contra Wendlyn, ele irá colonizar o oeste.

Celaena falou em tom casual, mas esperava uma confirmação ou uma negativa. Quanto mais soubesse da situação atual e das ações do rei, melhor. O capitão a avaliou de cima a baixo, franziu o cenho e desviou o olhar.

– Concordo com você – disse ela, suspirando alto. – O destino daquelas planícies vazias e amplas daquelas regiões montanhosas miseráveis também me parece bastante sem graça.

O maxilar do capitão se retesou quando ele trincou os dentes.

– Você pretende me ignorar pra sempre?

O capitão Westfall ergueu as sobrancelhas.

– Eu não sabia que estava ignorando você.

Celaena fez um biquinho e conteve a irritação. Não daria a satisfação a ele.

– Quantos anos você tem?

– Vinte e dois.

– Que jovem! – Celaena piscou os cílios, esperando alguma reação. – Então você subiu de posição em pouco tempo...?

O capitão assentiu.

– E qual a *sua* idade?

– Dezoito – Mas o capitão não replicou. – Eu sei – continuou ela –, é impressionante eu ter realizado tanta coisa tão cedo.

– O crime não é uma conquista, Sardothien.

– Sim, mas se tornar a assassina mais famosa do mundo é! – Ele não respondeu. – Pode me perguntar como eu consegui, se quiser.

– Conseguiu o quê?

– Ficar tão talentosa e famosa tão cedo.

– Não quero saber.

Não era o que Celaena queria ouvir.

– Você não é nada gentil – respondeu ela, entre dentes. Celaena teria de tentar com mais afinco se quisesse irritá-lo.

– Você é uma criminosa. Eu sou o capitão da Guarda Real. Não tenho obrigação de conversar com você nem de demonstrar cortesia. Agradeça por não termos deixado você presa dentro da carroça.

– Bom, aposto que conversar com você deve ser desagradável mesmo quando você *demonstra* cortesia aos outros. – O capitão não respondeu, e Celaena se sentiu um pouco tola. Alguns minutos se passaram. – Você e o príncipe herdeiro são amigos íntimos?

– Minha vida pessoal não é da sua conta.

Celaena estalou a língua.

– O quão bem-nascido você é?

– O suficiente. – O queixo do capitão se levantou quase imperceptivelmente.

– Duque?

– Não.

– Lorde? – Ele não respondeu, e Celaena sorriu lentamente. – Lorde Chaol Westfall. – Ela se abanou com a mão. – As damas da corte devem *desmaiar* quando você passa!

– Não me chame assim. Não recebi o título de lorde – respondeu ele.

– Você tem um irmão mais velho?

– Não.

– Então por que não usa o título? – Novamente, nenhuma resposta. Celaena sabia que era melhor parar de bisbilhotar, mas não conseguia. – Algum escândalo? Direito de nascença contestado? Em que tipo de intriga você se meteu?

O capitão apertou tanto os lábios que ficaram brancos.

– Você acha que...

– Será que eu precisarei amordaçá-la ou você vai conseguir ficar quieta sem minha ajuda? – Ele olhou para a frente, na direção do príncipe herdeiro, com uma expressão impassível.

– Você é casado? – Celaena conteve o riso ao ver que o capitão fizera outra careta quando a ouviu falar novamente.

– Não.

Celaena cutucou as unhas.

– Eu também não. – As narinas de Westfall se dilataram. – Que idade você tinha quando virou capitão da guarda?

Ele mexeu nas rédeas e respondeu:

– Vinte.

O grupo parou em uma clareira, e os soldados apearam. Celaena encarou Chaol, que desmontou.

– Por que paramos?

Chaol soltou a corrente da sela e deu um puxão firme, fazendo sinal para que Celaena descesse da montaria.

– Hora do almoço – respondeu.

❧ 5 ❧

Celaena afastou alguns fios de cabelo rebeldes que lhe caíam pela face e permitiu que a conduzissem até a clareira. Se quisesse se libertar, teria de passar por Chaol primeiro. Se estivessem sozinhos, talvez ela tentasse fugir, embora as correntes dificultassem o intento; mas com um grupo de guardas treinados para matar sem hesitar...

Chaol se manteve perto de Celaena enquanto a fogueira era acesa e a comida era retirada das caixas e dos sacos de suprimento. Os soldados rolaram toras para fazer pequenos círculos onde se sentavam enquanto os companheiros mexiam e fritavam a comida. Os cães do príncipe herdeiro, que tinham seguido fielmente o dono, aproximaram-se da assassina e se deitaram aos seus pés, com os rabos batendo. Pelo menos alguém apreciava a companhia de Celaena.

A assassina, que já estava faminta quando a comida finalmente foi servida, irritou-se ainda mais com a demora do capitão em remover os grilhões. Após lançar um longo olhar de aviso na direção dela, Chaol abriu as algemas e prendeu-as nos calcanhares de Celaena. Ela revirou os olhos enquanto levava um pouco de carne à boca, mastigando devagar. A última coisa de que precisava era passar mal na frente deles. Enquanto os soldados conversavam entre si, começou a prestar atenção nos arredores. Celaena e Chaol sentavam-se junto a cinco soldados. O príncipe, é claro, sentava-se com Perrington em cima de tocos, longe dela. Dorian fora arrogante e parecera divertir-se levianamente na noite anterior, mas agora exibia uma expressão grave enquanto conversava com o duque. O corpo inteiro do príncipe parecia tenso, e Celaena não deixou de notar o modo como ele trincava os dentes quando Perrington falava. Qualquer que fosse a relação entre os dois, não era cordial.

Enquanto mastigava, Celaena desviou a atenção para as árvores que os cercavam. A floresta se aquietara. As orelhas dos cães pretos estavam erguidas, embora eles não parecessem incomodados com o silêncio. Até os soldados estavam quietos. O coração de Celaena bateu mais forte. A floresta era diferente ali.

As folhas pendiam feito joias: gotinhas de rubi, pérola, topázio, ametista, esmeralda e granada; e um tapete dessas riquezas recobria o chão em volta deles. Apesar dos estragos das guerras de conquista, aquela parte da floresta Carvalhal permanecia imaculada. E o lugar ainda reverberava com os resíduos do poder que outrora dera às árvores sua beleza sobrenatural.

Celaena tinha apenas 8 anos quando Arobynn Hamel, seu mentor e rei dos Assassinos, a encontrara semissubmersa na margem de um rio congelado, levando-a para seu forte na fronteira entre Adarlan e Terrasen. Enquanto a treinava para se tornar sua assassina mais leal e competente, Arobynn jamais permitira que Celaena voltasse para seu lar em Terrasen. Mas ela ainda se lembrava da beleza do mundo antes que o rei de Adarlan ordenasse que a maior parte dele fosse queimada. Agora não havia mais nada lá para Celaena e jamais haveria. Arobynn nunca dissera em voz alta, mas se ela tivesse recusado sua oferta para treiná-la, ele a teria entregue para os que a desejavam morta. Ou pior. Celaena acabara de ficar órfã e mesmo com 8 anos já sabia que uma vida com Arobynn, com um nome novo que ninguém reconheceria – mas que algum dia todos temeriam – significava uma chance de recomeçar. De escapar do destino que a forçara a pular no rio gelado aquela noite, dez anos antes.

— Floresta maldita... – rosnou um soldado de pele marrom-clara. Um soldado atrás dele deu uma risadinha. – Quanto mais cedo queimarem tudo, melhor. – Os outros soldados assentiram, e Celaena enrijeceu.

— Tudo aqui é cheio de ódio – comentou outro soldado.

— E o que vocês esperavam? – interrompeu Celaena. A mão de Chaol pousou rapidamente no cabo da espada, e os soldados se voltaram para ela, alguns deles fazendo careta de pouco caso. – Esta floresta não é igual às outras. – Ela apontou para as árvores com o garfo. – É a floresta de Brannon.

– Meu pai me dizia que esta floresta era cheia de fadas – disse um soldado. – Mas todas sumiram.

– Junto com os malditos feéricos – respondeu outro soldado, após morder uma maçã.

– Nós nos livramos deles, não foi? – perguntou um terceiro.

– Cuidado com a língua – repreendeu Celaena. – O rei Brannon era do povo feérico, e Carvalhal ainda é dele. Eu não me surpreenderia se as árvores ainda se lembrassem dele.

Os soldados riram.

– Essas árvores teriam de ter uns dois mil anos de idade! – disse um deles.

– Feéricos são imortais – respondeu ela.

– Mas as árvores não são.

Irritada, Celaena balançou a cabeça e comeu outro bocado.

– O que você sabe sobre a floresta? – perguntou Chaol, serenamente.

Será que estava zombando dela? Os soldados se inclinaram para a frente, prontos para rir. Mas os olhos castanhos do capitão mostravam mera curiosidade.

Celaena engoliu a carne.

– Antes de Adarlan iniciar a conquista, esta floresta estava imersa em magia – respondeu ela em voz baixa, mas não de maneira servil.

Chaol esperou que Celaena continuasse, mas ela nada disse.

– E...? – insistiu ele.

– E isso é tudo o que eu sei – respondeu ela, sustentando o olhar de Chaol. Desapontados, os soldados voltaram a se concentrar na refeição.

Celaena estava mentindo, e Chaol sabia disso. Ela sabia bastante sobre a floresta, sabia que os moradores dali eram do povo das fadas: gnomos, duendes, ninfas, goblins, mais nomes do que era possível enumerar ou lembrar. Todos governados por seus primos antropoides maiores, os imortais feéricos – os habitantes e colonizadores originais do continente, os seres mais antigos de Erilea.

Com a corrupção crescente de Adarlan e a campanha do rei para caçá-los e executá-los, as fadas e os feéricos fugiram, procurando abrigo nos lugares intocados e ermos do mundo. O rei de Adarlan proscrevera tudo:

magia, feéricos e fadas; e removera os vestígios tão completamente que mesmo os que a carregavam no sangue chegavam a crer que a magia jamais existira, e a própria Celaena era um exemplo disso. O rei dissera que a magia era uma afronta à Deusa e a seus deuses; que manipular magia era uma imitação impertinente dos poderes divinos. Embora o rei tivesse proibido a magia, a maioria das pessoas sabia da verdade: um mês após a proclamação, a magia desaparecera completamente, por conta própria. Talvez tivesse antecipado os horrores que se seguiriam.

Celaena ainda sentia o cheiro das queimadas que se alastraram durante seu oitavo e nono anos de vida. O cheiro de livros queimando, repletos de conhecimento antigo, insubstituível, os gritos de videntes e curandeiros sendo consumidos pelas chamas, as fachadas e os locais sagrados demolidos, conspurcados e apagados da história. Muitos dos usuários de magia que não foram queimados terminaram como prisioneiros em Endovier, e a maioria não sobreviveu lá. Já fazia tempo desde a última vez que Celaena contemplara os dons que perdera, embora a memória de suas habilidades assombrasse seus sonhos. Apesar da carnificina, talvez *tivesse* sido bom que a magia desaparecesse. Era algo perigoso demais para as pessoas sãs controlarem; e seus talentos talvez já a tivessem destruído àquela altura da vida.

A fumaça da fogueira fazia arder os olhos enquanto Celaena mastigava. Jamais esquecera as histórias sobre a floresta Carvalhal, lendas de clareiras sombrias e terríveis, fontes profundas e serenas e cavernas cheias de luz e canto celestial. Mas tinham se tornado histórias e nada mais. Falar no assunto era procurar problemas.

Ela olhou para a luz do sol que se infiltrava entre as copas, para a maneira como as árvores balançavam ao vento, seus longos braços magros emaranhando-se uns nos outros. Celaena conteve um calafrio.

Por sorte, o almoço acabou logo. As correntes voltaram para seus pulsos, e os cavalos, depois do descanso, voltaram a receber as cargas. As pernas de Celaena estavam tão enrijecidas que Chaol teve de ajudá-la a subir no cavalo. Doía cavalgar, e o nariz dela também sofria com o contínuo cheiro de cavalo suado e excremento que vinha da frente do grupo.

Eles seguiram viagem pelo resto do dia, e a assassina ficou em silêncio enquanto via a floresta passar. A tensão em seu peito recusou-se a abandoná-la até finalmente deixarem a clareira brilhante para trás. O corpo de Celaena doía quando por fim pararam para passar a noite. Ela nem tentou falar durante o jantar, nem se importou quando montaram sua pequena tenda com guardas postados do lado de fora. Celaena teve permissão para dormir, ainda acorrentada a um dos guardas. Teve um sono sem sonhos e ao acordar não conseguiu acreditar no que via.

Pequenas flores brancas tinham sido deixadas ao pé da cama improvisada, e pegadas miúdas como de crianças formavam um rastro para dentro e para fora da tenda. Antes que alguém entrasse, Celaena passou o pé sobre as pegadas, apagando-as, e enfiou as flores em uma sacola próxima.

Embora ninguém tivesse mencionado mais nada sobre fadas pelo resto da viagem, Celaena passou a examinar com afinco o rosto dos soldados para detectar algum sinal de que eles tivessem visto algo estranho. Ela passou a maior parte do dia seguinte com as mãos suadas e o coração acelerado, mantendo sempre a atenção nos bosques por onde passavam.

❧ 6 ❧

Durante as duas semanas seguintes, eles viajaram pelo continente. As noites se tornavam cada vez mais frias, e os dias, mais curtos. A chuva gélida os acompanhou por quatro dias seguidos, causando tanto frio que Celaena pensou em se jogar em uma ravina, arrastando, com sorte, Chaol consigo.

Tudo estava frio e semicongelado. Dava para aguentar os cabelos molhados, mas a agonia dos sapatos encharcados era quase desumana. Mal conseguia sentir os próprios dedos. Toda noite ela envolvia os pés com qualquer trapo seco que pudesse encontrar. Era como se estivesse em um estado de decomposição parcial, e cada lufada de vento gélido a fazia imaginar que, a qualquer momento, sua pele seria arrancada dos ossos. Porém, como ainda estavam no outono, a chuva desapareceu repentinamente e um céu brilhante e límpido se abriu sobre eles.

Celaena estava semiadormecida sobre o cavalo quando o príncipe herdeiro saiu da fila e trotou até eles com o cabelo castanho esvoaçante. A capa vermelha ondulava atrás dele como uma onda carmesim. O príncipe usava um gibão azul bordado com fios de ouro sobre uma camisa branca. Celaena quase sorriu zombeteiramente, mas ele *ficava* muito bonito com aquelas grandes botas marrons. E o cinto de couro *combinava* muito bem, apesar da faca de caça excessivamente adornada. O príncipe se aproximou de Chaol.

– Venha – disse ele ao capitão, e se virou na direção de uma colina íngreme que a comitiva começava a subir.

– Aonde? – perguntou o capitão, balançando as correntes de Celaena para que Dorian entendesse que aonde ele fosse, a mulher iria junto.

– Venha ver a vista – elucidou Dorian. – E traga essa aí junto.

Celaena se enfureceu. "Essa aí"! Como se fosse um saco de mantimentos!

Chaol saiu com os dois da fila, dando um puxão na corrente. A assassina segurou firme as rédeas enquanto partiam a galope e sentiu o cheiro pungente de crina de cavalo invadindo-lhe as narinas. Eles cavalgaram rapidamente colina acima. O animal movia-se freneticamente, pulando e corcoveando ao percorrer o trecho de subida, e Celaena tentou não parecer desesperada enquanto sentia que escorregava lentamente da sela. Se caísse do cavalo, morreria de humilhação. Mas o sol poente surgiu atrás das árvores às costas do grupo e ela perdeu o fôlego ao avistar uma, depois três e por fim seis altas torres apontando para o céu.

Do topo da colina, Celaena avistou a joia da coroa de Adarlan. O castelo de vidro de Forte da Fenda.

Era imenso, como uma cidade vertical de torres cristalinas e pontes brilhantes, cheio de câmaras e torretas, salões com domos e corredores infinitos. Fora construído sobre o castelo de pedra original e custara a riqueza de um reino inteiro para ficar pronto.

Celaena lembrou-se da primeira vez que o vira, oito anos atrás, frio e imóvel, congelado como a terra sob o pônei gordo que ela montava. Mesmo naquela época, já achava o castelo uma obra de mau gosto, um desperdício de dinheiro e talento, com suas torres que apontavam para o céu como garras. Muitas lembranças retornaram, como a capa azul que lhe roçava a pele, o peso dos cabelos recém-cacheados, as longas meias-calças esfregando contra a sela, a preocupação com a mancha de lama nos sapatos de veludo vermelho e o modo como não conseguia parar de pensar naquele homem... o homem que matara três dias antes.

– Mais uma torre e a coisa toda vem abaixo – comentou o príncipe, do outro lado de Chaol. Os sons do grupo que se aproximava encheram o ar. – Ainda temos alguma distância a percorrer, e prefiro viajar por estas terras durante o dia. Acamparemos aqui esta noite.

– Imagino o que seu pai achará dela – disse Chaol.

– Ora, ele vai adorar... até a hora que ela abrir a boca. Então os gritos e as reclamações vão começar e eu me arrependerei de ter passado os últimos dois meses atrás dela. Mas, enfim, creio que meu pai tenha coisas mais importantes com que se preocupar.

Depois disso, o príncipe se afastou.

Celaena não conseguia tirar os olhos do castelo. Fazia com que se sentisse tão pequena, mesmo estando tão longe. Ela havia se esquecido de como a estrutura fazia as pessoas se sentirem menores.

Os soldados andavam de um lado para o outro, acendendo fogueiras e armando tendas.

— Sua cara é de quem vai para a forca, não de quem vai receber a liberdade — disse o capitão, ao lado de Celaena.

Ela continuou parada, entrelaçando as rédeas nos dedos.

— É estranho olhar para lá.

— Para a cidade?

— Para a cidade, para o castelo, para os cortiços, para o rio. — A sombra do castelo era como uma enorme criatura se abatendo sobre a cidade. — Até hoje não entendo bem como tudo aconteceu.

— Como você foi capturada?

Ela assentiu.

— Apesar de você acreditar que o mundo sob o domínio de um império é um lugar perfeito, seus governantes e políticos vivem tentando destruir uns aos outros. O mesmo acontece com os assassinos, parece.

— Acha que um dos seus traiu você?

— Todos sabiam que eu recebia os melhores contratos e podia pedir qualquer pagamento. — Celaena olhou as ruas entrecruzando-se na cidade e o reflexo do sol no rio sinuoso. — Se eu sumisse, abriria uma vaga com a qual todos iriam lucrar. Posso ter sido traída por um ou por muitos.

— Você não deveria esperar comportamento honrado andando em tal companhia.

— Eu não disse que esperava. Jamais confiei na maioria deles e sempre soube que me odiavam.

Celaena tinha suas suspeitas, é claro. E a que parecia mais provável era uma que ela não estava preparada para aceitar. Nem agora, nem nunca.

— Endovier deve ter sido terrível — comentou Chaol. Não havia nenhum traço de malícia ou escárnio nas palavras. Seria uma ponta de compaixão?

— Sim — respondeu ela, calmamente. — Foi.

Chaol a olhou esperando mais. Bom, por que não contar a ele?

— Quando cheguei, cortaram meu cabelo, me vestiram com trapos e me deram uma picareta como se eu soubesse o que fazer com ela. Me acorrentaram aos outros e eu tive de aguentar as chibatadas junto com eles. Mas os capatazes receberam ordens de me dar um tratamento especial e tomaram a iniciativa de esfregar sal nos meus machucados – o sal que *eu* minerei – e me chicoteavam tanto que alguns ferimentos nunca cicatrizavam. Foi a bondade de alguns prisioneiros de Eyllwe que impediu que minhas feridas infeccionassem. Toda noite, um deles ficava acordado por quanto tempo fosse necessário para limpar minhas costas.

Chaol não respondeu e apenas olhou de volta para Celaena antes de desmontar. Teria sido um erro revelar algo tão pessoal? O capitão não falou com ela novamente durante todo o dia, exceto para gritar comandos.

⌁

Celaena acordou assustada, com a mão na garganta, suor frio escorrendo pelo corpo. Já tivera aquele pesadelo antes, no qual estava deitada em uma das valas comunitárias de Endovier. E quando tentava se libertar do emaranhado de membros apodrecidos, era arrastada para uma pilha com vinte cadáveres de profundidade e enterrada viva sem que ninguém percebesse que ainda estava gritando.

Então abraçou as pernas, sentindo-se enjoada. Respirou pausadamente e inclinou a cabeça, os joelhos ossudos pressionando sua bochecha. Por causa do clima quente fora de época, o grupo abrira mão de dormir em tendas, o que dava a ela uma vista inigualável da capital. O castelo iluminado se erguia em meio à cidade como uma montanha de gelo e vapor. Havia uma energia verde pulsante que parecia emanar dele.

Àquela hora, no dia seguinte, Celaena estaria confinada dentro daquelas paredes. Mas agora, à noite, estava tudo quieto, como a calmaria que precedia a tormenta.

Celaena imaginou o mundo inteiro adormecido, encantado pela luz verde-mar do castelo. Imaginou o tempo passando rápido, montanhas se erguendo e caindo, plantas se entremeando pela cidade sonolenta, ocultando-a com uma camada de folhas e espinhos. Ela era a única pessoa acordada.

Puxou a capa para se cobrir. Ela venceria. Venceria e serviria ao rei. Depois, desapareceria para sempre e nunca mais pensaria em castelos, reis ou assassinos. Celaena não desejava reinar sobre a cidade novamente.

A magia estava morta, os feéricos tinham sido banidos ou executados, e ela nunca mais teria nada a ver com a ascensão ou a queda de reinos.

Celaena não tinha destino. Não mais.

Com a mão na espada, Dorian Havilliard observava a assassina do outro lado do grupo adormecido. Havia algo de triste em Celaena, sentada abraçando as pernas, com o luar refletido nos cabelos. Nenhum traço de expressão audaz ou resoluta aparecia em seu rosto enquanto o brilho do castelo cintilava em seus olhos.

Dorian a achava bela, mesmo com o jeito estranho e amargo. Havia algo especial no modo como os olhos da assassina brilhavam ao perceber algo belo na paisagem. Era difícil compreender.

Celaena olhava fixamente para o castelo, e sua silhueta era demarcada pela luz que emanava das margens do rio Avery. As nuvens se avolumavam acima deles, e ela olhou para o alto. Uma pequena constelação aparecia por uma abertura na massa de nuvens. O príncipe não pôde deixar de imaginar que as estrelas olhavam para ela.

Não, ele precisava se lembrar de que ela era uma assassina, abençoada com um belo rosto e uma esperteza incomum. As mãos de Celaena tinham derramado muito sangue, e ela cortaria a garganta de Dorian com a mesma facilidade com que lhe daria bom dia. Celaena era sua campeã. Estava lá para lutar por ele e por sua liberdade. Nada mais. Dorian deitou-se, segurando a espada, e caiu no sono.

Ainda assim, a imagem assombrou seus sonhos a noite toda: a linda garota que olhava as estrelas e as estrelas que a olhavam de volta.

❧ 7 ❧

Os trombeteiros anunciaram a chegada da comitiva quando ela passou pelas enormes muralhas de alabastro do Forte da Fenda. Bandeiras vermelhas com serpentes aladas douradas ondulavam ao vento sobre a capital, enquanto as ruas de pedra eram interditadas ao tráfego. Celaena seguia desacorrentada, vestida e maquiada, sentada na frente de Chaol. Não conseguiu evitar a expressão de nojo quando o odor da cidade lhe chegou ao nariz.

Sob a camada de cheiro de temperos e cavalos, havia uma base de imundice, sangue e leite estragado. O ar ainda trazia um leve odor de maresia das águas do Avery, completamente diferente do odor de sal de Endovier. O rio trazia navios de todos os oceanos de Erilea, embarcações mercantes apinhadas de produtos e escravizados e barcos pesqueiros com carne coberta de escamas e semiapodrecida que o povo, de alguma forma, conseguia comer. De vendedores barbados a serviçais carregando chapeleiras, todos pararam conforme os porta-estandartes trotavam, orgulhosos, à frente da comitiva e Dorian Havilliard acenava.

Todos seguiram o príncipe herdeiro, que, assim como Chaol, vinha envolto em uma capa vermelha, presa do lado esquerdo do peito por um broche com o formato do selo real. O príncipe usava uma coroa dourada sobre o cabelo cuidadosamente arrumado. Celaena tinha de admitir que Dorian parecia bastante nobre.

Jovens donzelas apareciam aos montes para vê-los, acenando. Dorian piscava e sorria. Celaena não pôde deixar de notar os olhares penetrantes das mesmas donzelas quando a viram entre a comitiva do príncipe. Ela sabia que parecia, sentada sobre o cavalo, uma mocinha sendo levada como prêmio ao castelo. Então, Celaena se limitou a sorrir para elas e piscar na direção do príncipe.

O braço dela doeu de repente.

– O que foi? – reclamou Celaena ao capitão da guarda, que lhe dera um beliscão.

– Você está ridícula – respondeu ele entre dentes, sorrindo para o povo.

Ela imitou a mesma expressão e disse:

– *Elas* são ridículas.

– Fique quieta e aja normalmente. – O hálito do capitão era quente no pescoço de Celaena.

– Se eu quisesse pular do cavalo e correr, poderia sumir em um segundo – comentou ela, enquanto acenava para um jovem rapaz que ficou boquiaberto ao receber a atenção de uma dama da corte.

– Claro, você sumiria com três flechas encravadas nas costas.

– Que conversa agradável.

A comitiva entrou no distrito comercial, onde o povo se aglomerava entre as árvores que ladeavam a avenida. As vitrines das lojas eram quase invisíveis por trás da multidão, mas uma espécie de fome avassaladora tomou conta de Celaena enquanto passavam em frente às lojas. Cada vitrine exibia vestidos e túnicas, erguidos, imponentes, por trás de fileiras de joias brilhantes e chapéus largos aglomerados como buquês de flores. Acima de tudo aquilo, erguia-se o castelo de vidro, tão alto que era preciso inclinar a cabeça para enxergar as torres mais altas. Por que haviam escolhido uma rota tão longa e inconveniente? Queriam realmente desfilar?

Celaena engoliu em seco. Havia um espaço entre as construções, e velas de navios abertas como asas de mariposas cumprimentaram o grupo quando este virou a avenida que margeava o Avery. Navios estavam aportados no píer, um emaranhado de cordas e redes com pescadores falando uns com os outros, atarefados demais para perceberem a comitiva real. Ao ouvir o som de um chicote, a cabeça de Celaena virou-se automaticamente para o lado.

Um grupo de escravizados cambaleava pela rampa de um navio mercante. Uma mistura de homens de várias nações conquistadas, acorrentados juntos.

Cada um deles com aquela expressão vazia que Celaena vira tantas vezes no passado. A maioria dos escravizados era de prisioneiros de guerra, rebeldes que sobreviveram ao massacre dos exércitos infinitos de Adarlan. Alguns deviam ser pessoas flagradas ou acusadas de tentar usar mágica. Mas outros eram só pessoas comuns, que estavam no lugar errado na hora errada. Agora ela percebia que havia muitos escravizados acorrentados trabalhando nas docas, levantando pesos e suando, segurando guarda-sóis e servindo água, sempre olhando para o chão ou para o céu, nunca para o que estivesse à frente.

O desejo de Celaena era saltar do cavalo e correr até eles ou simplesmente gritar, dizer que não era parte da corte do príncipe, que não tinha nenhuma responsabilidade por eles estarem ali, acorrentados, famintos e espancados, que tinha trabalhado e sangrado com eles, com suas famílias e seus amigos, que não era como os monstros ao redor dela, que destruíam tudo. Queria dizer a eles que *fizera* alguma coisa para mudar aquilo, há dois anos, quando libertou os escravizados do Lorde Pirata. Mas não tinha sido suficiente.

A cidade foi repentinamente separada, arrancada de Celaena. As pessoas ainda acenavam, rindo e aclamando os passantes, jogando flores e outras coisas sem sentido em frente aos cavalos. Celaena sentia-se sufocada.

Mais rápido do que Celaena desejava, o grande portão de ferro e vidro do castelo apareceu. Portas de treliça se abriram, e uma dúzia de guardas cercava o caminho de pedras que passava pelo portal. Os soldados seguravam as lanças eretas, com escudos retangulares. Seus olhos escuros brilhavam à sombra dos capacetes de bronze. Cada um deles vestia uma capa vermelha. Suas armaduras, apesar de bem gastas, eram muito bem-feitas de cobre e couro.

Além do portal, a estrada se transformava em uma rampa ladeada por árvores douradas e prateadas. Postes de vidro se erguiam no meio da cerca viva na lateral da estrada. O som da cidade sumiu quando passaram por outro portal, esse feito de vidro brilhante. Nesse momento, o castelo se ergueu à frente deles.

Chaol suspirou ao desmontar no pátio aberto. Mãos puxaram Celaena da sela e a colocaram de pé. O vidro reluzia por todos os lados, e a mão de alguém se fechou sobre o ombro dela. Cavalariços levaram os cavalos silenciosamente.

O capitão puxou Celaena para o lado, segurando firme a capa da assassina enquanto o príncipe se aproximava.

– Seiscentos quartos, alojamento militar e de empregados, três jardins, um parque de jogos e estábulos dos dois lados – falou Dorian, olhando para seu lar. – Quem precisa de tanto espaço?

Celaena forçou um pequeno sorriso, um pouco desconcertada pelo charme repentino do príncipe.

– Não sei como você consegue dormir à noite com apenas uma parede de vidro para mantê-lo vivo.

Ela olhou para cima, mas abaixou os olhos rapidamente. Não tinha medo de altura, mas a ideia de estar tão alto com apenas vidro para protegê-la fazia seu estômago embrulhar.

– Então você é como eu. – Dorian riu. – Que bom que arrumei quartos no castelo de pedra para você. Detestaria vê-la desconfortável.

Depois de chegar à conclusão de que fazer cara feia para ele não era uma boa ideia, Celaena voltou os olhos para os enormes portões. As portas eram feitas de vidro vermelho turvo e, quando abertas, pareciam a boca de um gigante. Mas era possível ver que o interior era feito de pedra. Era como se o castelo de vidro tivesse sido colocado sobre a construção original. Que ideia ridícula: um castelo feito de vidro.

– Bem – avaliou Dorian –, você ganhou peso e um pouco de cor. Seja bem-vinda a minha casa, Celaena Sardothien. – Ele acenou com a cabeça para alguns nobres passantes que fizeram mesuras. – A competição começa amanhã. O capitão Westfall lhe mostrará seu quarto.

Celaena olhou ao redor, à procura de outros competidores. Ao que parecia, ninguém mais havia chegado.

O príncipe acenou para outro grupo de cortesãos e não olhou nem para o capitão, nem para a assassina quando falou novamente.

– Preciso me reunir com meu pai – declarou, enquanto passava os olhos pelo corpo de uma donzela particularmente bela. Ele sorriu para a moça, que escondeu o rosto atrás de um leque e continuou a caminhar. Dorian acenou para Chaol. – Nos vemos hoje à noite. – Sem dizer nada mais à Celaena, subiu os degraus do castelo, a capa vermelha esvoaçando.

O príncipe herdeiro manteve a palavra. Os aposentos dela ficavam em uma ala do castelo de pedra e eram muito maiores do que o esperado. Reuniam um quarto de dormir com uma câmara de banho e um aposento para se vestir, uma saleta de jantar e uma sala de jogos e música. Cada um dos cômodos era ornamentado em ouro e carmesim, o quarto era também decorado com uma tapeçaria imensa, com sofás e cadeiras acolchoadas e almofadas. A varanda dava vista para uma fonte em um dos jardins, formando uma paisagem linda, exceto pelos guardas posicionados abaixo da sacada.

Chaol a deixou, e Celaena nem esperou o barulho das portas externas para se trancar no quarto. Entre os murmúrios de apreciação durante a breve apresentação dos aposentos feita por Chaol, ela contou as janelas (doze), as saídas (uma) e os guardas posicionados do lado de fora da porta, das janelas e sob a varanda (nove). Cada um estava armado com uma espada, uma faca e uma besta. Apesar de estarem de prontidão quando o capitão passava, Celaena sabia que uma besta não era um objeto leve de se carregar por horas seguidas.

Ela se esgueirou até a janela do quarto, colocando-se contra a parede, e olhou para baixo. Como suspeitava, os guardas já haviam pendurado as bestas nas costas. Qualquer um deles gastaria segundos preciosos para pegar a arma e carregá-la, segundos que ela poderia usar para roubar suas espadas, cortar suas gargantas e sumir em meio aos jardins. Celaena sorriu e se colocou diretamente em frente à janela para estudar o jardim. A margem mais distante terminava nas árvores de um parque de caça. Ela conhecia o suficiente do castelo para saber que estava no lado sul e que se atravessasse o parque chegaria a um muro de pedra e ao rio Avery em seguida.

Celaena abriu e fechou as portas do armário, da cômoda e da penteadeira. Obviamente não havia nenhuma arma, sequer um atiçador de brasas, mas ela pegou alguns grampos de cabelo feitos de ossos e um pedaço de barbante de um cesto de costura deixado no quarto. Não havia agulhas. Ajoelhou-se no chão acarpetado do quarto de vestir (no qual não havia roupas) e, mantendo-se atenta à porta, quebrou a cabeça dos grampos de cabelo e os amarrou com o barbante. Ao terminar, ela segurou o objeto e franziu a testa.

Não era bem uma faca, mas amarradas daquele jeito, as pontas dos grampos de cabelo poderiam causar algum dano. Celaena testou a ponta com um dedo, perfurando a pele calosa com o objeto de osso afiado. Sim, a arma poderia ferir seriamente se fosse encravada no pescoço de um guarda. E daria a ela tempo suficiente para roubar a arma da vítima.

Celaena voltou para o quarto, bocejando, e escondeu a arma em uma das dobras do dossel sobre a cama. Depois, observou o quarto mais uma vez. Havia algo estranho nas dimensões do aposento, algo a ver com a altura das paredes, mas não apontar exatamente o quê. Apesar disso, o dossel oferecia muitas opções de esconderijo. O que mais ela poderia pegar sem que ninguém percebesse? Chaol provavelmente havia mandado revistarem o quarto antes da chegada deles. Celaena auscultou a porta para identificar sinais de movimento. Quando teve certeza de que não havia ninguém, abriu-a e seguiu para a sala de jogos. Observou os tacos de sinuca alinhados na parede e as bolas coloridas organizadas na mesa de feltro. Deu um sorriso. Chaol não era tão esperto quanto se achava.

Por fim, ela acabou deixando o equipamento de sinuca no lugar, pois levantaria suspeita se desaparecesse, mas seria fácil pegar um taco se precisasse fugir ou usar as bolas maciças para desacordar um dos guardas. Exausta, Celaena voltou ao quarto e finalmente se jogou na cama enorme. O colchão era tão macio que afundou alguns centímetros e tão largo que três pessoas poderiam dormir sem notar a presença umas das outras. Celaena se encolheu em um canto, e seus olhos ficaram cada vez mais pesados.

Dormiu por uma hora, até um serviçal anunciar a chegada de um alfaiate que costuraria a vestimenta de corte apropriada para ela. Com isso, passou-se mais uma hora entre medidas e alfinetes, com vários tecidos de cores diversas. Celaena odiou quase todos. Alguns até chamaram sua atenção, mas quando tentava recomendar um estilo que a agradava, o alfaiate apenas acenava com a mão e fechava a expressão. Pensou seriamente em enfiar um dos alfinetes perolados no olho do homem.

Depois se banhou, sentindo-se quase tão suja quanto se sentia em Endovier, e agradeceu às serviçais gentis que a ajudaram. Vários dos ferimentos haviam formado cascas ou se reduzido a finas linhas brancas, embora as costas dela ainda exibissem a maior parte dos danos. Após quase duas horas de embelezamentos, incluindo corte de cabelo, manicure e raspagem dos calos das mãos e dos pés, Celaena se olhou no espelho do quarto e sorriu.

Apenas na capital os serviçais poderiam realizar um trabalho tão bom. Ela estava incrível. Totalmente espetacular. Usava um vestido com saias e mangas compridas brancas com detalhes em roxo-orquídea. O corpete índigo era bordado com uma linha dourada, e uma capa cor de gelo pendia de seu ombro. O cabelo estava elevado e amarrado com uma fita cor de fúcsia, e pendia em ondas soltas. Mas o sorriso sumiu quando se lembrou exatamente por que estava lá.

A campeã do rei. Ela parecia mais o cachorrinho do rei.

– Lindíssima – disse uma voz feminina e mais velha. Celaena se virou, os quilos de tecido virando com ela. O corpete, aquela coisa estúpida dos infernos, apertava-lhe tanto as costelas que o ar mal conseguia entrar. Era por *isso* que preferia calças e túnicas.

Era uma mulher grande, mas bem contida dentro de um vestido azul-cobalto e pêssego que a marcava como uma serva da casa real. O rosto, apesar de um pouco enrugado, parecia corado e saudável. A mulher se curvou.

– Philippa Spindlehead – apresentou-se. – Sua serva pessoal. Você deve ser...

– Celaena Sardothien – respondeu, sem rodeios.

Os olhos de Philippa se arregalaram.

– Guarde essa informação para você, senhorita – sussurrou a mulher. – Só eu sei disso. E os guardas, imagino.

– E o que as pessoas pensam sobre todos os meus sentinelas?

Philippa se aproximou, ignorando a careta de Celaena enquanto ela ajustava as dobras do vestido da assassina, afofando-o nos lugares certos.

– Ora, os outros... *campeões* também têm guardas na porta dos quartos. Ou então as pessoas apenas acham que você é mais uma das acompanhantes do príncipe.

– *Mais uma?*

Philippa sorriu, mas continuou olhando para o vestido.

– Sua Alteza tem um coração muito grande.

Celaena não estava nem um pouco surpresa.

– Principalmente para mulheres?

– Não cabe a mim falar sobre Sua Alteza. E você deveria controlar a língua também.

– Eu faço o que quero.

Celaena observou o rosto enrugado da serviçal. Por que mandar uma mulher como aquela para lhe servir? Celaena poderia dominá-la em um segundo.

– Então vai acabar voltando para aquelas minas, querida. – Philippa colocou uma das mãos no quadril. – Ora, não faça careta. Seu rosto fica arruinado quando está assim! – A mulher tentou beliscar o rosto de Celaena, que se afastou.

– Você está louca? Sou uma assassina, não uma boba da corte!

Philippa deu uma risada.

– Mas ainda é uma mulher, e enquanto estiver sob meus cuidados, vai agir como uma, ou Wyrd* me ajude!

Celaena piscou e falou lentamente:

– Você é terrivelmente atrevida. Espero que não aja desse jeito com as damas da corte.

– Ora. Com certeza há um motivo por ter sido encarregada de cuidar de você.

– Você sabe exatamente o que eu faço para viver, não sabe?

– Não quero lhe desrespeitar, querida, mas esse vestido vale muito mais do que o prazer de ver minha cabeça rolando no chão.

Os lábios de Celaena se contorceram enquanto a serva deixava a sala.

– E não faça essa careta – falou Philippa, por sobre o ombro. – Deixa seu nariz amassado.

Celaena ficou boquiaberta enquanto a mulher saía do quarto.

<hr />

O príncipe herdeiro de Adarlan olhou para o pai sem piscar, esperando que falasse. Sentado no trono de vidro, o rei de Adarlan o olhava de volta. Às vezes, Dorian se esquecia de quão pouco se parecia com o pai. Seu irmão mais novo, Hollin, por sua vez, puxara ao pai, com ombros largos e rosto redondo de olhos acentuados. Mas Dorian era alto, forte e elegante e não se parecia em nada com o rei. E ainda havia o fato de os olhos de Dorian serem azuis como safiras, diferentes, inclusive, dos da mãe. Ninguém sabia de onde eles vinham.

– Ela chegou? – perguntou o pai. Sua voz era dura, forjada pelo choque de escudos e o grito de flechas. No que dizia respeito a boas-vindas, aquela era a mais calorosa possível.

<hr />

* Na mitologia nórdica representa a tríade de deusas que tece o destino. (*N. do E.*)

– Ela não deve causar problemas enquanto estiver aqui – respondeu Dorian, o mais calmamente possível. Levar Sardothien fora uma aposta, uma jogada contra a tolerância do pai. Ele estava prestes a ver se havia valido a pena.

– Você pensa exatamente como os tolos que ela assassinou. – Dorian se enrijeceu enquanto o pai prosseguiu: – Ela não deve lealdade a ninguém além de si mesma e não pensará duas vezes antes de enfiar uma faca no seu coração.

– É exatamente por isso que ela é capaz de vencer sua competição. – O rei não disse nada, e Dorian prosseguiu, com o coração acelerado. – Se pensar bem, a competição toda pode ser desnecessária.

– Você diz isso porque tem medo de perder dinheiro. – Mal sabia o pai que Dorian havia saído em busca de um campeão não pelo dinheiro, mas para ficar longe *dele* o máximo possível.

Dorian controlou os nervos, lembrando-se das palavras que ensaiara durante toda a viagem, desde Endovier.

– Garanto que ela conseguirá cumprir a missão; não precisamos treiná-la. Eu já lhe disse: essa competição é uma tolice.

– Se você não controlar o tom de voz, vou mandá-la usar você para praticar.

– E depois fará o quê? Entregará o trono a Hollin?

– Não duvide de mim, Dorian – comandou o rei, seriamente. – Você pode achar que essa... *garota* pode vencer, mas se esquece de que o duque Perrington está patrocinando Caín. Teria sido uma escolha melhor um campeão como ele, forjado pelo sangue e pelo aço do campo de batalha. Um campeão de verdade.

Dorian colocou as mãos no bolso.

– Você não acha o título um tanto ridículo, considerando que nossos "campeões" não são nada além de criminosos?

O pai de Dorian se levantou do trono e apontou um mapa pintado na parede oposta da câmara do conselho.

– Sou o conquistador deste continente e em breve serei o governante de *toda* Erilea. Você não me questionará.

Dorian se deu conta de que estava prestes a cruzar a fronteira entre impertinência e rebeldia, uma fronteira que ele havia mantido com muito, muito cuidado, então pediu desculpas.

– Estamos em guerra com Wendlyn – prosseguiu o pai. – E tenho inimigos em toda parte. Quem seria melhor para fazer o trabalho do que alguém grato por receber não só uma segunda chance, mas também a riqueza e o poder do meu nome? – O rei sorriu quando Dorian não apresentou respostas. O príncipe tentou não demonstrar nada enquanto seu pai o estudava. – Perrington me disse que seu comportamento foi muito bom durante a viagem.

– Com Perrington como cão de guarda, não poderia ser diferente.

– Não quero mais plebeias batendo nos portões e chorando porque você partiu seus corações. – O rosto de Dorian corou, mas ele não parou de encarar o pai. – Trabalhei muito para estabelecer meu império. Não permitirei que você o complique com filhos bastardos. Case-se com uma mulher decente. Depois que me der um ou dois netos, pode fazer o que quiser. Quando você for rei, entenderá as consequências.

– Quando eu for rei, não declararei controle sobre Terrasen usando reivindicações frágeis de herança. – Chaol avisara Dorian para que tomasse cuidado com o modo como se dirigia ao pai, mas quando o rei falava assim com ele, como se fosse um idiota mimado...

– Mesmo se você oferecer um governo próprio a eles, os rebeldes colocarão a sua cabeça em uma lança, na frente dos portões de Orynth.

– E se eu tiver sorte, a colocarão ao lado de todos os meus herdeiros bastardos.

O rei deu um sorriso venenoso.

– Você é muito eloquente, meu filho.

Os dois se olharam em silêncio antes que Dorian voltasse a falar.

– Talvez você devesse considerar nossa dificuldade em ultrapassar a defesa naval de Wendlyn como um sinal de que deveria parar de brincar de ser deus.

– Brincar? – O rei sorriu, com um brilho amarelo refletindo o fogo da lareira. – Não estou brincando. E isto não é um jogo. – Dorian deu ombros. – Ela pode ser bela, mas ainda é uma bruxa. Mantenha distância entendeu?

– De quem? Da assassina?

– Ela é perigosa, garoto, mesmo que a esteja patrocinando. Só quer uma coisa. Não pense que vai deixar de usar você para consegui-la. Se a cortejar, as consequências não serão agradáveis. Nem da parte dela, nem da minha.

– E se eu decidir me associar a ela, o que você fará comigo, pai? Vai me jogar nas minas também?

O pai atacou Dorian antes que ele pudesse se preparar. A palma da mão do rei atingiu o rosto do filho, e o príncipe se desequilibrou, mas logo recuperou o semblante calmo. O rosto latejava, ardendo tanto que Dorian precisou se controlar para que os olhos não se enchessem de lágrimas.

– Filho ou não – rosnou o rei –, ainda sou seu rei. Você me obedecerá, Dorian Havilliard, ou sofrerá as consequências. Não vou aturar mais seus questionamentos.

Sabendo que só pioraria a situação se permanecesse ali, o príncipe herdeiro de Adarlan se curvou e deixou o pai, com os olhos brilhando de raiva quase incontida.

⧉ 8 ⧉

Celaena caminhava por um salão de mármore com o vestido flutuando como uma onda púrpura e branca. Chaol andava ao lado dela, uma das mãos sobre o punho da espada.

– Tem alguma coisa interessante no final deste salão?

– O que mais você quer ver? Nós já vimos os três jardins, os salões de baile, as salas históricas e as vistas mais belas do castelo de pedra. Se você se recusa a entrar no castelo de vidro, não há mais nada para visitar.

Celaena cruzou os braços. Tinha convencido o homem a fazer um tour com ela, com a desculpa de estar muito entediada, quando na verdade havia usado cada momento para planejar uma dúzia de rotas de fuga a partir do quarto. O castelo era velho e a maioria dos salões e escadarias não dava em lugar algum. A fuga exigiria planejamento. Mas com o início da competição na manhã seguinte, o que mais Celaena poderia fazer? E qual maneira seria melhor para se preparar para um desastre em potencial?

– Não entendo por que você se recusa a entrar no anexo de vidro – prosseguiu Chaol. – Não há diferença entre os interiores. Você nem saberia que estamos nele, a não ser que alguém dissesse ou você olhasse pela janela.

– Só um idiota entraria numa casa feita de vidro.

– É tão forte quanto aço e pedra.

– Até a hora em que alguém pesado demais entrar e a coisa toda desmoronar.

– Isso é impossível.

Só de pensar em pisar em um chão de vidro, Celaena tremia.

– Não há um viveiro ou uma biblioteca que possamos visitar?

Passaram por um grupo de portas fechadas. Um leve som de conversa chegou aos ouvidos dos dois, junto com uma harpa sendo tocada gentilmente.

– O que há aí dentro?

– A corte da rainha.

Chaol segurou Celaena pelo braço e conduziu-a pelo corredor.

– Rainha Georgina?

Ele realmente não fazia ideia do valor da informação que deixara escapar.

– Sim, rainha Georgina Havilliard.

– O jovem príncipe está em casa?

– Hollin? Ele está na escola.

– E ele é tão bonito quanto o irmão mais velho? – Celaena deu um sorriso sarcástico ao ver a tensão de Chaol.

Era conhecimento geral que o principezinho de 10 anos era mimado e perverso, por dentro e por fora, e Celaena se lembrou de um escândalo que eclodira alguns meses antes de sua captura. Hollin Havilliard, ao encontrar seu mingau de aveia queimado, espancou uma das servas com tanta intensidade que foi impossível esconder o fato. A família da mulher foi subornada, e o jovem príncipe foi mandado para uma escola nas montanhas. Mas é claro que todos ficaram sabendo. A rainha Georgina se recusou a receber convidados por um mês.

– Hollin crescerá e será digno de sua linhagem – resmungou Chaol.

Celaena prosseguiu, vendo a corte se afastar. Ficaram em silêncio por alguns minutos até ouvirem uma explosão próxima, depois outra.

– Que barulho horrível é esse? – perguntou Celaena. O capitão a levou por várias portas de vidro e apontou para cima ao entrarem em um jardim.

– A torre do relógio – explicou, fitando maravilhado o relógio que terminava seu grito de guerra. Celaena nunca ouvira sinos como aqueles.

No meio do jardim, erguia-se uma torre feita de pedras pretas. Duas gárgulas de asas abertas estavam empoleiradas em cada um dos quatro relógios, rosnando silenciosamente para os que passavam abaixo.

– Que coisa horrenda – sussurrou ela. Os números pareciam pinturas de guerra na face branca do relógio. Os ponteiros eram como espadas que varriam a superfície perolada.

– Quando eu era criança, não tinha coragem de chegar perto – admitiu Chaol.

– Você esperaria uma coisa dessas perto dos portais de Wyrd, não em um jardim. Quantos anos tem?

– O rei mandou construí-lo na época em que Dorian nasceu.

– O rei atual? – Chaol assentiu. – Por que ele construiria uma coisa tão bizarra?

– Ande – disse ele, virando-se e ignorando a pergunta de Celaena. – Vamos embora.

Celaena examinou o relógio por mais um segundo. O dedo grosso e retorcido da gárgula apontava na direção dela. Celaena podia jurar que a boca da criatura havia se aberto mais. Ao seguir Chaol, percebeu uma pedra diferente no pavimento.

– O que é isso?

Chaol parou.

– O que é o quê?

Ela apontou para a marca entalhada na pedra. Era um círculo com uma linha vertical que o cortava ao meio e se estendia além das bordas. As duas extremidades da linha eram setas, uma apontava para cima e a outra, para baixo.

– O que é essa marca no chão?

Chaol deu a volta e parou ao lado de Celaena.

– Não faço a menor ideia.

Celaena examinou a gárgula novamente.

– Ela está apontando para cá. O que esse símbolo significa?

– Significa que você está desperdiçando meu tempo – respondeu ele. – É provavelmente um tipo de relógio solar decorativo.

– Existem outras marcas como esta?

– Se você procurar, tenho certeza de que vai achar.

Celaena se permitiu ser arrastada do jardim, para longe da sombra da torre do relógio, entrando nos corredores de mármore do castelo. Por mais que tentasse e se afastasse, não conseguia se livrar da sensação de que os olhos horrendos das criaturas ainda a seguiam.

Os dois prosseguiram pela cozinha, que era uma bagunça de gritos, nuvens de farinha e fogões acesos. Depois disso, chegaram a um grande corredor, vazio e silencioso, exceto pelas passadas. Celaena parou de repente.

– O que é *aquilo*? – sussurrou ela, e apontou para um par de portas de carvalho de 6 metros de altura; os olhos de Celaena se arregalaram diante dos dragões que saíam das paredes de pedra dos dois lados. Eram dragões de quatro pernas, não como as malignas serpentes aladas bípedes que estampavam o selo real.

– A biblioteca.

As duas palavras a atingiram como um raio.

– A... – Celaena olhou para as maçanetas em forma de garra. – Nós podemos... Podemos entrar?

O capitão da guarda abriu as portas com relutância, os músculos das costas dele se tensionaram ao empurrar o carvalho ancestral. Comparado com o corredor ensolarado, o interior parecia incrivelmente escuro, mas quando Celaena entrou, pôde ver os candelabros e o chão preto e branco de mármore, grandes mesas de mogno com cadeiras de veludo vermelho, uma fogueira fraca, mezaninos, pontes, escadas, corrimãos e livros... livros, livros e mais livros.

Celaena entrava em uma cidade feita de papel e couro. Ela levou a mão ao coração. Que se danassem as rotas de fuga.

– Eu nunca vi... quantos livros tem aqui?

Chaol deu de ombros.

– Da última vez que alguém se deu ao trabalho de contar, havia um milhão. Mas isso foi há duzentos anos. Hoje, eu diria que deve haver mais do que isso, especialmente considerando a lenda de que há uma segunda biblioteca subterrânea, nas catacumbas e nos túneis.

– Mais de um milhão? Um milhão de *livros*?

O coração de Celaena saltitava e dançava, e ela abriu um sorriso.

– Eu morreria antes de conseguir ler a metade de tudo isso.

– Você gosta de ler?

Ela levantou uma sobrancelha.

– Você não?

Sem esperar uma resposta, Celaena caminhou pela biblioteca, arrastando o vestido pelo chão. Aproximou-se de uma prateleira e leu os títulos dos livros. Não reconheceu nenhum deles.

Sorrindo, a assassina girava e corria pelo piso principal, passando as mãos pelos livros empoeirados.

– Eu não sabia que assassinos gostavam de ler – gritou Chaol.

Se ela morresse agora, seria totalmente feliz.

– Você disse que veio de Terrasen. Já visitou a Grande Biblioteca de Orynth? Dizem que é duas vezes maior do que esta e costumava guardar todo o conhecimento do mundo.

Celaena parou de olhar para a pilha que estava estudando e se virou.

– Sim – admitiu. – Quando eu era bem jovem. Mas nunca me deixaram explorar o lugar, os Mestres Eruditos temiam que eu pudesse arruinar algum manuscrito valioso.

Celaena jamais voltara à Grande Biblioteca. Imaginou quantos daqueles trabalhos inestimáveis não teriam sido destruídos por ordem do rei de Adarlan quando declarou a magia como ilegal. Pelo modo como Chaol disse "costumava guardar" com um tom de tristeza, ela deduziu que muita coisa se perdera. Porém, parte de Celaena guardava a esperança de que aqueles Mestres Eruditos tivessem contrabandeado muitos dos livros inestimáveis para um lugar seguro e que, quando a família real foi assassinada e o rei de Adarlan invadiu a cidade, os velhotes tivessem tido o bom senso de começar a esconder dois mil anos de ideias e conhecimento.

Um vazio se abriu dentro de Celaena. Com vontade de mudar de assunto, ela perguntou:

– Por que não tem nenhum de vocês aqui?

– Guardas são inúteis em uma biblioteca.

Ora, como ele estava errado! Bibliotecas estavam cheias de ideias. Talvez as mais perigosas e poderosas armas.

– Estava me referindo aos outros nobres.

Chaol encostou em uma das mesas, a mão ainda na espada. Pelo menos um deles se lembrava de que estavam sozinhos na biblioteca.

– Leitura está um pouco fora de moda, ao que parece.

– Bem, sobra mais para eu ler então.

– Ler? Estes livros pertencem ao rei.

– É uma biblioteca, não é?

– É propriedade do rei e você não é de origem nobre. Precisa de permissão dele ou do príncipe.

– Duvido muito que deem falta de um ou dois livros.

Chaol suspirou.

– Está tarde. Eu estou com fome.

– E daí? – perguntou Celaena. O capitão resmungou e praticamente arrastou-a da biblioteca.

Após um jantar solitário, no qual calculou todas as rotas de fuga e como poderia conseguir mais armas, Celaena caminhou pelos cômodos. Onde os outros competidores eram mantidos? Será que teriam acesso a livros se quisessem?

Celaena afundou em uma cadeira. Estava cansada, mas o sol acabara de se pôr. Em vez de ler, poderia tocar piano, mas... bem, já fazia algum tempo que não ensaiava e não sabia se suportaria o som de suas tentativas desajeitadas. Passou um dedo em uma faixa de seda do vestido. Tantos livros e ninguém para lê-los.

Uma ideia surgiu de repente, e Celaena se levantou rapidamente, sentando-se à escrivaninha com um pedaço de pergaminho. Se o capitão Westfall insistia em burocracias, ela lhe daria de sobra. Molhou a pena no pote de tinta e segurou-a sobre o papel.

Como era esquisito segurar uma pena! Celaena traçou as letras no ar. Não era possível que tivesse esquecido como escrever. Os dedos se moviam estranhamente ao tocar o papel, mas ela escreveu seu nome com cuidado e o alfabeto três vezes. As letras eram irregulares, mas Celaena conseguiria. Puxou outro pedaço de papel e começou a escrever.

> *Alteza,*
>
> *Chegou ao meu conhecimento que sua biblioteca não é uma biblioteca, mas uma coleção pessoal da qual só você e seu estimado pai podem usufruir. Porque muitos entre seu milhão de livros parecem atuais e subutilizados, rogo-lhe permissão para pegar alguns emprestados, fazendo com que recebam a atenção merecida. Visto que estou privada de companhia e de entretenimento, esse ato de bondade é o mínimo que alguém de sua importância poderia fazer por uma criatura tão baixa e desprezível como eu.*
>
> *Atenciosamente,*
> *Celaena Sardothien*

Celaena sorriu para o bilhete e confiou-o à serva com a melhor aparência que pôde encontrar, com instruções específicas de que fosse entregue imediatamente ao príncipe herdeiro. Quando a mulher retornou, meia hora depois, com uma pilha de livros sob os braços, Celaena soltou uma gargalhada e pegou um bilhete que vinha sobre a coluna formada por capas de couro.

> Minha querida assassina,
> Junto deste vão sete livros de minha coleção pessoal, os quais li recentemente e dos quais gostei bastante. É claro que você está autorizada a ler quantos livros da biblioteca do castelo quiser, mas ordeno que leia primeiro estes, para que possamos discuti-los. Prometo que não são tediosos, pois não tenho o hábito de perder tempo com páginas sem sentido e falas pomposas, mas talvez você goste dos trabalhos de autores que têm a si mesmos em alta estima.
>
> Carinhosamente,
> Dorian Havilliard

Celaena gargalhou novamente e recolheu os livros dos braços da mulher, agradecendo pelo trabalho. Entrou no quarto, fechando a porta com um coice, e caiu na cama, espalhando os livros na superfície. Não reconheceu nenhum dos títulos, mas um dos autores era familiar. Escolhendo o que lhe parecia mais interessante, Celaena deitou-se de costas e começou a ler.

Celaena acordou na manhã seguinte com o maldito barulho do relógio da torre. Meio acordada, ela contou as badaladas. Meio-dia. Sentou-se. Onde estava Chaol? Mais importante, e a competição? Não deveria ter começado naquele dia?

Celaena saltou da cama e verificou os aposentos, esperando encontrá-lo sentado na cadeira com a mão na espada. Não estava lá. Ela colocou a cabeça para fora do corredor, mas os quatro guardas apenas seguraram as armas. Então caminhou até a varanda, ouviu as bestas dos guardas sendo carregadas e colocou as mãos no quadril para observar o dia de outono.

As árvores do jardim eram douradas e marrons, com metade das folhas já caídas no chão. Ainda assim, o dia estava tão quente que poderia ser verão. Celaena sentou-se na grade e acenou para os guardas que apontavam as bestas para ela. Do outro lado do Forte da Fenda, era possível ver as velas dos navios, as carroças e as pessoas caminhando pelas ruas. Os tetos esverdeados da cidade brilhavam como esmeraldas ao sol.

Celaena olhou novamente para os cinco guardas sob a varanda. Eles olharam de volta para ela e baixaram as armas lentamente. A assassina sorriu. Poderia desacordá-los com alguns livros pesados.

Um som ecoou pelo jardim e os guardas procuraram a fonte. Três mulheres apareceram ao lado de uma cerca viva, entretidas em uma conversa.

A maior parte das conversas que Celaena ouvira no dia anterior era totalmente tediosa, e ela não esperava muito das mulheres que se aproximavam. Vestiam roupas finas, mas a do meio, com cabelos pretos, usava um vestido especialmente elegante. As saias vermelhas eram do tamanho de tendas e o corpete era tão apertado que Celaena se perguntou se a cintura da mulher teria mais de 40 centímetros. As outras eram loiras e usavam vestidos azuis, com véus combinando, revelando suas posições como damas de companhia. Celaena se afastou do parapeito quando as mulheres pararam próximo à fonte.

Do lugar onde estava, nos fundos da varanda, Celaena ainda podia enxergar a mulher de vermelho alisando a frente do vestido.

– Eu devia ter escolhido meu vestido branco – comentou ela, alto o suficiente para ser ouvida em todo o Forte da Fenda. – Dorian gosta de branco. – Então arrumou uma das pregas da saia. – Mas aposto que todas estarão de branco.

– Devemos trocar, minha senhora? – perguntou uma das loiras.

– Não – rebateu a mulher. – Este vestido está ótimo, por mais velho e desajeitado que seja.

– Mas... – começou a outra loira, então parou quando a cabeça de sua mestra virou-se rápido. Celaena se aproximou do parapeito novamente e observou. O vestido sequer parecia velho.

– Não vai demorar muito para que Dorian convide-me para uma audiência particular.

Celaena debruçou-se no parapeito. Os guardas observavam as três mulheres, mas por razões completamente diversas.

– Embora fique preocupada com o quanto a corte de Perrington possa interferir; mas eu realmente *adoro* aquele homem por me convidar para o

Forte da Fenda. Minha mãe deve estar se revirando no túmulo! – A mulher pausou, então disse: – Imagino quem será ela.

– Sua mãe, minha senhora?

– A garota que o príncipe trouxe ao Forte da Fenda. Ouvi dizer que ele viajou por toda Erilea para encontrá-la e que ela entrou na cidade montada no cavalo do capitão da guarda. Não soube mais nada. Nem o nome dela.

As duas mulheres ficaram um pouco para trás e trocaram olhares exasperados, o que informava à assassina que aquela conversa havia acontecido várias vezes antes.

– Não preciso me preocupar – refletiu a mulher. – A prostitutazinha do príncipe não será bem recebida.

A o que dele?

As damas de companhia pararam sob a varanda, piscando para os guardas.

– Preciso do meu cachimbo – murmurou a mulher, massageando as têmporas. – Sinto que ficarei com dor de cabeça em breve. – Celaena levantou a sobrancelha. – Independentemente disso – continuou a mulher, afastando-se –, tenho de me cuidar. Talvez precise até...

CRASH!

A mulher gritou, os guardas se viraram com as bestas apontadas, e Celaena olhou para o céu antes de se afastar do parapeito para a sombra da varanda. O vaso de flores não acertara. Desta vez.

A mulher xingou tão efusivamente que Celaena precisou colocar uma das mãos sobre a boca para impedir o riso. As servas arrulharam enquanto limpavam lama da saia e dos sapatos da mulher.

– Fiquem quietas! – falou a nobre. Os guardas foram sábios e não deixaram transparecer a risada. – Fiquem quietas e andem!

As mulheres se apressaram para sair dali enquanto a prostituta do príncipe se retirava para seus aposentos e chamava as servas para vestirem-na com o traje mais fino que pudessem encontrar.

❧ 9 ❧

Celaena ficou sorrindo diante do espelho de jacarandá.

Ela passou uma das mãos pelo vestido. Renda branca como espuma do mar florescia pelo decote ondulante, espalhando-se sobre seus seios a partir do oceano de seda verde-escuro que constituía o vestido. Uma faixa vermelha cobria-lhe a cintura, formando uma seta invertida que separava o corpete da explosão de saias abaixo. Estampas feitas de miçangas verde-claro bordavam espirais e arabescos ao longo do vestido todo, e alinhavos cor de marfim se estendiam na altura das costelas. Presa dentro do corpete estava a pequena adaga improvisada com os grampos de cabelo, embora cutucasse impiedosamente o peito de Celaena. Ela ergueu as mãos para tocar os cabelos enrolados e presos.

Celaena não sabia o que planejava fazer depois de vestida, principalmente se tivesse de se trocar antes do início da competição, mas...

Saias farfalharam à porta, e Celaena ergueu os olhos de seu reflexo e viu Philippa entrar. A assassina tentou não se empertigar, mas falhou terrivelmente.

– É uma pena você ser quem é – disse Philippa, virando-se para encarar Celaena. – Eu não ficaria surpresa se conseguisse fisgar algum lorde com quem se casar. Talvez até mesmo Sua Alteza, se você for encantadora o bastante. – Ela ajustou as dobras verdes do vestido de Celaena antes de se ajoelhar para limpar as sandálias cor de rubi da assassina.

– Bem, parece que os boatos já sugerem isso. Ouvi uma garota dizer que o príncipe herdeiro me trouxe aqui para me cortejar. Achei que toda a corte soubesse sobre essa competição estúpida.

Philippa se levantou.

– Quaisquer que sejam os boatos, tudo será esquecido em uma semana, espere e verá. Deixe-o encontrar uma nova mulher de que goste e você desaparecerá dos sussurros da corte. – Celaena se esticou quando Philippa consertou um cacho rebelde. – Ah, não foi uma ofensa, bonequinha. Moças bonitas são sempre associadas ao príncipe herdeiro, deveria se sentir lisonjeada por ser atraente o bastante para ser considerada amante dele.

– Eu preferiria não ser vista dessa forma.

– Melhor do que como uma assassina, imagino.

Celaena olhou para Philippa, então gargalhou.

Philippa balançou a cabeça.

– Seu rosto fica muito mais bonito quando sorri. Até mesmo feminino. Muito melhor do que aquela careta que sempre exibe.

– Sim – admitiu Celaena –, talvez você esteja certa. – Ela indicou que iria se sentar no otomano malva.

– Ah! – exclamou Philippa, e Celaena congelou e ficou de pé imediatamente. – Vai amassar o tecido.

– Mas meus pés doem nestes sapatos. – A assassina franziu a sobrancelhas de modo sofrido. – Não pode esperar que eu fique de pé o dia todo? Mesmo durante as refeições?

– Apenas até alguém me dizer como você está linda.

– Ninguém sabe que você é minha criada.

– Ah, eles sabem que fui designada para a *amante* que o príncipe trouxe para o Forte da Fenda.

Celaena mordeu o lábio. *Seria* algo bom ninguém saber quem ela realmente era? O que pensariam seus concorrentes? Talvez uma túnica e calças tivessem sido melhores.

Celaena estendeu a mão para mover um cacho que lhe coçava o pescoço, e Philippa afastou essa mão com um tapa.

– Vai estragar o cabelo.

As portas dos aposentos de Celaena se escancararam, seguidas por resmungos e passadas que já eram familiares. Ela observou pelo espelho enquanto Chaol surgia à porta, ofegante. Philippa fez uma reverência.

– Você – começou ele, então parou quando Celaena o encarou. As sobrancelhas de Chaol se abaixaram enquanto os olhos do capitão percorriam o corpo da assassina. A cabeça dele se inclinou, e o homem abriu a boca para dizer algo, mas apenas sacudiu a cabeça, exibindo uma expressão de irritação. – Lá em cima. Agora.

Celaena fez uma reverência e ergueu o rosto para ele com as pálpebras abaixadas.

– Aonde vamos, por favor?

– Ah, não seja cínica comigo. – Chaol segurou-a pelo braço e guiou-a para fora do quarto.

– Capitão Westfall! – brigou Philippa. – Ela vai tropeçar no vestido. Pelo menos deixe que segure as saias.

Celaena de fato tropeçou no vestido, e os sapatos arranharam seus calcanhares de modo bem feio, mas Chaol não ouvia as objeções de Celaena conforme a arrastava até o corredor. A assassina sorriu para os guardas do lado de fora da porta, e seu sorriso se tornou malicioso quando os homens trocaram olhares de aprovação. A mão do capitão a segurou mais forte, até doer.

– Depressa – disse ele. – Não podemos nos atrasar.

– Talvez, se tivesse me avisado com antecedência, eu poderia ter me vestido mais cedo e você não teria de me arrastar! – Era difícil respirar com o corpete esmagando-lhe as costelas. Enquanto subiam apressados uma longa escadaria, Celaena levou uma das mãos aos cabelos para se assegurar de que não haviam desmanchado.

– Minha mente estava em outro lugar; por sorte você estava vestida, embora eu preferisse que tivesse usado algo menos... elaborado para ver o rei.

– O rei? – Celaena agradeceu por ainda não ter comido.

– Sim, o rei. Achou que não o veria? O príncipe herdeiro lhe contou que a competição começaria hoje, essa reunião marcará o início oficial. O trabalho de verdade começa amanhã.

Os braços de Celaena ficaram pesados, e ela se esqueceu dos pés doloridos e das costelas esmagadas. No jardim, o esquisito e excêntrico relógio da torre começou a soar a hora. Eles chegaram ao topo da escadaria e correram por um longo corredor. Celaena não conseguia respirar.

Enjoada, ela olhou pelas janelas que ladeavam a passagem. A terra estava muito longe – muito, muito longe. Estavam no anexo de vidro. Ela não queria estar ali. Não conseguia ficar no castelo de vidro.

– Por que não me disse mais cedo?

– Porque ele acabou de decidir ver você. Originalmente, tinha dito que seria apenas à noite. Espero que os outros campeões se atrasem mais do que nós.

Celaena sentia que desmaiaria. O rei.

– Quando entrar – falou Chaol, por cima do ombro dela –, pare onde eu parar. Curve-se... bastante. Quando levantar a cabeça, mantenha-a erguida e fique de pé, ereta. Não olhe nos olhos do rei, não responda a nada sem acrescentar "Vossa Majestade" e *não*, sob circunstância alguma, seja insolente. Ela a enforcará se você não o agradar.

Celaena estava com uma dor terrível na têmpora esquerda. Tudo parecia nauseante e frágil. Estavam bem no alto, tão perigosamente no alto... Chaol parou antes de dobrar uma esquina.

– Você está pálida.

Ela estava com dificuldades para ver o rosto do capitão enquanto inspirava e expirava repetidas vezes. Odiava corpetes. Odiava o rei. Odiava castelos de vidro.

Os dias que permearam a captura e a sentença de Celaena tinham sido como um sonho febril, mas ela conseguia visualizar perfeitamente o julgamento – a madeira escura das paredes, a maciez da cadeira sob si, o modo como os ferimentos da captura ainda doíam e o terrível silêncio que lhe tomara corpo e alma. Celaena olhara para o rei – apenas uma vez. Fora o bastante para torná-la inconsequente, para fazê-la desejar uma punição que a levasse para longe dele – até mesmo uma morte rápida.

– Celaena. – A assassina piscou. As feições de Chaol se suavizaram. – Ele é apenas um homem. Mas um homem que deve tratar com o respeito que o título exige. – O capitão começou a andar com ela novamente, mais devagar. – Essa reunião é apenas para lembrar você e os outros campeões por que estão aqui, o que devem fazer e o que podem ganhar. Você não está sob julgamento. Não será testada hoje. – Os dois entraram em um longo corredor, Celaena viu quatro vigias posicionados diante de enormes portas de vidro na outra ponta. – Celaena. – Chaol parou a

69

alguns metros dos vigias. Os olhos dele eram de um castanho forte e acolhedor.

– Sim? – A pulsação dela se acalmou.

– Você está muito bonita hoje. – Foi tudo o que Chaol disse antes de as portas se abrirem e os dois prosseguirem. Celaena ergueu o queixo enquanto entravam no salão lotado.

❧ 10 ❧

Celaena viu o chão primeiro. Mármore vermelho com veios brancos iluminados sob a luz do sol, a qual sumia, devagar, conforme as portas de vidro opaco rangiam até se fecharem. Candelabros e tochas pendiam por toda parte. Os olhos dela desviavam de um lado do enorme aposento cheio até o outro. Não havia janelas, apenas uma parede de vidro que exibia nada além de céu. Não havia como escapar, a não ser pela porta atrás de si.

À esquerda, uma lareira ocupava a maior parte da parede e, enquanto Chaol a levava mais para dentro do salão, Celaena tentou não encarar aquela coisa. Era monstruosa, com o formato de uma boca cheia de dentes que rugia, e um fogaréu queimava dentro dela. Havia algo esverdeado na chama, algo que fez a coluna de Celaena se enrijecer.

O capitão parou no espaço aberto diante do trono, e Celaena parou com ele. Chaol não pareceu notar os arredores grandiosos, ou, se notou, escondeu muito bem. A assassina olhou para a frente, observando a multidão que enchia o aposento. Tensa, ciente de que muitos olhos estavam sobre si, Celaena curvou-se em uma reverência baixa, as saias farfalhando.

Ela viu que estava com as pernas fracas quando Chaol apoiou uma das mãos em suas costas para indicar que se levantasse. Ele levou Celaena para longe do centro do salão, e os dois assumiram posição ao lado de Dorian Havilliard. A ausência de sujeira e três semanas de uma viagem árdua tiveram um efeito notável no rosto macio do príncipe. Ele vestia uma jaqueta vermelha e dourada, os cabelos pretos estavam penteados e brilhosos. Uma expressão de surpresa passou pelas feições de Dorian quando ele viu Celaena nas roupas finas, mas esta rapidamente se transformou em um sorriso sarcástico quando o príncipe olhou para o pai. Celaena poderia ter retribuído o olhar, se não estivesse tão concentrada em evitar que as mãos tremessem.

Enfim, o rei falou:

– Agora que todos finalmente se deram ao trabalho de chegar, talvez possamos começar.

Era uma voz que Celaena ouvira antes, profunda e gutural. Fazia com que os ossos dela estalassem e se partissem, fazia com ela sentisse o frio surpreendente de um inverno há muito findo. Os olhos de Celaena ousavam se aventurar apenas até a altura do peito dele. Era largo, não totalmente musculoso, e parecia rigidamente contido dentro de uma túnica preta e carmesim. Uma capa de pele branca pendia dos ombros do rei e uma espada estava embainhada ao seu lado. Sobre o punho da arma agachava-se a figura de uma serpente alada, boquiaberta, gritando. Ninguém que se encontrasse diante daquela lâmina grossa vivia para ver o dia seguinte. Celaena conhecia aquela espada.

Chama-se Nothung.

– Cada um de vocês foi trazido de toda Erilea com o propósito de servir seu país.

Era fácil o bastante distinguir os nobres dos competidores. Velhos e enrugados, os nobres vestiam roupas finas e portavam espadas decorativas. Ao lado de cada um deles havia um homem – alguns altos e esguios, outros troncudos, alguns medianos, todos cercados por, pelo menos, três guardas vigilantes.

Vinte e três homens entre Celaena e a liberdade. A maioria deles tinha constituição física suficiente para garantir o elemento surpresa, mas quando verificava seus rostos – em maior parte assustados, com marcas de catapora ou simplesmente horríveis – não havia uma faísca nos olhos deles, nenhum grão de inteligência. Tinham sido escolhidos pelos músculos, não pelo cérebro. Três dos homens estavam até mesmo acorrentados. Seriam tão perigosos?

Alguns deles encararam Celaena, e ela os encarou de volta, imaginando se achavam que era uma competidora ou uma dama da corte. A atenção da maioria dos competidores voltou-se para ela. Celaena trincou os dentes.

O vestido tinha sido um erro. Por que Chaol não a avisara sobre a reunião no dia *anterior*?

Um homem jovem, moderadamente bonito, de cabelos pretos, encarou-a, e Celaena forçou uma expressão neutra enquanto os olhos cinza dele a avaliavam. Ele era alto e esguio, mas não desengonçado, e inclinou a cabeça na direção dela. Celaena o estudou por mais um momento, do modo como trocava o peso para a perna esquerda até que característica ele notava primeiro quando seus olhos serpenteavam pela sala examinando outros competidores.

Um deles era um homem gigantesco ao lado do duque Perrington. Parecia constituído de músculos e aço – e fazia questão de se exibir com a armadura sem mangas. Os braços do homem pareciam capazes de esmagar o crânio de um cavalo. Não que ele fosse feio – na verdade, o rosto bronzeado de sol do competidor era bastante agradável, mas havia algo de ruim nos modos dele, nos olhos cor de obsidiana enquanto se moviam e encontravam os de Celaena. Os dentes grandes e brancos do homem brilharam quando o homem sorriu.

O rei falou:

– Cada um de vocês está competindo pelo título de meu campeão, meu braço direito armado em um mundo fervilhando com inimigos.

Uma pontada de vergonha percorreu Celaena. O que era "campeão" senão um nome chique para assassino? Ela poderia, de fato, suportar trabalhar para o rei? Celaena engoliu em seco. Precisava. Não tinha escolha.

– Durante as próximas 13 semanas, cada um de vocês viverá e competirá em meu lar. Treinarão todos os dias e serão testados uma vez por semana, um teste durante o qual um de vocês será eliminado. – Celaena fez os cálculos. Havia 24 deles e apenas 13 semanas. Como se percebesse a pergunta dela, o rei falou: – Esses testes não serão fáceis, nem o treinamento. Alguns de vocês poderão morrer no processo. Acrescentaremos testes de eliminação adicionais caso seja necessário. E se ficarem para trás, se falharem, se me desagradarem, serão enviados de volta para o buraco de onde vieram.

"Na semana depois do Yule[*], os quatro campeões remanescentes enfrentarão um ao outro em um duelo pelo título. Até então, embora minha

---

[*] Festa pagã pré-cristã, com duração de 12 dias, que vai do solstício do inverno no hemisfério norte ao início de janeiro; atualmente coincide com o Natal. (*N. do E.*)

corte esteja ciente de que algum tipo de concurso está acontecendo entre meus amigos e conselheiros mais próximos," o rei acenou com a mão enorme e cheia de cicatrizes para abarcar o salão "vocês manterão para si o que fazem. Qualquer erro de sua parte e os empalarei no portão de entrada."

Acidentalmente, o olhar de Celaena deslizou até o rosto do rei, e ela viu que os olhos castanhos dele a encaravam. O rei deu um riso de escárnio. O coração de Celaena se encolheu e se escondeu atrás das grades da caixa torácica.

Assassino.

Ele deveria ser enforcado. Tinha matado muito mais do que ela – pessoas inocentes e indefesas. Tinha destruído culturas, destruído conhecimento imensurável, destruído tanto do que um dia fora alegre e bom. O povo deveria se revoltar. Erilea deveria se revoltar – do modo como aqueles poucos rebeldes tinham ousado. Celaena lutava para sustentar-lhe o olhar. Não podia recuar.

– Compreenderam? – perguntou o rei, ainda encarando Celaena.

A cabeça dela pareceu pesada quando acenou. Tinha apenas até o Yule para vencer todos. Um teste por semana – talvez mais.

– Falem! – gritou o rei para o salão, e Celaena tentou não se encolher. – Não são gratos por esta oportunidade? Não desejam me conceder gratidão e lealdade?

Ela fez uma reverência com a cabeça e encarou os pés do rei.

– Obrigada, Vossa Majestade. Agradeço muito – murmurou Celaena, o som misturando-se às palavras dos demais campeões.

O rei colocou uma das mãos sobre o punho de Nothung.

– Devem ser 13 semanas interessantes. – Celaena podia sentir a atenção dele sobre seu rosto, então trincou os dentes. – Provem-se confiáveis, tornem-se meus campeões e riqueza e glória serão suas eternamente.

Somente 13 semanas para conquistar a liberdade.

– Partirei na semana que vem para tratar de assuntos próprios. Não retornarei antes do Yule. Mas não acreditem que não serei capaz de ordenar a execução de algum de vocês caso saiba de qualquer problema ou de *acidentes*. – Os campeões assentiram mais uma vez.

– Se já terminamos, creio que eu precise ir embora – interrompeu Dorian, ao lado de Celaena; a cabeça dela se virou ao som da voz dele e diante da impertinência por ter interrompido o rei. Dorian curvou-se para o pai e assentiu para os conselheiros silenciosos. O rei gesticulou para que o filho saísse, sem se incomodar em olhar para ele. Dorian piscou para Chaol antes de deixar o salão.

– Se não há perguntas – disse o rei para os campeões e seus patrocinadores, em um tom de voz que sugeria que fazer perguntas garantiria apenas uma viagem à forca –, então têm minha permissão para se retirarem. Não se esqueçam de que estão aqui para me honrar... e ao meu império. Saiam, todos vocês.

Celaena e Chaol não falaram enquanto caminharam pelo corredor, movendo-se rapidamente para longe da multidão de competidores e patrocinadores, os quais permaneceram para conversar e avaliar uns aos outros. A cada passo que se distanciava do rei, o calor reconfortante voltava. Somente quando viraram uma esquina, Chaol soltou um suspiro profundo e retirou a mão das costas de Celaena.

– Bem, você conseguiu ficar de boca fechada, pelo menos uma vez – disse ele.

– Mas como foi convincente com os acenos e as reverências! – falou uma voz alegre. Era Dorian, recostado em uma parede.

– O que está fazendo? – perguntou Chaol.

Dorian deu impulso para se afastar da parede.

– Bem, esperando por você, é claro.

– Vamos jantar esta noite – falou Chaol.

– Eu estava falando com minha campeã – disse Dorian, com uma piscadela maliciosa. Quando se lembrou de como ele sorrira para a dama da corte no dia da chegada, Celaena manteve o olhar à frente. O príncipe herdeiro assumiu um lugar seguro ao lado de Chaol enquanto prosseguiram com a caminhada. – Peço desculpas pela rabugice de meu pai. – Celaena encarou o corredor, os criados que faziam reverências para Dorian. Ele os ignorava.

– Por Wyrd! – Dorian gargalhou. – Ele já a treinou bem! – O príncipe cutucou o cotovelo de Chaol. – Pelo modo como vocês dois estão me ignorando solenemente, diria que ela poderia se passar por sua irmã! Embora vocês dois não se pareçam de verdade... Seria difícil uma pessoa tão bonita como ela se passar por *sua* irmã.

Celaena não conseguiu conter o indício de um sorriso nos lábios. Tanto ela quanto o príncipe tinham crescido com pais rígidos e impiedosos – bem, uma figura paterna, no caso dela. Arobynn jamais substituíra o pai que Celaena perdera, nem tentara. Ao menos Arobynn tinha uma desculpa para ser tão tirano quanto carinhoso. Por que o rei de Adarlan permitira que o filho não se tornasse uma cópia idêntica de si mesmo?

– Aí está! – exclamou Dorian. – Uma reação, graças aos deuses que eu a agradei. – Ele olhou para trás do grupo, para se certificar de que não havia ninguém ali, então abaixou a voz. – Acho que Chaol não lhe contou nosso plano antes da reunião... Arriscado para todos nós.

– Que plano? – Celaena passou um dedo pelas miçangas na saia e as observou reluzirem à luz da tarde.

– Para sua identidade. A qual você deve manter em segredo; seus competidores podem saber uma ou duas coisas sobre a Assassina de Adarlan e usá-las contra você.

Justo, mesmo que tivessem levado semanas para comunicarem a ela.

– E quem, exatamente, devo ser, se não uma assassina impiedosa?

– Para todos neste castelo – falou Dorian –, seu nome é Lillian Gordaina. Órfã de mãe, seu pai é um mercador rico de Enseada do Sino. Você é sua única herdeira. No entanto, tem um segredo: à noite, é ladra de joias. Eu a conheci este verão, depois que tentou me roubar enquanto eu passava férias em Enseada do Sino, momento em que reconheci seu potencial. Mas seu pai descobriu sua diversão noturna e a retirou do fascínio da cidade para uma cidade próxima de Endovier. Quando meu pai decidiu fazer essa competição, viajei para encontrá-la e a trouxe para cá como minha campeã. Você pode preencher as lacunas por conta própria.

Celaena ergueu as sobrancelhas.

– Sério? Uma *ladra de joias*?

Chaol deu um riso de escárnio, mas Dorian continuou:

– É bastante charmoso, não acha? – Quando Celaena não respondeu, o príncipe perguntou: – Gosta de meu lar?

– É bastante agradável de fato – respondeu ela, de modo tolo.

– "Bastante agradável de fato"? Talvez eu devesse transferir minha campeã para aposentos ainda *maiores*.

– Se isso o satisfaz.

Dorian riu.

– Fico feliz ao descobrir que conhecer os competidores não estragou esse seu charme. O que acha de Cain?

Celaena sabia a quem o príncipe se referia.

– Talvez você devesse começar a me alimentar com o que quer que Perrington esteja dando a ele. – Quando Dorian continuou encarando-a, Celaena revirou os olhos. – Homens do tamanho dele não costumam ser muito rápidos ou muito ágeis. Ele poderia me derrubar com um soco, provavelmente, mas teria de ser rápido o bastante para me pegar.

Celaena lançou um olhar rápido para Chaol, desafiando-o a contestar a alegação, mas Dorian respondeu:

– Bom. Achei que sim. E quanto aos outros? Algum rival em potencial? Alguns dos campeões têm reputações bastante cruéis.

– Todo o resto parece patético – mentiu ela.

O sorriso do príncipe cresceu.

– Aposto que não esperarão serem trucidados por uma linda jovem.

Aquilo tudo era um jogo para ele, não era? Antes que Celaena pudesse perguntar, alguém se pôs no meio do caminho deles.

– Vossa Alteza! Que surpresa! – A voz era alta, mas suave e calculada. Era a mulher do jardim. Ela havia trocado de roupa: agora usava um vestido branco e dourado que, apesar de não querer, Celaena admirou bastante. A moça estava injustamente deslumbrante.

E Celaena estava disposta a apostar uma fortuna que aquilo era tudo *menos* uma surpresa – a mulher provavelmente estava esperando ali havia um tempo.

– Lady Kaltain – falou Dorian, severo, o corpo enrijecido.

– Acabo de vir da corte de Sua Majestade – falou Kaltain, virando-se de costas para Celaena. A assassina poderia ter se incomodado com o gesto caso tivesse algum interesse em cortesãs. – Sua Majestade deseja vê-lo, Vossa Alteza. É claro que informei Sua Majestade que Vossa Alteza estava em uma reunião e não poderia ser...

– Lady Kaltain – interrompeu Dorian –, creio que não tenha sido apresentada à minha amiga. – Celaena poderia jurar que a jovem tinha bufado. – Permita-me apresentar-lhe Lady Lillian Gordaina. Lady Lillian, conheça Lady Kaltain Rompier.

Celaena fez uma reverência, contendo a vontade de continuar caminhando; se tivesse de lidar com as tolices da corte, talvez ficasse melhor em Endovier. Kaltain se curvou, os ornamentos dourados no vestido reluzindo à luz do sol.

– Lady Lillian é de Enseada do Sino... ela chegou ontem.

A mulher avaliou Celaena sob as sobrancelhas escuras e modeladas.

– E por quanto tempo ficará conosco?

– Apenas alguns anos – disse Dorian, e suspirou.

– Apenas! Nossa, Vossa Alteza! Que engraçado! É um período de tempo muito longo! – Celaena avaliou a cintura muito fina de Kaltain. Seria realmente tão pequena? Ou a jovem mal conseguia respirar no corpete?

Ela então viu a troca de olhares entre os dois homens: exasperação, irritação, condescendência.

– Lady Lillian e o capitão Westfall são companheiros bastante próximos – falou Dorian, de forma dramática. Para o prazer de Celaena, Chaol corou. – Passará rápido para os dois, posso assegurar-lhe.

– E para você, Vossa Alteza? – disse Kaltain, de modo tímido. Uma ansiedade disfarçada pairou sob o tom de voz.

Malícia se comprimia e se expandia dentro da mulher, mas Dorian respondeu:

– Imagino – falou ele, demorando-se e virando aqueles olhos azuis brilhantes para Celaena – que *será* difícil para Lady Lillian e para mim também. Talvez mais.

Kaltain voltou a atenção para Celaena.

– Onde encontrou este vestido? – perguntou ela, quase como um ronronar. – É extraordinário.

– Mandei fazer para ela – disse Dorian, casualmente, enquanto limpava as unhas. A assassina e o príncipe se entreolharam, os olhos azuis dos dois refletindo a mesma intenção. Pelo menos tinham *um* inimigo em comum. – *Fica mesmo* extraordinário nela, não é?

Os lábios de Kaltain se contraíram por um momento, mas então se abriram em um sorriso amplo.

– Simplesmente deslumbrante. Embora um verde tão claro tenda a esmaecer mulheres de pele pálida.

– A palidez de Lady Lillian é uma fonte de orgulho para o pai dela. Torna-a bastante incomum. – Dorian olhou para Chaol, que não conseguiu deixar de parecer incrédulo. – Não concorda, capitão Westfall?

– Concordo com o quê? – disparou ele.

– Com como nossa Lady Lillian é *incomum*!

– Que vergonha, Vossa Alteza! – intrometeu-se Celaena, escondendo o divertimento maldoso sob um risinho. – Fico *pálida* em comparação com as feições refinadas de Lady Kaltain.

Kaltain balançou a cabeça, mas olhou para Dorian quando falou:

– Você é muito gentil.

Dorian trocou o peso do corpo entre os pés.

– Bem, já me detive demais. Devo encontrar minha mãe. – Ele se curvou para Kaltain, então para Chaol. Finalmente, encarou Celaena. Ela o observou com as sobrancelhas erguidas enquanto o príncipe levava a mão dela até os lábios. A boca de Dorian era macia e suave à pele, e o beijo lançou um fogo ardente pelo braço de Celaena, queimando suas bochechas. Ela lutou contra a vontade de recuar. Ou de bater nele. – Até nosso próximo encontro, Lady Lillian – falou Dorian, com um sorriso encantador. Ela teria gostado muito de ver o rosto de Kaltain, mas curvou-se em reverência.

– Também devemos prosseguir – disse Chaol, enquanto Dorian partia, assobiando e com as mãos nos bolsos. – Podemos acompanhá-la a algum lugar? – Foi uma oferta sincera.

– Não – respondeu Kaltain, inexpressiva, a fachada desmoronando. – Vou encontrar Sua Graça, o duque Perrington. Espero que nos vejamos mais, Lady Lillian – disse a jovem, observando Celaena com uma atenção que deixaria qualquer assassino orgulhoso. – Devemos ser amigas, você e eu.

– É claro – respondeu Celaena. Kaltain passou pelos dois, as saias do vestido flutuando no ar ao redor de si. Chaol e Celaena voltaram a caminhar, esperando até que os passos de Lady Kaltain desaparecessem aos ouvidos antes de falarem.

– Gostou disso, não foi? – rosnou Chaol.

– Imensamente. – Celaena deu tapinhas no braço de Chaol ao entrelaçá-lo com o dela. – Agora você precisa fingir que *gosta* de mim ou tudo estará arruinado.

– Você e o príncipe herdeiro têm o mesmo senso de humor, ao que parece.

– Talvez ele e eu nos tornemos grandes amigos e você seja esquecido.

– Dorian tende a se associar com damas de melhor berço e beleza. – Celaena virou a cabeça para olhar para Chaol. Ele sorriu. – Como você é vaidosa.

Ela arregalou os olhos.

– Odeio mulheres como ela. São tão desesperadas pela atenção dos homens que deliberadamente traem e machucam outras do próprio gênero. E nós alegamos que os homens não conseguem pensar com o cérebro! Pelo menos os homens são diretos.

– Dizem que o pai é tão rico quanto um rei – falou Chaol. – Imagino que seja por isso que Perrington está tão encantado. Ela chegou aqui em uma carruagem maior do que a cabana da maioria dos camponeses; foi carregada até o castelo desde a casa dela. Uma distância de mais de 300 quilômetros.

– Quanta extravagância.

– Tenho pena dos criados dela.

– Tenho pena do pai dela! – Os dois riram, e Chaol ergueu um pouco mais o braço entrelaçado ao de Celaena. Ela indicou com a cabeça os guardas do lado de fora dos aposentos quando pararam. Então encarou Chaol. – Vai almoçar? Estou faminta.

Chaol olhou para os guardas, e seu sorriso desapareceu.

– Tenho um trabalho importante para fazer. Como preparar uma comitiva de homens para que o rei leve consigo na viagem.

Celaena abriu a porta, mas olhou para Chaol. A minúscula sarda na bochecha dele se ergueu quando um sorriso surgiu novamente.

– O quê? – perguntou Celaena. Algo cheirava deliciosamente dentro dos aposentos dela, e o estômago de Celaena roncou.

Chaol balançou a cabeça.

– Assassina de Adarlan. – Ele gargalhou e começou a caminhar de volta para o fim do corredor. – Você deveria descansar – gritou o capitão por cima do ombro. – A competição, *de fato*, começa amanhã. E mesmo que seja tão fantástica quanto diz ser, precisará de cada momento de sono que conseguir.

Embora tivesse revirado os olhos e batido a porta, Celaena se pegou cantarolando durante a refeição.

⊱ 11 ⊰

Celaena ainda se sentia como se mal tivesse pregado os olhos quando a mão de alguém agarrou-lhe a lateral do corpo. Ela resmungou e se encolheu quando as cortinas foram abertas para permitir a entrada do sol da manhã.

– Acorde. – Não era surpresa que fosse Chaol.

O corpo da garota deslizou novamente para baixo do cobertor, e ela cobriu a cabeça, mas o capitão segurou as roupas de cama e atirou-as ao chão. A camisola de Celaena estava enroscada nas coxas. A assassina estremeceu.

– Está frio – gemeu ela, apertando os joelhos contra o corpo. Pouco importava se restassem apenas alguns meses para vencer os outros campeões, ela precisava *dormir*. Teria sido ótimo se o príncipe herdeiro a tivesse arrancado de Endovier mais cedo; pelo menos ela teria *algum* tempo para recuperar as forças. Aliás, há quanto tempo ele sabia da competição?

– Levante-se. – Chaol arrancou os travesseiros de baixo da cabeça de Celaena. – Você está me fazendo perder tempo. – Se o capitão havia notado o quanto do corpo de Celaena estava à mostra, não demonstrou.

Celaena, resmungando, se arrastou até a beirada da cama e deixou pender uma das mãos para tocar o chão.

– Meus chinelos – balbuciou ela. – O chão parece gelo.

Chaol resmungou, mas a assassina o ignorou enquanto se colocava de pé. Ela cambaleou e se arrastou até a sala de jantar, onde um lauto café da manhã aguardava sobre a mesa. O capitão fez um gesto com o queixo na direção da comida.

– Coma. A competição começa em uma hora.

O que quer que tenha sentido, Celaena escondeu dele, deu um suspiro ríspido e exagerado e se jogou na cadeira mais próxima com a sutileza de uma fera gigantesca. Seus olhos percorreram a mesa. Outra vez, nenhuma faca. Com um garfo, serviu-se de um pedaço de salsicha.

Da porta, Chaol perguntou:

– Por que está tão cansada, se é que posso perguntar?

Celaena engoliu o restante do suco de romã e limpou os lábios com um guardanapo.

– Fiquei acordada até às quatro, lendo. Escrevi uma carta para o seu pequeno principezinho, pedindo permissão para pegar livros emprestados da biblioteca. Ele permitiu e mandou sete livros da biblioteca *pessoal* dele com uma ordem para que eu os lesse.

Chaol meneou a cabeça, sem acreditar.

– Você não deve escrever para o príncipe herdeiro.

A resposta foi um sorriso afetado, seguido de uma garfada de presunto.

– Ele poderia ter ignorado a carta, se quisesse. Além disso, eu sou a *campeã* dele. Nem todo mundo sente a obrigação de me tratar tão mal quanto você.

– Você é uma assassina.

– Se eu disser que sou ladra de joias, você me tratará com mais cortesia? – Antes que Chaol pudesse responder, Celaena fez um gesto com a mão. – Melhor deixar pra lá. – A campeã enfiou uma colherada de mingau de aveia na boca, viu que estava insípido e jogou quatro porções de açúcar mascavo, sem cerimônia, na gororoba cinzenta.

Será que os competidores eram mesmo oponentes à altura? Antes de começar a se preocupar, Celaena examinou os trajes pretos que cobriam o capitão.

– Você nunca usa roupas normais?

– Rápido. – Foi tudo o que ele disse. A competição esperava.

De súbito, Celaena perdeu a fome e empurrou a tigela de mingau para o outro lado da mesa.

– Então vou me vestir. – Ela se virou para chamar Philippa, mas se deteve. – Que tipo de atividades devo esperar para o torneio de hoje? Para me vestir de acordo, é claro.

– Não sei. Eles não dão nenhum detalhe antes de chegarmos.

O capitão se levantou tamborilando no cabo da espada e, enquanto Celaena voltava para o quarto, chamou uma serva. Atrás da campeã, Chaol falou com a criada.

– Vista-a com calças e uma camisa, algo solto. Nada empetecado ou curto demais. E faça-a levar um manto.

A garota desapareceu para dentro do quarto. Celaena a seguiu e despiu-se desembaraçadamente, divertindo-se com as bochechas enrubescidas de Chaol ao vê-la em roupas de baixo antes de dar a volta e sumir.

Alguns minutos depois, Celaena corria pelo saguão atrás dele com uma carranca.

– Eu estou ridícula! Estas calças são absurdas, e esta camisa é péssima.

– Pare de choramingar. Ninguém dá a mínima para as suas roupas. – Chaol abriu a porta do corredor bruscamente; os guardas do outro lado imediatamente entraram em formação.

– Além disso, você pode tirá-las na caserna. Tenho certeza de que todos adorarão vê-la em trajes íntimos.

Celaena soltou um palavrão cabeludo por baixo da respiração ofegante, cobriu-se o melhor que pôde com o manto verde e seguiu Chaol.

O capitão da guarda atravessou a passos largos o castelo, o qual ainda estava gélido com a bruma da manhã, e os dois logo entraram no quartel. Guardas em vários tipos de armaduras os saudaram. Por uma porta aberta era possível ver um grande refeitório, onde muitos soldados faziam o desjejum.

Chaol enfim se deteve. O enorme salão retangular no qual entraram era do tamanho do salão de baile. Pilares alinhados pelo chão quadriculado em preto e branco sustentavam um mezanino, e imensas portas de vidro, que tomavam uma parede inteira, permaneciam abertas, permitindo que uma brisa suave vinda do jardim agitasse o cortinado translúcido. A maioria dos outros 23 campeões já estava na sala, aquecendo-se com o que só poderiam ser os treinadores dos patrocinadores. Todo o ambiente era atentamente observado por guardas vigilantes. Ainda assim, ninguém se incomodava em olhar para Celaena, exceto um belo jovem de olhos cinzentos e feições agradáveis que sorriu com o canto da boca antes de voltar a atirar flechas num alvo que, mesmo do outro lado da sala, era atingido com uma precisão enervante. Erguendo o queixo, Celaena começou a averiguar uma estante de armas.

– Você espera que eu use uma clava uma hora depois de o sol nascer?

Seis guardas surgiram na porta atrás deles, unindo-se às dezenas que já se encontravam na câmara com as espadas em punho.

– Se tentar alguma tolice – disse Chaol, bem baixinho –, eles estarão aqui.

– Sou só uma ladra de joias, lembra-se?

Celaena deu um passo e se aproximou do cavalete. Decisão muito, muito idiota a de deixar todas aquelas armas ali expostas. Espadas, adagas para quebrar espadas, machados, arcos, piques, facas de caça, clavas, lanças, adagas de arremesso, bastões de madeira... Embora em geral preferisse a furtividade das adagas, Celaena conhecia todas as armas ali. Seus olhos percorreram a sala de treinamento, e ela tentou esconder uma careta. Todos os competidores também pareciam conhecê-las, ao que parecia. Enquanto estudava os demais, Celaena percebeu um movimento no canto do olho.

Cain irrompeu na sala, flanqueado por dois guardas e um homem corpulento coberto de cicatrizes, provavelmente o treinador. Quando o competidor se virou e começou a avançar na direção de Celaena, abrindo os lábios num sorriso largo, a jovem se endireitou.

– Bom dia – disse Cain, com a voz gutural e áspera, serpenteando os olhos pretos pelo corpo de Celaena antes de encará-la de novo. – Achei que você já estaria correndo para casa a esta altura.

A resposta veio acompanhada de um sorriso discreto.

– A diversão está apenas começando, não é?

Teria sido tão, tão fácil. *Tão* fácil saltar girando o corpo e agarrá-lo pelo pescoço, então atirá-lo de cara no chão. Ela nem percebeu que tremia de raiva até que Chaol entrou em seu campo de visão e disse com firmeza, mas suavemente:

– Guarde para a competição.

– Vou acabar com a raça dele – falou Celaena, respirando asperamente.

– Não, não vai. Se quiser calá-lo, vença-o. Ele é só um bruto do exército do rei, não gaste sua força.

A discussão fez Celaena revirar os olhos.

– *Muito* obrigada por interferir a meu favor.

– Você não precisa que eu a salve.

– Ainda assim teria sido legal da sua parte.

– Você pode lutar as próprias batalhas. – Chaol apontou com a espada para a estante. – Escolha uma. – Os olhos dele brilhavam diante do desafio enquanto a garota desamarrava o manto verde e atirava-o para trás. – Vamos ver se sua espada é tão afiada quanto sua língua.

Celaena calaria a grande boca de Cain... em um túmulo sem lápide por toda a eternidade. Mas não agora... Não, agora era hora de fazer Chaol engolir as próprias palavras.

Todas as armas tinham um acabamento de altíssima qualidade, e o metal de que eram feitas cintilava à luz do sol. Celaena as eliminava uma a uma, avaliando cada arma de acordo com o dano que causaria ao rosto do capitão.

Com o coração acelerado, o dedo de Celaena corria lentamente pelas lâminas e manoplas. Ela se viu dividida entre as facas de caça e uma rapieira com guarda-mão ornada – com ela seria possível arrancar um coração de uma distância segura.

A espada assobiou quando foi puxada do suporte e parou em riste na mão de Celaena. Era um arma excelente: firme, suave, leve. A assassina não tinha permissão nem para usar facas de pão, como podiam permitir que pusesse as mãos naquilo?

Por que não cansá-lo um pouco antes?

Chaol atirou a capa sobre a de Celaena, flexionou os músculos por trás da malha preta da camisa e sacou a espada.

– Em guarda! – O capitão assumiu uma posição defensiva, e a garota o encarou entediada.

Quem você pensa que é? Que tipo de gente diz "Em guarda"?

– Você não vai nem me mostrar o *básico* antes? – perguntou ela, baixo o suficiente para que apenas Chaol ouvisse, segurando a espada com displicência. Os dedos de Celaena percorreram o cabo e contraíram-se na superfície fria. – Eu fiquei um ano inteiro em Endovier, entende. Poderia muito bem ter esquecido tudo.

– Pela quantidade de mortes que houve na sua seção das minas, duvido muito que tenha esquecido algo.

– Aquelas foram com uma picareta – respondeu ela, com um sorriso selvagem se alargando lentamente. – Tudo o que precisei fazer foi abrir a cabeça de alguém ou perfurar um estômago com a arma. – Felizmente nenhum dos outros campeões prestava atenção aos dois. – Se considera essa coisa sem graça *equivalente* à esgrima... que tipo de luta *você* pratica, capitão Westfall? – Celaena levou a mão livre ao peito e fechou os olhos, enfatizando a mensagem.

O capitão da Guarda avançou rosnando.

Como já esperava por isso, os olhos de Celaena se abriram assim que as botas dele roçaram no chão. Com um giro do braço, ela posicionou a espada para bloquear o ataque e preparou as pernas para o impacto de quando as laminas se chocassem. O ruído era estranho, quase mais doloroso do que o golpe, mas Celaena nem pensou nisso quando o capitão investiu pela segunda vez e ela bloqueou a arma dele com facilidade. Os braços de Celaena doeram ao serem acordados do torpor, mas ela continuou a desviar e bloquear.

Um duelo de espadas é como uma dança – determinados passos devem ser respeitados ou tudo desmorona. Depois de ouvir a batida, tudo voltava à mente. Os outros competidores desvaneceram em sombras e luz solar.

– Bom – disse o capitão entre dentes, bloqueando um ataque que o forçou a assumir uma posição defensiva. As pernas de Celaena latejavam. – Muito bom – exclamou ele, com um suspiro. Chaol era muito bom, mais do que bom, na verdade. Não que Celaena fosse dizer isso em voz alta, claro.

As duas espadas encontraram-se outra vez com um tinido, e os dois forçaram as lâminas uma contra a outra. Ele era mais forte, e Celaena gemeu com o esforço necessário para segurar a espada contra a de Chaol. Por mais forte que fosse o capitão, no entanto, não era rápido o bastante.

Celaena recuou e fez uma finta, flexionando as pernas, os pés presos ao chão com a graça de um pássaro. Desprevenido, o capitão só teve tempo de desviar, o bloqueio foi inútil devido a sua altura.

Celaena impulsionou o corpo para a frente, desceu o braço repetidas vezes, girando-o e virando-o; ela amava a dor sutil no ombro conforme a lâmina se chocava contra a de Chaol. Celaena se movia rapidamente, como uma dançarina em um ritual, como uma serpente do deserto Vermelho, como a água descendo a encosta de uma montanha.

O capitão se manteve de pé, e Celaena permitiu que ele avançasse antes de retomar a posição. Ele tentou pegá-la desprevenida com um golpe no rosto, mas a fúria da jovem despertou e ela ergueu o cotovelo e desviou, acertando o punho do capitão e obrigando-o a abaixá-lo.

– Algo que deve ter em mente quando lutar comigo, Sardothien – disse Chaol, ofegante. A luz do sol atingia os olhos castanho-dourados dele.

– Hmm? – murmurou Celaena, esforçando-se para defender o último ataque.

– Eu nunca perco. – O capitão abriu um sorriso largo, e, antes que ela desvendasse o que ele dissera, algo lhe deu uma rasteira nos pés e...

Celaena teve a sensação nauseante de queda. Ela arquejou quando as costas colidiram com o mármore e a rapieira voou de suas mãos. Chaol apontou a espada para o peito de Celaena.

– Venci – suspirou ele.

A jovem apoiou o corpo sobre os cotovelos.

– Você teve de apelar para uma rasteira. Isso dificilmente é vencer.

– Não sou eu quem está com uma espada apontada para o coração.

O ar estava saturado com o ruído de armas se chocando e respirações ofegantes. Celaena piscou e virou-se para os outros campeões, todos envolvidos em combates. Todos, claro, exceto Cain, que abriu um sorriso que fez com que Celaena trincasse os dentes.

– Você tem a habilidade – disse Chaol –, mas alguns dos seus movimentos ainda são indisciplinados.

Os olhos dela pararam de encarar Cain e miraram o treinador.

– Isso nunca me impediu de matar – disparou Celaena.

Chaol gargalhou diante da agitação dela e apontou a espada para a estante uma vez mais.

– Escolha outra. Algo diferente. E interessante também. Algo que vá me fazer suar, por favor.

– Você estará suando quando eu o esfolar vivo e esmagar seus olhos com os pés – murmurou ela, empunhando a rapieira outra vez.

– Esse é o espírito.

Celaena praticamente jogou a espada de volta na estante e sacou as facas de caça, resoluta.

Minhas velhas amigas.

Um sorriso sinistro abriu-se em seu rosto.

⊰ 12 ⊱

No instante em que Celaena se preparava para voar na direção do capitão com as facas de caça, alguém bateu com uma lança no chão e exigiu atenção. Ela se virou em direção à voz e viu um homenzinho atarracado e careca postado logo abaixo do mezanino.

– Sua atenção *agora*! – repetiu ele. Celaena virou-se para Chaol, que fez um aceno positivo com a cabeça e tomou o par de facas das mãos dela. Assim como os outros 23 competidores, os dois encaminharam-se para formar um círculo ao redor do homem.

– Sou Theodus Brullo, mestre de armas e juiz desta competição. É claro que a palavra final sobre o fim que terão é de Sua Majestade, o rei, mas serei eu quem determinará dia a dia quais são dignos de serem considerados campeões.

Enquanto ele falava, a mão de Theodus pousou diversas vezes sobre o cabo da espada embainhada, e Celaena não pôde deixar de admirar o belíssimo padrão dourado que adornava a manopla.

– Sou mestre de armas daqui há mais de trinta anos e vivo neste castelo há pelo menos outros 25. Treinei lordes e cavaleiros… e inúmeros aspirantes a campeão de Adarlan. Será *muito* difícil me impressionar.

Ao lado de Celaena, Chaol permanecia de pé com os ombros arqueados para trás. A ideia de que Brullo talvez tivesse treinado o capitão subitamente cruzou a mente da jovem. Considerando a habilidade que Chaol demonstrara há pouco, se o mestre de armas tivesse mesmo sido seu treinador, então Brullo certamente era merecedor do título que alardeava. Celaena sabia melhor do que ninguém que subestimar oponentes com base na aparência era um erro.

– O rei já disse tudo o que precisam saber a respeito desta competição – disse Brullo, agora segurando as mãos às costas. – Mas imagino que sintam uma comichão para saber mais uns sobre os outros. – O homem subitamente apontou um dedo para Cain. – Você, diga seu nome, ocupação e de onde vem. E diga a verdade. Sei que nenhum de vocês era padeiro ou artesão.

O sorriso insuportável de Cain ressurgiu.

– Cain, soldado do exército do rei. Venho das montanhas Canino Branco.

É claro. Celaena ouvira histórias sobre a brutalidade do povo daquela região; até encontrara alguns, vira a fúria que ardia nos olhos deles. Muitos tinham se rebelado contra Adarlan, e a maioria acabara morta. O que os compatriotas da montanha diriam se pudessem ver Cain agora? Celaena trincou os dentes. O que o povo de Terrasen diria se pudesse vê-la agora?

Brullo, contudo, não sabia ou não dava a mínima e nem sequer se deu ao trabalho de reagir à resposta de Cain antes de apontar para o próximo, à direita do primeiro. Celaena imediatamente gostou do mestre de armas.

– E você?

O jovem loiro, alto e esguio virou a cabeça para examinar os componentes do círculo, então riu com desdém.

– Xavier Forul. Mestre dos Ladrões de Melisande.

Mestre dos Ladrões! *Aquele* homem? Fazia sentido, considerando que o corpo delgado poderia muito bem ser de grande ajuda ao se esgueirar para dentro das casas das vítimas. Bem, talvez não fosse um blefe.

Um a um, os outros 22 competidores apresentaram-se. Havia mais seis soldados experientes, todos dispensados do exército por comportamento questionável, e deveria ter sido bastante questionável, considerando que o exército de Adarlan era famoso pela brutalidade. Havia mais três ladrões, incluindo Nox Owen, o jovem de cabelos escuros e olhos cinzentos do qual Celaena havia, de fato, ouvido falar por alto e que passara a manhã toda dirigindo sorrisinhos para ela. Os três mercenários pareciam prontos para cozinhar alguém vivo, e foram seguidos por dois assassinos, ainda presos por grilhões.

Como a alcunha sugeria, Bill Chastain, o Devorador de Olhos, tinha por hábito devorar os olhos das vítimas. Tinha uma aparência surpreendentemente comum, com o cabelo castanho-claro, a pele marrom e uma altura mediana, e Celaena se esforçou para não encarar a boca coberta de cicatrizes do homem. O outro assassino era Ned Clement, que por três anos vivera sob o epíteto Foice, devido à arma que usava para torturar e esquartejar sacerdotisas do templo. Era inacreditável que não tivessem sido executados, mas as peles bronzeadas de sol indicavam que ambos tinham passado os anos desde a captura trabalhando sob o sol em Calaculla, o irmão sulino do campo de trabalho forçado de Endovier.

Em seguida, apresentaram-se dois homens silenciosos, cobertos de cicatrizes, que pareciam ser comparsas de algum senhor da guerra de um reino distante; depois, vieram os cinco assassinos.

Celaena esqueceu-se imediatamente dos nomes dos quatro primeiros: um garoto arrogante e desengonçado; um brutamontes corpulento; um baixinho presunçoso; e, por fim, um palerma lamuriento de nariz aquilino que afirmou ter afinidade com facas. Nenhum pertencia à Guilda dos Assassinos – não que Arobynn Hamel fosse aceitá-los, é claro. Tornar-se um membro exigia anos de treinamento e uma ficha mais do que impressionante. Por mais habilidosos que fossem, nenhum dos quatro exibia o tipo de refinamento que Arobynn esperava dos seguidores. Celaena teria de ficar de olho neles, mas pelo menos não eram os Assassinos Silenciosos das dunas do deserto Vermelho. Aqueles seriam dignos da atenção dela – fariam-na suar um bocado. Celaena passara um mês treinando com eles durante um verão escaldante e ainda sentia dor nos músculos à mera lembrança dos exercícios impiedosos do grupo.

O último assassino, que se identificou apenas como Cova, chamou a atenção de Celaena. Magro e baixo, o rosto do homem exibia uma expressão que parecia ter o costume de fazer as pessoas virarem o rosto rapidamente. Ele havia entrado no salão usando grilhões e somente os teve removidos quando seus vigias – todos os cinco – lhe deram avisos rigorosos. Mesmo naquele momento, os guardas se mantinham por perto, vigiando-o incessantemente. Quando se apresentou, Cova exibiu um sorriso seboso que revelou dentes marrons. O nojo de Celaena não melhorou quando Cova percorreu o corpo dela com os olhos. Um assassino como aquele não se contentava em matar, especialmente quando a vítima era uma mulher. Celaena se obrigou a sustentar o olhar faminto do homem.

– E você? – Brullo se dirigiu a ela.

– Lillian Gordaina – respondeu Celaena, erguendo o queixo. – Ladra de joias de Enseada do Sino.

Alguns homens soltaram risinhos, fazendo com que Celaena rangesse os dentes, furiosa. Se soubessem seu verdadeiro nome ou que era capaz de esfolá-los vivos com as próprias mãos, certamente não achariam tanta graça.

– Muito bem – respondeu Brullo, acenando com a mão. – Vocês têm cinco minutos para devolver as armas às estantes e recuperar o fôlego. Depois terá início uma corrida obrigatória para vermos como estão de resistência. Os que não conseguirem completar a corrida voltarão para casa ou para as prisões onde seus guardiões os encontraram apodrecendo. Este será o primeiro teste em cinco dias. Considerem-nos misericordiosos por não o termos feito antes.

Após essas palavras, o círculo se desfez, e os campeões cochichavam com os treinadores sobre quais competidores pareciam representar maior ameaça. Cain ou Cova, mais provavelmente. Com certeza não seria uma ladra de joias de Enseada do Sino. Chaol permaneceu ao lado de Celaena, observando os outros competidores caminharem para longe. Ela não passara oito anos construindo uma reputação e um ano trabalhando em Endovier para ser desconsiderada *daquela* forma.

– Se tiver de me apresentar como ladra de joias de novo...

O capitão franziu a testa.

– O que você fará?

– Sabe como é insultante fingir ser uma ladra desconhecida de uma cidadezinha de Charco Lavrado?

Chaol a encarou em silêncio por um instante.

– Você é *tão* arrogante assim?

Celaena estremeceu, e ele prosseguiu:

– Foi tolice lutar com você aqui. Admito que não esperava que fosse tão boa. Por sorte, ninguém reparou. E quer saber *por que*, Lillian? – Diminuindo a distância com um passo, o capitão emendou em voz baixa: – Porque você é só uma menina bonitinha. Porque é uma ladra de joias desconhecida de uma cidadezinha em Charco Lavrado. Olhe em volta. – Chaol virou-se para que a garota pudesse ver os outros campeões. – Alguém a está encarando? Algum deles está avaliando *você*? Não. Porque não representa ameaça

91

real. Não é *você* que os separa da liberdade ou da riqueza ou do que quer que estejam atrás.

– Exato! Isso é insultante!

– É inteligente, isso sim. E sua boca permanecerá fechada durante toda a competição. Você não se exibirá, não espancará esses soldados, ladrões e assassinos sem nome. Seguirá firme e constante pelo meio-termo, onde ninguém prestará atenção em você, pois sua presença não representa perigo; todos pensam que você será eliminada mais cedo ou mais tarde e que devem concentrar seus esforços em se livrarem de campeões maiores, mais fortes e mais rápidos como Cain.

"Mas você perdurará," continuou Chaol. "E quando seus adversários acordarem na manhã do duelo final e descobrirem que *você* é o oponente, que *você* os derrotou, o olhar nos rostos deles fará com que todos os insultos e o descrédito tenham valido a pena." O capitão estendeu a mão para que fossem para o lado de fora." O que você tem a dizer sobre *isso*, Lillian Gordaina?

– Posso cuidar de mim mesma – disse ela, suavemente, tomando a mão de Chaol –, mas preciso admitir que você é brilhante, capitão. Tão brilhante que ganhará de presente uma das joias que planejo roubar da rainha esta noite.

O capitão riu alto, e os dois caminharam até a área da corrida.

Os pulmões de Celaena queimavam, as pernas pareciam pesadas, mas ela continuava correndo, ocupando sempre a mesma posição à margem do grupo de campeões. Brullo, Chaol e os outros treinadores, além de trinta guardas, os acompanhavam a cavalo pelo parque de caça. Alguns dos competidores – Cova, Ned e Bill entre eles – corriam atados por longas manilhas. Celaena imaginou que seria um privilégio não ter sido acorrentada por Chaol também. Mas, para sua surpresa, Cain liderava o pelotão, quase 10 metros à frente do resto deles. Como conseguia correr tão rápido?

O crepitar das folhas sob os pés preenchia o ar do outono misturado à respiração pesada, ofegante, e Celaena fixou os olhos nos cabelos pretos encharcados e reluzentes do ladrão que corria alguns metros à frente. Um passo após o outro, inspirando, expirando. Respirar, tinha de se lembrar de respirar.

À frente, Cain fez uma curva e rumou para o norte, de costas para o castelo. Como uma revoada de pássaros, o grupo o seguiu. Um passo atrás do outro, sem diminuir a marcha. Deixe que todos vejam Cain, que tramem contra ele. Celaena não precisava vencer aquela corrida para provar que era melhor – ela era melhor sem qualquer tipo de aprovação que o rei pudesse dar! A jovem ficou sem fôlego por um instante, os joelhos bambearam, mas ela se manteve firme. A corrida acabaria logo, logo.

Celaena sequer ousara olhar para trás para ver se alguém tinha ficado pelo caminho. Os olhos de Chaol a acompanhavam, lembrando-a sempre de que deveria se manter no meio-termo. Pelo menos ele confiava nela.

As árvores ralearam e o campo que separava o parque de caça dos estábulos surgiu. O fim do caminho. Celaena sentia a cabeça girar e teria xingado a dor que lancinava-lhe a lateral do corpo se ainda tivesse pulmões para isso. Precisava ficar no meio-termo. Se manter no meio-termo.

Cain deixou as árvores para trás e ergueu os braços, triunfante. Ele correu mais alguns metros, diminuindo o ritmo para esfriar os músculos, e o treinador comemorava pelo concorrente. A única reação de Celaena foi continuar correndo. Poucos metros. O brilho do sol refletido no campo aberto aumentava cada vez mais. Pontos de luz piscaram nos olhos da jovem, preenchendo sua visão. Precisava ficar no meio-termo. Anos de treinamento com Arobynn Hamel a haviam ensinado os perigos de desistir cedo demais.

Por fim, as árvores terminaram, e o campo aberto cercou Celaena com uma explosão de espaço, grama e céu azul. Os homens à frente reduziram o passo e pararam. Para não desabar sobre os joelhos, Celaena desacelerou lentamente, obrigou os pés a caminharem, permitiu-se tomar fôlego aos poucos conforme mais e mais luzinhas invadiam sua visão.

– Bom – disse Brullo, refreando o cavalo para observar de perto os primeiros que chegaram. – Bebam água. Vamos treinar mais depois disto.

Através dos pontinhos na visão, Celaena viu Chaol parar o cavalo. Os pés dela movimentavam-se sozinhos, levando-a na direção do capitão e, depois, para dentro do bosque.

– Aonde você vai?

– Deixei meu anel cair – mentiu ela, esforçando-se para parecer apenas relapsa. – Só preciso de um minuto para encontrá-lo. – Sem esperar por aprovação, os pés de Celaena a levaram na direção das árvores, ao som dos risinhos e zombarias dos campeões que a tinham entreouvido. O ruído de passadas e folhas quebrando-se indicava que outro competidor se aproximava. Celaena se escondeu atrás dos arbustos, tropeçando conforme o mundo escurecia, depois se iluminava, então começava a girar. A garota mal tinha se apoiado quando começou a vomitar.

O estômago de Celaena se contraiu diversas vezes até que não restasse mais nada dentro dele. O campeão retardatário passou. Sem forças, ela se postou de pé usando uma árvore como apoio e tentou se endireitar. O capitão Westfall assistia à cena da trilha, comprimindo os lábios.

Celaena limpou a boca com o dorso da mão e não disse nada quando passou por ele ao sair do bosque.

❧ 13 ❧

Era hora do almoço quando Brullo os dispensou, e dizer que Celaena estava faminta seria um eufemismo. Ela estava na metade da refeição, engolindo carne e pão com voracidade, quando a porta da sala de jantar se escancarou.

– O que você está fazendo aqui? – Celaena lutava para manter a comida na boca.

– O quê? – exclamou o capitão da guarda, e sentou-se à mesa. Ele havia trocado de roupas e tomado um banho. Chaol puxou a bandeja de salmão para diante de si e começou a empilhar o peixe no prato. Celaena fez cara de nojo, enrugando o nariz. – Não gosta de salmão?

– Odeio peixe. Prefiro a morte.

– Isso é surpreendente – disse Chaol, e comeu uma garfada.

– Por quê?

– Por que você cheira como um.

Celaena abriu a boca para exibir o bolo de massa e carne que mastigava. Chaol meneou a cabeça em reprovação.

– Você luta bem, mas seus modos são uma calamidade.

Celaena esperou que o episódio do vômito fosse mencionado, mas o capitão parou de falar.

– Posso agir e falar como uma dama, se quiser.

– Então sugiro que comece. – Depois de uma pausa, o capitão perguntou: – O que está achando da liberdade temporária?

– É uma piadinha ou uma pergunta séria?

– O que você preferir – disse Chaol, e enfiou mais salmão na boca.

Pela janela era possível ver o céu da tarde, levemente pálido, mas ainda muito bonito.

– Estou gostando, na maior parte do tempo. Especialmente agora que tenho livros para ler quando você me trancar aqui. Acho que você não entenderia.

– Pelo contrário. Posso não ter tempo para ler como você e Dorian, mas isso não significa que ame menos os livros.

Celaena mordeu uma maçã. Era ácida com um dulçor subsequente feito mel.

– Ah, é? Quais são seus preferidos?

Chaol citou alguns, e Celaena pareceu surpresa.

– Bem, são boas escolhas, pelo menos a maioria. O que mais?

De alguma forma, uma hora passou voando enquanto os dois foram levados pela conversa. De repente, o relógio soou 13 horas, e Chaol se levantou.

– Hoje a tarde é sua para fazer o que quiser.

– Aonde você vai?

– Descansar minhas pernas e meus pulmões.

– Bem, espero que leia algo bom antes de nos vermos novamente.

Chaol inspirou alto antes de sair do quarto.

– E *eu* espero que você tome um banho antes de nos vermos novamente.

Suspirando, Celaena pediu às servas que aprontassem o banho. Uma tarde de leitura na varanda a aguardava.

Na manhã seguinte, a porta do quarto de Celaena se abriu, e um ritmo familiar de passadas ecoou. Chaol Westfall se deteve, surpreso, quando deu de cara com a assassina pendurada na ombreira da porta, flexionando repetidamente os braços para tocar com o queixo a barra de madeira acima. A camisa que a garota usava estava ensopada, e o suor escorria em trilhas pela pele clara dela. Celaena se exercitava havia uma hora. Os braços da jovem estremeceram quando ela se ergueu mais uma vez.

Mesmo fingindo ser uma competidora mediana, não havia razão para treinar como se realmente fosse, ainda que o corpo latejasse a cada repetição, pedindo descanso. Celaena não estava *tão* fora de forma assim; a picareta que usava nas minas não era exatamente leve, afinal. E o comportamento definitivamente não tinha nada a ver com o fato de que os competidores a haviam ultrapassado no dia anterior.

Celaena já tinha uma vantagem sobre os outros. Só precisava que fosse um pouco mais acentuada.

Ela não parou os exercícios quando abriu um sorriso para o capitão, resfolegando por entre os dentes. Para sua surpresa, o capitão sorriu de volta.

À tarde, uma terrível tempestade chegou, e Chaol permitiu que Celaena saísse com ele para conhecer a propriedade depois do treinamento do dia. Embora o capitão falasse pouco, era ótimo deixar o quarto e usar um dos novos vestidos: lindo, de seda lilás com contas peroladas e detalhes em renda rosa-claro. Então, os dois viraram uma esquina e quase colidiram com Kaltain Rompier. Celaena teria feito uma careta, mas se esqueceu de Kaltain logo que pousou os olhos sobre a acompanhante dela, uma mulher de Eyllwe.

Ela era deslumbrante, alta e esguia, os traços perfeitamente harmoniosos e suaves. O vestido branco esvoaçante contrastava com a pele marrom, e um colar de ouro de três voltas cobria a maior parte de seu peito e pescoço. Braceletes de marfim e ouro brilhavam ao redor dos pulsos, e os pés dela, em sandálias, eram adornados por tornozeleiras combinando. Uma delicada tiara, da qual pendiam ouro e joias, a coroava. Dois guardas a acompanhavam armados até os dentes com adagas e espadas curvadas de Eyllwe; ambos inspecionavam Chaol e Celaena, avaliando a ameaça que representavam.

A garota de Eyllwe era uma princesa.

– Capitão Westfall! – exclamou Kaltain, e fez uma reverência. Ao lado dela, um homenzinho trajando as vestes vermelhas e pretas dos conselheiros também se curvou.

A princesa permaneceu perfeitamente imóvel, observando atentamente Celaena e o companheiro com seus olhos castanhos. Celaena ofereceu um sorriso discreto, e a princesa se aproximou, o que deixou os guardas tensos. Ela se movia com tanta graça.

Kaltain fez um gesto para a jovem, a contrariedade mal disfarçada estampada em seu rosto perfeito.

– Esta é Sua Alteza Real princesa Nehemia Ytger de Eyllwe.

Chaol fez uma reverência acentuada. A princesa acenou com a cabeça sutilmente, mal abaixou o queixo. Celaena conhecia o nome – por várias vezes ouvira escravizados de Eyllwe alardearem a beleza e a coragem de Nehemia. Nehemia, a Luz de Eyllwe, que os salvaria da desgraça. Nehemia, que algum dia representaria uma ameaça ao domínio do rei de Adarlan sobre seu país natal quando ascendesse ao trono. Nehemia, sussurravam, que contrabandeava informações e suprimentos para grupos rebeldes clandestinos em Eyllwe. Mas o que fazia ali?

– E Lady Lillian – acrescentou Kaltain.

Celaena fez a maior reverência que conseguiu sem se desequilibrar e disse em eyllwe:

– Bem-vinda ao Forte da Fenda, Vossa Alteza.

A princesa Nehemia lentamente abriu um sorriso, e os outros ficaram boquiabertos. O conselheiro sorriu e limpou o suor da testa, perguntando-se por que não mandaram Nehemia com o príncipe herdeiro ou com Perrington. Por que era Kaltain Rompier quem tinha de ciceronear a princesa por aí?

– Obrigada – respondeu a princesa, em voz baixa.

– Imagino que tenha sido uma longa jornada. – continuou Celaena, em eyllwe. – A senhora chegou hoje, Vossa Alteza?

Os guarda-costas de Nehemia trocaram olhares, e até a princesa arqueou suavemente as sobrancelhas. Não havia muitos no norte que falavam a língua deles.

– Sim, e a rainha mandou-me *esta* aqui – a princesa fez um gesto com a cabeça na direção de Kaltain – para apresentar o lugar, junto do verme suador em forma de homem. – A princesa semicerrou os olhos na direção do pequeno conselheiro, o qual apertava as mãos e esfregava a testa com um lenço. Talvez soubesse o tipo de ameaça que Nehemia representava, mas por que levá-la ao castelo?

Celaena correu a língua pelos dentes, tentando não rir.

– Ele parece um pouco nervoso. – Se não mudasse de assunto, acabaria explodindo em risadas ali mesmo. – O que achou do castelo?

– É a coisa mais estúpida que já vi – disse Nehemia, observando o teto como se pudesse ver as seções de vidro do outro lado da pedra. – Preferiria estar num castelo de areia.

Chaol as observava, de certa forma incrédulo.

– Temo não ter compreendido uma palavra sequer do que conversaram – interrompeu Kaltain.

Celaena tentou não revirar os olhos, tinha se esquecido de que a mulher ainda estava lá.

– Nós – disse a princesa, lutando para se lembrar da palavra na língua comum – estávamos falando com o clima.

– *Sobre* o clima – corrigiu Kaltain, prontamente.

– Cuidado com a língua – repreendeu Celaena, sem pensar.

Kaltain abriu um sorriso malicioso para Celaena.

– Se ela veio aprender nossos modos, é meu trabalho corrigi-la para que não pareça tola.

Veio para aprender modos ou algo completamente diferente? A princesa e os guarda-costas mantinham expressões indecifráveis.

– Vossa Alteza. – Chaol pediu a palavra e deu um passo à frente, postando-se entre Nehemia e Celaena. – A senhora está sendo apresentada ao castelo?

A princesa absorveu as palavras, mas por fim lançou um olhar para Celaena, erguendo as sobrancelhas para sinalizar que àquela altura esperava uma tradução. Um sorriso desenhou-se nos lábios da assassina. Por isso o conselheiro suava tão profusamente. Nehemia era uma força à qual se aliar. Celaena traduziu a pergunta do capitão sem dificuldade.

– Se você considera esse disparate um castelo. – Foi a resposta.

Celaena se virou para Chaol.

– Ela disse que sim.

– Nem imaginava que tantas palavras pudessem significar apenas uma – disse Kaltain, com falsa doçura. Celaena cerrou os punhos com força.

Vou arrancar seu cabelo.

Chaol deu outro passo na direção de Nehemia, interpondo-se estrategicamente entre Celaena e Kaltain para pousar a mão esquerda sobre o peito.

– Vossa Alteza, sou o capitão da Guarda Real. Conceda-me a honra de acompanhá-la.

Celaena traduziu outra vez, e a princesa concordou.

– Livre-se dela – disse Nehemia, com simplicidade, para Celaena, indicando Kaltain com a mão. – Não gosto do comportamento dela.

– Você está dispensada – disse Celaena, dirigindo-se a Kaltain com um sorriso reluzente. – A princesa está cansada da sua companhia.

– Mas a rainha... – Kaltain tentou responder.

– Se esse é o desejo de Sua Alteza, ele será prontamente atendido – interrompeu Chaol.

Apesar de exibir uma expressão burocrática, Celaena poderia jurar ter visto uma pontada de divertimento nos olhos dele. Ela sentiu vontade de abraçá-lo e nem se preocupou em se despedir de Kaltain quando a princesa e o conselheiro se juntaram a eles na caminhada pelo corredor, deixando a dama furiosa para trás.

– Todas as cortesãs são como ela? – perguntou a princesa a Celaena em eyllwe.

– Como Kaltain? Infelizmente, Vossa Alteza.

Nehemia examinou a assassina. Celaena sabia que a princesa estava perscrutando suas roupas, o modo como andava, sua postura – tudo o que ela já observara na princesa, àquela altura.

– Mas você não é como eles. Como fala eyllwe tão bem?

– Eu... – Celaena pensou rapidamente numa mentira. – Estudei por anos.

– Você fala com o sotaque dos camponeses. Isso está nos livros?

– Uma mulher de Eyllwe me ensinou.

– Sua escravizada? – A princesa elevou o tom, o que fez com que Chaol redobrasse a atenção.

– Não – respondeu Celaena, apressadamente. – Não acredito em manter escravizados. – Algo se revirou em suas entranhas quando lhe veio à mente a imagem dos escravizados que abandonara à própria sorte em Endovier, destinados a sofrer e morrer. Só porque havia deixado Endovier não significava que a prisão havia deixado de existir.

– Então você é muito diferente das pessoas da sua corte. – A voz de Nehemia era suave.

Celaena só conseguiu assentir para a princesa antes de todos voltarem as atenções para o corredor adiante. Serviçais passavam apressados de um lado para o outro, arregalando os olhos quando viam a princesa acompanhada da guarda pessoal. Depois de um momento de silêncio, Celaena endireitou as costas e perguntou:

– Se me permite, por que está em Forte da Fenda? – E acrescentou a tempo: – Vossa Alteza.

– Não precisa me chamar assim. – A princesa brincou com uma das pulseiras douradas. – Vim a pedido de meu pai, o rei de Eyllwe, para aprender sua língua e seus costumes. Ele diz que assim servirei melhor ao reino e ao meu povo.

Considerando o que já ouvira sobre a princesa, Celaena não achou que aquilo fosse tudo, mas sorriu polidamente e disse:

– E por quanto tempo pretende ficar em Forte da Fenda?

– Até que meu pai mande alguém para me buscar. – A princesa observava melancólica a chuva pela janela. – Se tiver sorte, só até a primavera. A menos que ele decida que um homem de Adarlan será um bom marido. Então terei de ficar até resolver *essa* questão.

Vendo o pesar nos olhos da princesa, Celaena sentiu um pouco de pena do homem que o rei de Eyllwe escolhesse.

Um pensamento lhe ocorreu e Celaena inclinou a cabeça.

– E com quem você se casaria? Com o príncipe Dorian? – Era inconveniente e um pouco impertinente, e Celaena se arrependeu da pergunta assim que irrompeu de seus lábios.

Mas Nehemia apenas estalou a língua e acrescentou.

– Aquele bonitinho? Ele sorriu demais para mim. Você tinha de ver como piscava para as outras mulheres na corte. Quero um marido para esquentar *minha* cama, e só a minha. – Outra vez ela olhou Celaena de soslaio, examinando-a dos pés à cabeça. A assassina viu que a princesa encarava as cicatrizes em suas mãos. – De onde veio, Lillian?

Deslizando as mãos casualmente para escondê-las entre as dobras do vestido, Celaena respondeu:

– De Enseada do Sino, uma cidade em Charco Lavrado. Um vilarejo de pescadores com um cheiro horrível. – Ela não estava mentindo. Sempre que ia à Enseada do Sino em missão, o fedor de peixe causava-lhe engulho se chegasse muito perto das docas.

A princesa riu.

– O cheiro de Forte da Fenda é horrível. Tem gente demais aqui. Pelo menos em Banjali o sol queima tudo. O palácio de meu pai, no rio, cheira como botões de lótus.

Chaol, logo atrás, tossiu, obviamente cansado de ser excluído da conversa. Celaena virou-se com um sorriso.

– Não fique emburrado – disse ela, na língua comum. – Precisamos atender aos desejos da princesa.

– Pare de se exibir – respondeu o capitão, muito sério. Sem perceber, Chaol pousou a mão sobre o cabo da espada, fazendo com que os guardas de Nehemia dessem um passo na direção dele. Mesmo capitão da guarda, Celaena não tinha a menor dúvida de que os guarda-costas acabariam com ele num piscar de olhos se detectassem uma ameaça. – Nós só a estamos levando de volta ao conselho do rei. Vou dar uma palavra ou duas com eles por terem deixado Kaltain escoltá-la.

– Você caça? – interrompeu-os Nehemia, em eyllwe.

– Eu? – exclamou Celaena. A princesa fez que sim com a cabeça. – Hmm... Err... Não – respondeu Celaena, então voltou a falar em eyllwe. – Sou mais do tipo que lê.

Nehemia observou a água cair em uma das janelas.

– A maior parte dos nossos livros foi queimada cinco anos atrás, quando Adarlan marchou sobre nossa terra. Não fez diferença alguma se os livros eram sobre magia – a princesa baixou a voz o máximo que pôde para pronunciar a última palavra, mesmo sabendo que Chaol e o conselheiro não entendiam o que diziam – ou sobre história. Queimaram todas as bibliotecas, os museus, as universidades...

Uma dor familiar apertou o peito de Celaena, que balançou a cabeça concordando.

– Eyllwe não foi a única terra onde isso aconteceu.

Uma luz gélida e amarga brilhava nos olhos de Nehemia.

– Agora a maior parte dos nossos livros é de Adarlan, numa língua que eu mal entendo. É por isso que devo aprender enquanto estou aqui. Há tantas coisas! – Ela bateu o pé, e suas joias tilintaram. – E odeio esses sapatos! E o maldito vestido! Pouco me importa que seja de seda eyllwe e eu seja a representante do reino. O tecido está me dando coceira desde que o vesti!

Os olhos da princesa miraram o vestido elaborado de Celaena.

– Como você aguenta usar essa coisa enorme?

Celaena pinçou a saia do vestido.

– Na verdade, ele aperta muito nas costelas.

– Pelo menos não estou sofrendo sozinha – observou Nehemia.

Chaol parou diante de uma porta e ordenou às seis sentinelas do lado de fora que ficassem de olho nas duas e nos guardas da princesa.

– O que ele está fazendo? – perguntou Nehemia

– Levando você de volta ao conselho e garantindo que Kaltain não a escolte mais por aí.

Nehemia encurvou sutilmente os ombros.

– Estou aqui há um dia e já quero partir.

Depois de um longo suspiro, a princesa caminhou até a janela, como se pudesse enxergar Eyllwe de lá. De súbito, Nehemia agarrou uma das mãos de Celaena e a apertou. Os dedos da princesa eram surpreendentemente calejados nos pontos onde se apoia o cabo de uma espada. No instante em que os olhos das duas se cruzaram, a princesa puxou a mão.

Talvez os rumores sejam verdadeiros, e ela realmente lute com os rebeldes em Eyllwe...

– Você me fará companhia enquanto eu tiver de ficar aqui, Lady Lillian?

Celaena piscou quando ouviu o pedido, sentindo-se, apesar de tudo, honrada.

– É claro. Será um prazer servi-la.

– Já tenho servos suficientes. Quero alguém com quem conversar.

Celaena não se conteve e abriu um sorriso enorme. Chaol entrou no corredor outra vez, curvando-se diante da princesa.

– O conselho gostaria de vê-la, Vossa Alteza.

Celaena traduziu.

Nehemia gemeu de insatisfação, mas agradeceu a Chaol antes de se virar para a nova amiga.

– Estou feliz por tê-la conhecido, Lady Lillian. – Os olhos da princesa brilhavam. – Fique em paz.

– Você também – murmurou a assassina, observando Nehemia partir.

Celaena jamais tivera muitos amigos, e aqueles que teve a desapontaram inúmeras vezes. De vez em quando com consequências devastadoras, como ela aprendera no verão com os Assassinos Silenciosos do deserto

Vermelho. Depois daquilo, Celaena jurou jamais confiar em mulheres de novo, especialmente mulheres com objetivos e poder próprios. Mulheres que fariam *qualquer coisa* para obter o que queriam.

Quando a porta se fechou atrás da cauda do vestido da princesa de Eyllwe, Celaena começou a imaginar se não estivera errada.

***

Chaol Westfall assistia à assassina devorar o almoço, os olhos saltando de um prato para o outro mesmo enquanto mastigava. Assim que entrou nos aposentos, Celaena se livrou do vestido e vestiu um robe rosa e jade que lhe caía muito bem.

– Você está tão calado hoje – disse ela, com a boca cheia de comida. Será que aquela menina nunca parava de comer? Ela comia mais do que qualquer um que Chaol conhecia, inclusive os guardas. Servia-se diversas vezes de cada prato em todas as refeições. – O que foi? Pensando na princesa Nehemia? – As palavras mal se distinguiam da mastigação.

– A cabeça-dura? – O capitão se arrependeu da observação no instante em que viu os olhos fulminantes da assassina em sua direção. Lá vinha um discurso, e ele não estava em condições de ouvi-lo. Estava com a cabeça cheia de coisas mais importantes. Antes de partir naquela manhã, o rei rejeitara *todos* os guardas enviados para escoltá-lo, negara-se a dizer aonde ia e recusara todas as ofertas de companhia.

Sem mencionar o fato de que alguns cães reais haviam desaparecido, tendo sido encontrados semidevorados na ala norte do palácio. *Aquilo* era preocupante. Quem faria algo tão cruel?

– E qual é o problema com as garotas cabeça-dura? – inquiriu Celaena. – Além, é claro, do fato de não serem cabeças-ocas que só abrem a boca para dar ordens e fofocar.

– É que prefiro certo tipo de mulher.

Felizmente, era a resposta certa, pois Celaena deu várias piscadelas.

– E que tipo de mulher?

– As que não são assassinas arrogantes.

Ela fez um bico.

– E se eu não fosse assassina? Você gostaria de mim?

– Não.

– Você preferiria *Lady Kaltain*?

– Não seja tola. – Era fácil ser mau, mas estava ficando fácil demais ser afável.

O capitão mordeu o pão. Celaena o observava com a cabeça inclinada. Algumas vezes ele sentia que ela o olhava como se Chaol fosse um camundongo, e Celaena, um gato. Restava saber quando viria o bote.

A garota deu de ombros, em seguida mordeu uma maçã. Havia algo feminino a respeito dela também. Ah! Chaol não aguentava as contradições de Celaena!

– Pare de me encarar, capitão!

Chaol fez menção de se desculpar, mas se deteve. Diante dele estava uma assassina vulgar, arrogante e, acima de tudo, impertinente. Ele desejou que os meses passassem voando, que ela fosse escolhida campeã e, após os anos de serviço, que partisse de uma vez por todas. O capitão não tivera uma só noite de sono adequada desde o dia em que a tiraram de Endovier.

– Você tem comida nos dentes – respondeu ele.

Celaena limpou-os, levando uma unha afiada à boca, então virou-se para a janela. A água escorria pelo vidro. Era isso o que observava? Ou algo além?

O capitão tomou um gole da taça. Apesar de arrogante, ela era esperta, relativamente gentil e até tinha algum charme. Onde estava aquela hostilidade? Por que não aparecia logo para que ele pudesse atirá-la na masmorra e dar um fim àquela competição ridícula? Algo poderoso e mortal escondia-se dentro de Celaena, algo de que Chaol não gostava.

Ele estaria pronto… quando a hora chegasse, estaria esperando. Se perguntava apenas qual deles sobreviveria.

❧ 14 ❧

Pelos quatro dias que se seguiram, Celaena acordou antes do alvorecer para treinar no quarto, usando o que estivesse à mão para se exercitar: cadeiras, as ombreiras das portas, até mesmo a mesa e os tacos de bilhar. As bolas serviam como excelentes ferramentas para treinar o equilíbrio. Chaol costumava chegar para o desjejum, por volta do nascer do sol. Em seguida, corriam pelo parque de caça, onde Chaol marcava o ritmo ao lado de Celaena. O outono estava no auge, o que conferia ao vento um cheiro de folhas secas e de neve. O capitão da guarda jamais dizia uma palavra quando Celaena se curvava sobre o corpo, com as mãos sobre os joelhos, e também não comentava o fato de que ela corria mais e mais a cada dia sem parar para recuperar o fôlego.

Quando completavam a corrida, os dois treinavam numa sala reservada, longe dos olhos dos outros competidores. Até, claro, Celaena atirar-se no chão e gritar que estava prestes a morrer de fome e cansaço. Nos treinos, as facas ainda eram as favoritas, mas o bastão de madeira começava a conquistar seu afeto; naturalmente, tinha a ver com o fato de que a assassina poderia golpear à vontade sem arrancar um braço. Desde que conhecera Nehemia, Celaena não ouvira mais falar da princesa – nem mesmo por meio de fofocas dos criados.

Chaol sempre aparecia para o almoço, e, depois, Celaena se juntava aos outros campeões para mais algumas horas de treinamento sob o olhar atento de Brullo. A maior parte do treinamento servia apenas para garantir que os competidores conseguiam, de fato, *usar* armas. E, é claro, Celaena mantinha a cabeça sempre baixa – fazia o necessário para que Brullo não a criticasse, mas não o suficiente para que a elogiasse como elogiava Cain.

Cain. Como Celaena o odiava! Brullo praticamente o venerava, e os outros campeões o cumprimentavam respeitosamente. Ninguém se dava ao trabalho de apontar como o desempenho *dela* era perfeito. Será que era assim que os outros no Forte dos Assassinos se sentiam durante todos os anos em que ela monopolizou a atenção de Arobynn Hamel? Difícil era se concentrar com Cain sempre por perto, caçoando e provocando, esperando que Celaena cometesse um erro. O que restava eram esperanças de que o maldito não conseguisse distraí-la no primeiro teste de eliminação. Brullo não dera nenhuma indicação a respeito *do que* seria testado, e Chaol não fazia a menor ideia.

No dia anterior à primeira prova, Celaena soube que havia algo errado antes de sair do quarto. Chaol não aparecera para o café da manhã, mas mandara que guardas a escoltassem ao salão de treinamento, onde deveria treinar sozinha. Nada do capitão na hora do almoço, também, e quando a campeã foi escoltada para o salão, sua cabeça fervilhava com perguntas.

Sem Chaol por perto, a assassina se recostou contra um dos pilares enquanto os outros competidores formavam uma fila, seguidos por guardas e treinadores. Brullo também não estava lá, mais um fator estranho. E havia guardas demais no salão de treinamento naquele dia.

– O que acha que isso tudo significa? – perguntou Nox Owen, o jovem ladrão de Perranth, ao lado dela.

Depois de se provar, em certa medida, habilidoso durante o treinamento, os outros competidores até tentaram se aproximar dele, mas Nox preferiu manter-se reservado.

– O capitão Westfall não me treinou esta manhã – respondeu ela. Que mal haveria em admitir isso?

Nox estendeu a mão.

– Nox Owen.

– Eu sei quem você é – respondeu Celaena, mas apertou a mão dele mesmo assim. O aperto do jovem era firme, a mão dele, calejada e coberta de cicatrizes. Nox passara por suas provações.

– Que bom. Tenho me sentido meio invisível com aquele troglodita se exibindo nos últimos dias. – Nox acenou com o queixo na direção de Cain, que naquele instante examinava os bíceps. Um grande anel adornado por uma pedra preta e brilhante reluzia no indicador de Cain. Estranho ele usar aquilo para treinar.

– Viu Verin? – prosseguiu Nox. – Parece que vai vomitar. – Ele apontou para o ladrão tagarela que Celaena queria nocautear. Normalmente, Verin ficava junto de Cain, provocando os outros campeões, mas hoje ele estava sozinho à janela; o rosto pálido como o de um fantasma e os olhos arregalados.

– Ouvi uma conversa dele com Cain – disse uma voz tímida atrás dos dois; pertencia a Pelor, o mais jovem dos assassinos. Celaena passara metade de um dia observando Pelor e, enquanto ela forjava a mediocridade, o rapaz poderia certamente se beneficiar de algum treino.

Grande assassino. A voz ainda nem engrossou. Como é que veio parar aqui?

– O que ele disse? – Nox enfiou as mãos nos bolsos.

Suas roupas não eram tão esfarrapadas quanto as dos outros competidores; o simples fato de que Celaena já ouvira seu nome sugeria que ele deveria ser um bom ladrão em Perranth.

O rosto sardento do garoto empalideceu.

– Bill Chastain, o Devorador de Olhos, foi encontrado morto hoje de manhã.

Um campeão estava morto? E um assassino famoso ainda por cima.

– Como? – Celaena quis saber.

Pelor engoliu em seco.

– Verin disse que não era nada bonito. Como se alguém o tivesse rasgado até se abrir. Ele viu o corpo no caminho até aqui.

Nox soltou um palavrão em um suspiro. Celaena observou os outros campeões. O silêncio recaíra sobre o bando, e pequenos grupos sussurravam entre si. O relato de Verin se espalhava rapidamente. Pelor continuou:

– Ele disse que o corpo do Chastain estava cortado em *tiras*.

Um tremor desceu pela espinha da assassina, que sacudiu a cabeça no instante em que um guarda entrou para anunciar que Brullo os dispensara do treinamento no salão, deixando-os livres para praticarem o que quisessem. A fim de se distrair da imagem que se formava em sua mente, Celaena nem se despediu de Nox e Pelor quando se dirigiu até a estante de armas e apanhou um cinto com adagas de arremesso.

A assassina ocupou um espaço na área de treino de arco e flecha; Nox juntou-se a ela no momento seguinte e começou a atirar as próprias adagas contra um dos alvos. Ele acertou o segundo círculo, mas não se aproximou do centro. A habilidade do ladrão com as facas não chegava nem perto da sua perícia com um arco.

Celaena sacou uma adaga do cinto. Quem teria assassinado um dos campeões com tanta brutalidade? E como o assassino tinha conseguido escapar se o corpo estava no corredor? O castelo estava infestado de guardas. Um campeão morto, um dia antes da primeira prova; seria o início de um padrão?

Celaena se concentrou no pequeno ponto preto no centro do alvo. Ela inspirou devagar e curvou o braço, mantendo o punho solto. Os sons da sala sumiram aos poucos. A escuridão do centro do alvo entrou em foco, e, enquanto expirava, a assassina atirou a adaga.

A arma reluziu como uma estrela cadente de aço. Celaena deu um sorriso sombrio quando atingiu em cheio o alvo.

Ao lado dela, Nox soltou vários palavrões quando a próxima adaga atirada por ele atingiu apenas o terceiro círculo do alvo, e o sorriso de Celaena cresceu, apesar do corpo estraçalhado que jazia em algum lugar do castelo.

Celaena sacou outra adaga, mas parou quando ouviu Verin berrar do ringue onde treinava com Cain.

– Truques de circo não ajudam um campeão do rei.

A assassina virou o rosto para encará-lo, mas manteve o corpo de frente para o alvo.

– Você se sairia melhor de quatro, aprendendo truques mais úteis para uma mulher. Posso te ensinar alguns hoje à noite, se quiser. – Ele gargalhou, e Cain juntou-se ao homem. Celaena apertou o cabo da adaga com tanta força que sentiu a mão doer.

– Não lhes dê ouvidos – murmurou Nox, atirando outra adaga e errando o centro do alvo mais uma vez. – Não teriam ideia do que fazer com uma mulher, nem que ela entrasse nua em pelo no quarto deles.

Celaena atirou a adaga, e a lâmina tilintou quando parou à distância de um fio de cabelo da outra, já fincada no centro do alvo.

As sobrancelhas de Nox arquearam-se, o que destacou o tom cinzento de seus olhos. O ladrão não devia ter mais de 25 anos.

– Você tem uma mira excelente.

– Para uma garota? – retrucou Celaena.

– Não – respondeu Nox, e atirou outra adaga. – Para qualquer um.

De novo, a arma não atingiu o centro. O ladrão caminhou até o alvo e arrancou as seis lâminas enterradas no círculo de madeira, então enfiou-as de volta no cinto antes de retornar à linha de arremesso. Celaena pigarreou.

– Você não está se posicionando corretamente – disse ela, em voz baixa, para que os outros campeões não ouvissem. – E não está erguendo o punho da maneira certa.

Nox baixou o braço e a observou tomar posição de arremesso.

– As pernas têm de ficar assim. – Nox observou por um momento, então se posicionou de modo similar. – Dobre levemente os joelhos. Ombros para trás, deixe o punho solto. Arremesse ao expirar. – Celaena demonstrou, e a adaga atingiu a marca no centro do alvo.

– Mostre de novo – disse Nox, denotando admiração.

Ela o fez e acertou o alvo. Em seguida, arremessou outra adaga com a mão esquerda e conteve um gritinho de satisfação quando a lâmina foi parar no cabo da adaga anterior.

Nox fixou os olhos no alvo enquanto erguia o braço.

– Bem, você acabou de me humilhar – disse ele, tentando abafar uma risada enquanto erguia mais a própria adaga.

– Mantenha os punhos ainda mais soltos – respondeu Celaena. – A questão é como você atira a faca.

Nox obedeceu e soltou a adaga ao mesmo tempo em que esvaziou os pulmões. A lâmina não atingiu o centro do alvo, mas parou dentro do círculo central. As sobrancelhas do ladrão se ergueram.

– É, um pouquinho melhor.

– Só um pouquinho – respondeu Celaena, e manteve posição enquanto Nox coletava as adagas nos dois alvos e entregava as dela de volta. Celaena as colocou no cinto. – Você é de Perranth, não é?

Mesmo sem conhecer pessoalmente Perranth, a segunda maior cidade de Terrasen, a mera menção da terra natal provocava uma faísca de medo e culpa na assassina. Fazia dez anos que a família real fora massacrada, dez anos que o rei de Adarlan marchara até lá com seu exército, dez anos que Terrasen conhecera a ruína, prostrada e em silêncio. Celaena não deveria ter dito aquilo – não sabia nem *por que* tinha dito, na verdade.

Quando Nox assentiu, Celaena educadamente fingiu querer prosseguir com a conversa.

– Bem, na verdade é a primeira vez que saio de Perranth. Você disse que é de Enseada do Sino, não?

– Meu pai é mercador – mentiu ela.

– E o que acha da filha que rouba joias para viver?

Celaena abriu um sorriso e atirou habilidosamente outra faca no centro do alvo.

– Com certeza não serei convidada para uma visita tão cedo.

– Ah, mas você está em boas mãos. Seu treinador é o melhor de todos. Vi vocês correndo bem cedo. Tenho de implorar ao meu para que largue o copo e me deixe praticar fora do horário de treinamento. – Nox inclinou a cabeça na direção do treinador, que estava sentado de costas para uma parede com os olhos cobertos pelo capuz. – Olha lá, dormindo de novo.

– O capitão da guarda é um saco às vezes – disse Celaena, atirando outra adaga –, mas você está certo. Ele é mesmo o melhor.

Nox ficou em silêncio por um momento, então disse:

– Da próxima vez que houver treinamento em dupla, procure-me, tudo bem?

– Por quê? – A assassina tateou o cinto em busca de outra adaga, mas percebeu que já havia lançado todas outra vez.

Nox arremessou uma lâmina e, desta vez, atingiu em cheio o alvo.

– Porque eu estou apostando que você vai vencer esta coisa toda.

Celaena sorriu levemente.

– Vamos torcer para que você não seja eliminado na prova de amanhã. – Os olhos de Celaena percorreram a sala de treinamento tentando vislumbrar o desafio que a esperava na manhã seguinte, mas não encontrou nada de extraordinário. Os outros competidores permaneciam em silêncio, exceto Cain e Verin, e, de modo geral, estavam pálidos como a neve. – Vamos torcer também para que nenhum de nós termine como o Devorador de Olhos – acrescentou ela, com sinceridade.

* * *

– Você não faz nada além de ler? – perguntou Chaol.

Celaena se sobressaltou na cadeira da varanda quando o capitão tomou um lugar ao lado da assassina. A luz do crepúsculo aquecia o rosto de

Celaena, e a última brisa perfumada do outono acariciava-lhe gentilmente os cabelos soltos.

A assassina mostrou a língua.

– Você não deveria estar investigando o assassinato do Devorador de Olhos? – Chaol nunca ia aos aposentos dela depois do almoço.

Uma expressão sombria cobriu o rosto dele.

– Isso não é da sua conta. E nem tente arrancar detalhes de mim – acrescentou, no instante em que Celaena fez menção de abrir a boca. Chaol apontou para o livro que agora repousava fechado no colo da campeã. – Vi na hora do almoço que você está lendo *O vento e a chuva* e me esqueci de perguntar o que está achando.

Ele havia realmente aparecido para falar de um livro no dia em que um campeão fora encontrado morto?

– É um pouco denso – admitiu ela, movendo os olhos para o exemplar marrom apoiado nas pernas. Na ausência de resposta, a garota emendou outra pergunta: – O que veio fazer aqui?

– Tive um dia cansativo.

Celaena massageava o joelho dolorido.

– Por causa do assassinato de Bill?

– Porque o príncipe me arrastou para uma reunião do conselho que durou três horas – respondeu Chaol, sentindo um músculo na mandíbula retesar-se.

– Achei que Sua Alteza fosse seu amigo.

– E é.

– Há quanto tempo são amigos?

Chaol não respondeu imediatamente, e Celaena soube que ele imaginava como a assassina poderia usar a informação contra ele, pesava os riscos de dizer a verdade. Ela estava prestes a perder a paciência quando o capitão respondeu:

– Desde jovens. Éramos os únicos garotos da nossa idade no castelo, pelo menos da classe alta. Estudávamos juntos, brincávamos juntos, treinávamos juntos. Mas quando completei 13 anos, meu pai levou nossa família de volta para Anielle.

– A cidade no Lago Prateado?

Fazia sentido que a família de Chaol governasse Anielle. Os cidadãos de lá eram guerreiros desde o nascimento e tinham sido os principais protetores contra as hordas de selvagens das montanhas Canino Branco por gerações. Felizmente, as coisas tinham ficado mais fáceis para os guerreiros de Anielle nos últimos dez anos; os selvagens de Canino Branco foram um dos primeiros povos subjugados pelas forças conquistadoras de Adarlan, e os rebeldes dificilmente aceitavam a escravidão. Celaena ouvira histórias sobre os homens da montanha que matavam as mulheres, os filhos e se suicidavam, para que não fossem aprisionados por Adarlan. A ideia de Chaol enfrentando centenas deles, homens com a compleição de Cain, deixava Celaena levemente nauseada.

— Sim — respondeu Chaol, brincando com a longa faca de caça que trazia presa ao cinto. — Eu já estava predestinado a me juntar ao Conselho Real, como meu pai; ele queria que eu passasse algum tempo entre meu povo e aprendesse... bem, o que quer que conselheiros aprendam. Disse que com o exército do rei nas montanhas poderíamos redirecionar nossos interesses: de enfrentar o povo da montanha para a política. — Os olhos dourados do capitão fitavam o horizonte. — Mas eu sentia falta de Forte da Fenda.

— Você fugiu? — Celaena estava espantada com a espontaneidade com que Chaol revelara tudo aquilo. O homem não havia se recusado a contar qualquer coisa sobre si mesmo enquanto viajavam de Endovier?

— Fugir? — Chaol riu. — Não. Dorian convenceu o capitão da guarda a me tomar como pupilo, com a ajuda de Brullo. Meu pai se opôs, então abdiquei do meu título de Lorde de Anielle, em favor de meu irmão, e parti no dia seguinte.

O silêncio do capitão sugeria o que ele não conseguia dizer. O pai não o impedira. E a mãe? Chaol emitiu um longo suspiro.

— E você?

Celaena cruzou os braços.

— Achei que você não quisesse saber nada sobre mim.

O fantasma de um sorriso percorreu o rosto de Chaol enquanto ele observava o céu adquirir um tom de tangerina.

— O que seus pais acham de a filha ser a Assassina de Adarlan?

— Meus pais estão mortos — respondeu ela. — Morreram quando eu tinha 8 anos.

— Então você...

A assassina sentiu o coração acelerar no peito.

– Eu nasci em Terrasen, então me tornei uma assassina, depois fui para Endovier e agora estou aqui. É isso.

Houve um instante de silêncio, então Chaol perguntou:

– Onde você arrumou a cicatriz na mão direita?

Celaena não olhou para a linha pontilhada que cortava as costas da mão centímetros acima do pulso, contentando-se em flexionar os dedos.

– Quando tinha 12 anos, Arobynn Hamel decidiu que minha habilidade em esgrima com a mão esquerda não era suficiente. Então, me deu uma escolha: quebraria minha mão direita ou eu mesma o faria. – A memória da dor pungente percorreu a mão de Celaena. – Naquela mesma noite, coloquei a mão na dobradiça de uma porta e a fechei. Abri a mão e quebrei dois ossos. Levou meses para melhorar, meses que passei usando apenas a mão esquerda. – Um sorriso cruel surgiu nos lábios dela. – Aposto que Brullo nunca fez isso com você.

– Não – respondeu Chaol, em voz baixa. – Não, ele não fez. – O capitão levantou-se e pigarreou. – A primeira prova é amanhã. Você está pronta?

– Claro – mentiu Celaena.

Sem sair do lugar, o capitão a examinou por alguns instantes.

– Vejo você amanhã de manhã – disse ele, então saiu.

No silêncio que se seguiu, Celaena pensou sobre a história de Chaol, os caminhos que os tornavam tão diferentes, mas tão parecidos. A campeã passou os braços em volta do próprio corpo. Uma brisa fria levantava-lhe a saia do vestido, soprando o tecido atrás de Celaena.

❧ 15 ❧

Embora jamais fosse admitir, Celaena não sabia o que esperar da primeira prova. Por causa de todo o treinamento nos últimos cinco dias, a prática com diversas armas e técnicas, seu corpo doía. Isso era outra coisa que a campeã também não admitiria, mesmo que mal conseguisse esconder a dor latejante. Quando entrou com Chaol no salão de treinamento pela manhã, Celaena observou os outros competidores e lembrou-se de que não era a única que não fazia ideia do que vinha pela frente. Uma imensa cortina preta fora estendida no meio da sala, impedindo a visão da outra metade. O que quer que houvesse do outro lado decidiria o destino de um deles.

A balbúrdia de sempre dera lugar ao chiado uniforme dos sussurros – e em vez de espalhados, os competidores permaneceram perto dos treinadores. Celaena manteve-se junto de Chaol, como fazia todos os dias. A presença dos patrocinadores no mezanino acima do chão quadriculado era incomum. Um aperto fechou-lhe a garganta quando o olhar da campeã cruzou com o do príncipe herdeiro. Além do episódio dos livros, Celaena não o vira nem conversara com ele desde a reunião com o rei. O príncipe deixou escapar um sorriso, os olhos azuis como safiras brilhando sob o sol matutino. Ela respondeu com um sorriso discreto e virou-se rapidamente.

Brullo postava-se ao pé da cortina, a mão coberta de cicatrizes pousada sobre o cabo da espada. Celaena estudava a cena. Alguém se posicionou ao seu lado. Ela sabia quem era antes de ouvir a voz.

– Um pouco dramático, não acha?

Celaena olhou para Nox de soslaio. Chaol se retesou, e ela sentiu o capitão perscrutar o ladrão, com certeza imaginando se os dois formulavam um plano de fuga que envolvia a morte de todos os integrantes da família real.

– Depois de cinco dias de treino descerebrado – respondeu a assassina em voz baixa, ciente de que pouca gente falava no salão naquele momento –, um pouco de emoção me deixa contente.

Nox abafou uma risada.

– O que acha que vai ser?

Celaena deu de ombros, mantendo a atenção fixa na cortina. Mais e mais competidores chegavam e logo o relógio marcaria nove da manhã – o horário em que teria início a prova.

– Tomara que seja uma matilha de lobos devoradores de carne que teremos de enfrentar com as mãos. – Celaena se virou totalmente para Nox e exibiu um sorriso torto. – Não seria divertido?

Chaol pigarreou com sutileza. Não era hora de conversar. Celaena enfiou as mãos nos bolsos das calças pretas.

– Boa sorte – disse ela a Nox antes de caminhar para a cortina seguida por Chaol.

Quando já haviam se afastado, Celaena sussurrou:

– Nem ideia do que está atrás da cortina?

Chaol balançou a cabeça.

Ela ajustou o espesso cinto de couro que trazia à cintura. Um cinto feito para suportar o peso de várias armas. A leveza agora lembrava Celaena do que perdera – e do que tinha a ganhar. A morte do Devorador de Olhos no dia anterior fora uma boa coisa em pelo menos um sentido: era um competidor a menos.

Celaena ergueu o rosto na direção de Dorian. *Ele* provavelmente conseguia ver o que estava atrás da cortina. Por que não ajudar a trapacear um pouco? Os olhos dela percorreram os outros patrocinadores – um grupo de nobres bem-vestidos –, e Celaena mordeu os lábios quando viu Perrington. O homem sorria maliciosamente enquanto observava Cain, que alongava os braços musculosos. Será que Perrington lhe contara o que havia além da cortina?

Brullo pigarreou.

– Atenção *agora*! – conclamou. Todos os competidores tentaram parecer calmos quando ele se dirigiu ao centro da cortina. – A primeira prova chegou. – Brullo tinha um sorriso largo no rosto, como se o segredo por trás da cortina fosse atormentá-los profundamente. – Por ordem de Sua Majestade, um de vocês será eliminado hoje; um de vocês será considerado *indigno*.

Ande logo, pensou Celaena, trincando os dentes.

Como se tivesse lido seus pensamentos, Brullo estalou os dedos, e um guarda de pé junto à parede puxou a cortina. Centímetro a centímetro, o tecido deslizou até que...

Celaena comprimiu os lábios para não rir. Arco e flecha? Um concurso de *arco e flecha*?

– As regras são simples – declarou Brullo. Atrás dele, cinco alvos estavam espalhados pelo salão. – Vocês terão cinco tiros, um por alvo. Quem tiver a pior mira, volta para casa.

Alguns competidores começaram a balbuciar, mas Celaena se continha para evitar um sorriso. Infelizmente, Cain nem tentou esconder o sorriso triunfante. Por que *ele* não tinha sido encontrado morto?

– Vocês irão um por vez – disse Brullo, e atrás dele, dois soldados surgiram empurrando um carrinho repleto de arcos e aljavas carregadas de flechas. – Formem uma fila em frente à mesa para determinar a ordem. A prova começa agora.

Celaena esperava que todos corressem até a longa mesa abarrotada de arcos e flechas idênticos, mas, aparentemente, nenhum dos outros 21 competidores tinha pressa de voltar para casa. Celaena fez menção de entrar na fila, mas Chaol agarrou seu ombro.

– Não se exiba – advertiu ele.

A campeã sorriu com doçura e afastou a mão que a segurava.

– Vou tentar – ronronou ela, juntando-se à fila.

～⁓≈

Dar-lhes flechas era um grande voto de confiança, mesmo que as pontas estivessem embotadas. Uma ponta não afiada não impediria uma das setas de atravessar a garganta de Perrington – ou de Dorian, se assim quisessem.

Era uma perspectiva interessante, mas Celaena manteve a atenção nos competidores. Com 22 campeões e cinco disparos para cada um, seria um teste terrivelmente longo. Graças a Chaol, ela ocupava o fim da fila – não o último lugar, mas apenas três à frente do último. Para trás o bastante para ter que assistir a todos antes da própria vez, inclusive Cain.

Os outros competidores se saíram suficientemente bem. Os imensos alvos circulares eram compostos de cinco anéis coloridos – o amarelo marcava o central, com apenas um pontinho preto indicando o centro do alvo. Quanto mais distante, menor ficava o alvo e, como era uma sala imensa, o último estava a uns bons 65 metros de distância.

Celaena correu os dedos ao longo da suave curva do arco de teixo. O arco fora uma das primeiras habilidades que Arobynn lhe ensinara – uma obrigatoriedade no treinamento de qualquer um em seu ramo. Dois dos assassinos provaram isso com disparos fáceis, habilidosos. Embora não tivessem atingindo o centro do alvo e os tiros tivessem perdido qualidade conforme os alvos ficavam mais distantes, quem os treinara sabia o que estava fazendo.

Pelor, o assassino desengonçado, ainda não estava forte o suficiente para manusear um arco longo e mal efetuou disparos. Quando terminou, com os olhos repletos de tristeza, os campeões soltaram risinhos, e Cain gargalhou ruidosamente.

A expressão de Brullo era sombria.

– *Alguém* o ensinou a usar um arco, garoto?

Pelor ergueu a cabeça, fitando o mestre de armas com uma insolência surpreendente.

– Sou melhor com venenos.

– Venenos! – Brullo ergueu as mãos. – O rei quer um campeão, e você não conseguiria acertar nem uma vaca no pasto! – O mestre de armas fez um gesto para que Pelor se fosse. Os outros campeões riram de novo, e tudo o que Celaena queria era rir com eles. Mas Pelor suspirou profundamente e relaxou os ombros, então se juntou aos outros competidores que haviam terminado. Se ele fosse eliminado, para onde o levariam? Para a prisão? Para algum outro buraco infernal? Apesar de tudo, Celaena sentia muito pelo garoto. Suas tentativas não foram *tão* ruins.

Foi Nox, na verdade, quem mais a surpreendeu – três flechas cravadas com precisão no centro dos alvos mais próximos, e as duas últimas junto à borda do círculo central. Talvez ela *devesse* considerar uma aliança com ele. Pela forma como os outros competidores o encaravam enquanto Nox rumava para o fundo da sala, Celaena soube que pensavam a mesma coisa.

Cova, o assassino repulsivo, saiu-se bem, imaginou ela. Quatro flechas no centro e o último tiro na borda do anel central do alvo. Então foi a vez de Cain caminhar até a linha branca pintada no fundo da sala, sacar o arco de teixo, exibindo o anel preto e reluzente no dedo, e disparar.

Outra vez, e outra, e mais uma, num intervalo de apenas alguns segundos.

Quando o choque da última flecha no suporte de madeira parou de ecoar pela câmara em silêncio, Celaena sentiu o estômago revirar. Cinco flechas no centro do alvo.

O único consolo era que nenhum dos outros competidores atingira o ponto preto – o centro perfeito. Só um passou bem perto.

Por alguma razão, a fila começou a se mover rapidamente. Tudo em que Celaena conseguia pensar era em Cain – Cain sendo aplaudido por Perrington, Cain recebendo tapinhas nas costas de Brullo, Cain recebendo toda a glória e atenção. Não porque era uma montanha de músculos, mas porque de fato merecera.

Subitamente, Celaena viu-se diante da linha branca, estudando o amplo salão à frente. Alguns dos homens riram – em silêncio –, e ela manteve a cabeça erguida enquanto alcançava uma flecha no ombro e preparava o arco.

O grupo treinara arco e flecha alguns dias antes, e ela se saíra muito bem. Tão bem quanto era possível sem chamar atenção. Celaena havia matado homens de distâncias maiores que o alvo mais distante. Tiros perfeitos, direto na garganta.

A jovem tentava engolir, mas sua boca estava seca.

Sou Celaena Sardothien, Assassina de Adarlan. Se estes homens soubessem quem sou, parariam de rir. Sou Celaena Sardothien. Vencerei. Não sentirei medo.

Celaena puxou a corda do arco e sentiu os músculos do braço arderem com o esforço. Ela ignorou todos os ruídos, os movimentos, tudo o que não fosse o som da própria respiração, concentrando-se exclusivamente no primeiro alvo. A campeã inspirou suavemente. Ao soltar o ar, soltou a flecha.

No centro do alvo.

O nó em seu estômago afrouxou, e Celaena exalou o ar pelas narinas. Não fora um tiro perfeito, mas ela não queria que fosse.

Alguns homens pararam de rir, mas Celaena sequer tomou conhecimento da presença deles quando preparou outra flecha, disparando-a no segundo alvo. A jovem mirou no limite do anel interior e o acertou com precisão letal. Se quisesse, poderia ter feito um círculo de flechas. E se houvesse munição.

No terceiro alvo, novamente o centro – mirando a linha divisória, mas atingindo a área interna. Celaena fez o mesmo com o quarto alvo, mais direcionou a seta para a outra extremidade do anel interior. Onde a assassina mirava, a flecha atingia.

Quando esticou o braço para armar a última flecha, Celaena ouviu um dos competidores, um mercenário ruivo chamado Renault, rir com escárnio. Ela segurou o arco com firmeza o suficiente para que a madeira gemesse, então preparou o último disparo.

O alvo era pouco mais que um borrão colorido. Àquela distância, o centro não passava de um grão de areia na vastidão da sala. Celaena mal conseguia distinguir o pequeno ponto que marcava o centro – o ponto que ninguém conseguira acertar, nem mesmo Cain. O braço da assassina tremeu quando ela se esforçou para retesar um pouco mais a corda. Ela disparou.

A flecha pousou exatamente no centro do alvo, fazendo sumir o ponto preto. Todas as risadas cessaram.

Ninguém lhe dirigiu a palavra quando Celaena se afastou da linha branca e atirou o arco de volta no carrinho. Chaol fez uma expressão de irritação – ela obviamente não fora *tão* discreta quando deveria –, mas Dorian sorria. Celaena suspirou e reuniu-se com os campeões que esperavam o fim da competição, mantendo-se afastada de todos.

Quando os resultados foram comparados pelo próprio Brullo, um dos soldados do exército, e não o jovem Pelor, foi eliminado. Mesmo passando longe da derrota, Celaena não aguentava – simplesmente não *aguentava* – o sentimento de que, na verdade, não ganhara coisa alguma.

❦ 16 ❧

Embora tentasse controlar a respiração, Celaena ofegava, correndo ao lado de Chaol no parque de caça. A não ser pelo brilho de suor no rosto e a camisa um pouco úmida, ele não demonstrava cansaço.

Corriam na direção de uma colina cujo cume ainda estava envolto na neblina matinal. As pernas de Celaena fraquejaram diante da subida, e ela sentiu o estômago subir-lhe à garganta. A jovem deu um suspiro alto para chamar a atenção de Chaol, parando para se apoiar em uma árvore.

Celaena estremeceu, agarrada à árvore, enquanto vomitava. Ela odiava as lágrimas mornas que desciam de seus olhos, mas não conseguia limpá-las enquanto vomitava mais uma vez. Chaol, ao lado, apenas observava. Celaena apoiou a testa no antebraço, acalmou a respiração, desejou que o corpo se tranquilizasse. Fazia três dias desde a primeira prova, o décimo desde a chegada em Forte da Fenda, e ela ainda estava completamente fora de forma. A próxima eliminação seria em quatro dias e, apesar de o treinamento ter sido retomado da maneira costumeira, Celaena estava acordando mais cedo do que o normal. *Não* podia perder para Cain, nem para Renault, nem para nenhum dos outros.

– Acabou? – perguntou Chaol.

Ela levantou a cabeça e dirigiu-lhe um olhar cansado. Mas tudo começou a girar e Celaena teve um novo espasmo de vômito.

– Eu avisei para não comer nada antes de partirmos.

– Já parou de ser presunçoso?

– Já parou de colocar as tripas para fora?

– Por enquanto – disparou ela. – Da próxima vez, não vou ser tão educada, vou vomitar em cima de você.

– Só se conseguir me pegar – respondeu ele, com um sorrisinho.

A vontade de Celaena era arrancar aquele sorriso do rosto de Chaol a socos. Mas ao dar um passo, sentiu os joelhos tremendo e apoiou-se novamente na árvore, esperando por novos espasmos. De soslaio, viu que o capitão olhava para suas costas, visíveis por baixo da camisa branca molhada. Celaena endireitou o corpo.

– Está gostando de ver minhas cicatrizes?

Ele mordeu o lábio inferior.

– Quando as conseguiu?

Celaena sabia que Chaol se referia às três grandes linhas que lhe atravessavam as costas.

– Quando acha?

Ele não respondeu. Celaena olhou para as copas das árvores frondosas. A brisa da manhã fazia as folhas tremerem e arrancava algumas dos galhos nus aos quais se agarravam.

– Essas três eu recebi no meu primeiro dia em Endovier.

– O que fez para merecê-las?

– Merecê-las? – A assassina riu rispidamente. – Ninguém merece ser açoitado como um animal. – Chaol abriu a boca para falar algo, mas ela o interrompeu: – Assim que cheguei a Endovier, fui arrastada para o centro do acampamento e amarrada entre os postes de açoitamento. Vinte e uma chicotadas. – Celaena olhava para Chaol, mas sem vê-lo realmente. O céu cinzento transformara-se na desolação de Endovier, e o vento gemia como os suspiros dos escravizados. – Isso ocorreu antes que eu fizesse contato com outros escravizados. Passei a primeira noite sem saber se sobreviveria até a manhã, se as feridas nas costas infeccionariam, se sangraria até a morte sem nem ter ideia do que estava acontecendo.

– Ninguém ajudou você?

– Só pela manhã. Uma jovem me deu uma tigela de sálvia quando estávamos na fila do desjejum. Nem pude agradecer a ela. Mais tarde, no mesmo dia, três capatazes a estupraram e mataram. – Celaena fechou as mãos em punho enquanto seus olhos ardiam. – No dia em que perdi o controle, passei pela área das minas em que eles ficavam, para fazê-los pagar pelo que fizeram a ela. – A assassina sentiu algo gelado percorrer-lhe as veias. – Morreram rápido demais.

– Mas você era uma mulher em Endovier – disse Chaol. – Ninguém nunca... – E então Chaol parou, incapaz de dizer a palavra.

Celaena dirigiu-lhe um sorriso amargo.

– Tiveram medo de mim desde o princípio. Depois do dia em que quase toquei a muralha, ninguém ousou se aproximar. Mas se algum guarda tivesse tentado se aproximar... Bom, ele teria virado um exemplo para os outros de que eu poderia facilmente perder a cabeça de novo, se assim quisesse.

O vento ao redor deles se agitou, desprendendo fios de cabelo das tranças de Celaena. Ela não precisava dizer qual era a outra suspeita – de que talvez Arobynn tivesse subornado os guardas em Endovier para mantê-la protegida.

– Cada um faz o que pode para sobreviver.

Celaena não entendeu direito a suavidade do olhar que Chaol lhe dirigiu enquanto concordava com a cabeça. Depois de encará-lo mais uns segundos, ela disparou colina acima, onde os primeiros raios de sol já se insinuavam.

Na tarde seguinte os campeões estavam de pé formando um círculo em torno de Brullo, que lhes ensinava a respeito de diversos tipos de armas e outras bobagens que Celaena aprendera há anos e não precisava ouvir de novo. Ela já se perguntava se conseguiria dormir em pé ali quando, pelo canto do olho, percebeu um movimento súbito nas portas da sacada. Virou-se no exato instante em que um dos maiores campeões, um dos soldados expulsos do exército, empurrou um guarda próximo, atirando-o ao chão. A cabeça do guarda estalou ao bater contra o piso de mármore, e ele ficou lá mesmo, desmaiado. Celaena não ousou se mexer, assim como os demais campeões, enquanto o homem corria em direção à porta a fim de atravessar os jardins e então escapar.

Mas Chaol e seus homens agiram tão rápido que o campeão em fuga teve a garganta atravessada por uma flecha antes mesmo de chegar à porta.

Fez-se silêncio e metade dos guardas, com as mãos nas espadas, cercou os campeões, enquanto os demais, Chaol inclusive, correram para o campeão morto e o guarda caído. Arcos gemeram quando os arqueiros no mezanino tensionaram as cordas. Celaena permaneceu imóvel, assim como Nox, que estava ao seu lado. Um movimento errado e um guarda assustadiço poderia matá-la. Até mesmo Cain evitava respirar ruidosamente.

Através da muralha de campeões, guardas e armas, Celaena conseguiu ver Chaol ajoelhando-se junto ao guarda desmaiado. Ninguém tocava no campeão morto, caído de bruços, o braço ainda esticado na direção da porta de vidro. Celaena sabia que ele se chamava Sven, mas desconhecia a razão que o fizera ser expulso do exército.

– Deuses acima – suspirou Nox tão baixinho que os lábios mal se mexeram. – Eles simplesmente... o mataram. – Celaena pensou em mandá-lo calar a boca, mas mesmo isso era arriscado. Alguns dos campeões cochichavam entre si, mas ninguém ousava dar um passo sequer. – Sabia que falavam sério quando diziam que não nos deixariam ir embora, mas... – Nox falou um palavrão, e Celaena sentiu que ele a olhava de esguelha. – Meu patrocinador me garantiu imunidade. Ele me procurou e disse que eu não iria para a prisão se perdesse.

Celaena entendeu que Nox estava falando mais consigo mesmo, e, quando ela não respondeu, ele parou de falar. Celaena não conseguia parar de olhar para o corpo do campeão.

Por que Sven resolvera arriscar tudo? E por que ali e naquela hora? Ainda faltavam três dias para a segunda prova; por que escolhera justo aquele momento? Quando perdera o controle em Endovier, Celaena não estava pensando em liberdade. Não, ela apenas escolhera o lugar e a hora e começara a atacar. Nunca tivera intenção de fugir.

A luz do sol passava pelas portas e iluminava o sangue derramado do campeão como se fosse um vitral.

Talvez ele tivesse consciência de que suas chances eram nulas, mas avaliou que morrer daquele jeito era melhor do que voltar para sabe-se lá de onde tinha vindo. Se quisesse fugir mesmo, teria esperado anoitecer, quando estivesse sozinho, longe de todos da competição. Sven queria provar algo, compreendera Celaena, e só compreendera por causa daquele dia em que ficara a centímetros de tocar a muralha de Endovier.

Adarlan podia privá-los de liberdade, podia destruir suas vidas, surrá-los, torturá-los e obrigá-los a participar das disputas mais grotescas, mas, criminosos ou não, eram ainda humanos. Morrer, e não participar mais do jogo do rei, fora a única saída para ele.

Ainda olhando para o braço esticado do campeão, a mão apontada eternamente para um horizonte inalcançável, Celaena fez uma oração silenciosa pelo homem e desejou que ele ficasse bem.

❧ 17 ❧

Com os olhos pesados de sono, Dorian Havilliard tentava não se curvar enquanto estava sentado no trono. A música e o burburinho preenchiam o ar e o embalavam no sono. Por que sua mãe o obrigava a frequentar a corte? Até mesmo a visita semanal durante a tarde era excessiva para ele. De qualquer modo, era melhor do que estudar o cadáver do Devorador de Olhos, como Chaol vinha fazendo nos últimos dias. Ele se preocuparia com isso mais tarde, se virasse mesmo um problema. O que não aconteceria, pois Chaol estava cuidando de tudo. Provavelmente fora apenas uma briga de bêbados.

E agora tinha o caso do campeão que tentara fugir durante a tarde. Dorian sentiu calafrios quando pensou em como deveria ter sido testemunhar o ocorrido e na confusão que Chaol teve de administrar, desde o soldado ferido ao patrocinador que perdera o campeão, além do próprio competidor morto. O que seu pai estava pensando quando decidiu sediar aquele torneio?

Dorian olhou para a mãe, sentada em um trono ao lado do seu. Ela com certeza não sabia de nada e provavelmente ficaria horrorizada se soubesse que tipo de criminosos se hospedavam sob seu teto. A mãe de Dorian ainda era uma mulher bonita, apesar de ter o rosto enrugado e rachado com pó de arroz e alguns fios prateados entre os cabelos castanhos. Naquele dia, ela estava sufocada em metros de veludo verde e echarpes flutuantes e xales dourados, e a coroa sustentava um véu brilhante que dava a Dorian a impressão de que uma tenda envolvia a cabeça da mãe.

A nobreza empertigava-se diante deles no palácio real, fofocando, conspirando, seduzindo. Uma orquestra em um dos cantos do salão tocava minuetos. Criados deslizavam em uma coreografia própria entre os nobres reunidos, reabastecendo-os de bebida e comida, taças e talheres.

Dorian sentia-se como um ornamento. Obviamente usava as vestimentas escolhidas pela mãe, que lhe tinham sido enviadas de manhã: colete de veludo verde-azulado escuro, mangas brancas quase ridiculamente bufantes que saíam de ombreiras listradas de azul e branco. As calças, misericordiosamente, eram cinza-claro. Porém, as botas castanhas de camurça pareciam novas *demais* para o orgulho masculino.

– Dorian, querido, você está emburrado. – O príncipe deu um sorriso de desculpas à rainha Georgina. – Recebi uma carta de Hollin. Ele mandou lembranças a você.

– Disse alguma coisa importante?

– Só que está detestando a escola e quer voltar para casa.

– Ele diz isso em todas as cartas.

– Se seu pai permitisse, eu o traria logo de volta – suspirou a rainha de Adarlan.

– Ele está melhor lá.

Em se tratando de Hollin, quanto mais longe, melhor.

Georgina examinou o filho.

– Você era mais bem comportado. Não desobedecia aos tutores. Ah, meu pobre Hollin. Depois que eu morrer, você tomará conta dele, não tomará?

– Morrer? Mãe, você só tem...

– Eu sei a minha idade – interrompeu a rainha, com um gesto da mão incrustada de anéis. – E é por isso que você precisa se casar. E logo.

– Casar? – Dorian trincou os dentes. – Com quem?

– Dorian, você é o príncipe herdeiro. E já tem 19 anos. Você quer se tornar rei e morrer sem descendência para que Hollin tome o trono? – Ele ficou em silêncio. – Foi o que pensei – disse a rainha. Depois de uns instantes, ela continuou: – Há muitas jovens que dariam boas esposas. Mas uma princesa seria o ideal.

– Não existem mais princesas – replicou Dorian, secamente.

– A não ser a princesa Nehemia – disse Georgina. Ela deu uma risada, e pousou a mão sobre a do filho. – Ah, não se preocupe. Eu não o obrigaria a se casar com *ela*. Fico surpresa por seu pai ainda lhe permitir usar o título. Garotinha insolente e arrogante! Sabia que ela se recusou a usar o vestido que lhe enviei?

– Tenho certeza de que a princesa tem seus motivos – respondeu Dorian, cauteloso, indignado com o preconceito inconfesso da mãe. – Falei com ela apenas uma vez e achei-a uma pessoa... cheia de vida.

– Ora, então talvez você *devesse* desposá-la – comentou a mãe, e riu antes que Dorian pudesse responder.

Dorian limitou-se a sorrir sem graça. Continuava sem entender por que o pai atendera ao pedido do rei de Eyllwe para que a filha frequentasse a corte e se familiarizasse com o ambiente de Adarlan. No que dizia respeito a embaixadores, Nehemia não era exatamente uma boa escolha. Não de acordo com os rumores de seu apoio aos rebeldes de Eyllwe e seus esforços para fechar o campo de trabalho forçado de Calaculla. Dorian não conseguia culpá-la por isso, não depois de testemunhar os horrores de Endovier e a destruição causada no corpo de Celaena Sardothien. Mas seu pai nunca fazia nada sem uma razão, e, pelas poucas palavras trocadas com Nehemia, Dorian não conseguia deixar de supor que ela também tivera razões para visitá-los em Adarlan.

– Pena que Lady Kaltain esteja comprometida com o duque Perrington – continuou a mãe. – Ela é uma moça *tão* bonita e educada. Quem sabe não tenha uma irmã?

Dorian cruzou os braços tentando engolir a repulsa que sentia. Kaltain estava do outro lado do salão. Mesmo assim, sentia-se observado por ela, examinado minuciosamente pelos olhos atentos da jovem. Ele se ajeitou no trono, sentindo uma pontada na coluna por ficar tanto tempo sentado.

– E Elise? – indagou a rainha, indicando uma jovem loira usando vestido púrpura. – Ela é muito bonita. E pode ser bastante divertida.

Ah, eu sei muito bem disso.

– Elise me entedia.

– Ah, Dorian... – A rainha pôs a mão no coração. – Não vá me dizer que deseja se casar por *amor*. O amor não garante um casamento bem-sucedido.

Ele *estava* entediado. Entediado daquelas mulheres, daqueles cavalheiros mascarados, entediado de tudo.

Tinha esperança de aplacar o tédio com a viagem para Endovier e ficar feliz com a volta para casa, mas descobriu que em casa tudo continuava como antes. As mesmas mulheres dirigindo-lhe os mesmos olhares suplicantes, as mesmas criadas piscando os olhos para ele, os mesmo conselheiros colocando por baixo da porta rascunhos de legislações embrionárias acompanhados de comentários esperançosos. E quanto a seu pai, bem... seu pai sempre se preocuparia com conquistas – e não pararia até que todos os continentes hasteassem a bandeira de Adarlan. Até apostar nos supostos campeões tinha ficado entediante. Já era evidente que, no final, Cain e Celaena se enfrentariam e até lá... bom, não valia a pena perder tempo com os outros competidores.

– Você está outra vez de cara feia. Está preocupado com alguma coisa, meu docinho? Soube alguma coisa de Rosamund? Ah, meu filhinho, ela partiu seu coração! – A rainha balançou a cabeça. – E pensar que *acabou* faz um ano...

Ele ficou calado. Não queria pensar em Rosamund nem no marido grosseiro por quem ela o trocara.

Alguns nobres começaram a dançar, entrelaçando-se e depois se separando. Muitos tinham a idade do príncipe. Porém Dorian sentia-se separado deles por uma grande distância. Não que se sentisse mais velho ou mais sábio, mas sentia... sentia...

Era como se algo em seu interior não combinasse com a alegria deles, com a ignorância deliberada a respeito do mundo fora do castelo. Não tinha a ver com o título. No início da adolescência, Dorian gostava da companhia deles. Mas aos poucos ficara evidente que jamais conseguiria integrar-se plenamente. O pior de tudo era que não pareciam notar que Dorian era diferente, ou que pelo menos se sentia diferente. Não fosse por Chaol, teria ficado absolutamente sozinho.

– Bem... – cantarolou a rainha, estalando os dedos para uma das damas de companhia. – Sei que seu pai mantém você ocupado, mas quando tiver um tempinho para pensar em mim e no destino de seu reino, dê uma estudada nisto.

A dama de companhia fez uma reverência e entregou a Dorian um papel dobrado, lacrado com o selo da rainha. Dorian abriu-o rapidamente e se sentiu nauseado com a longa lista de nomes. Todos de mulheres de sangue aristocrático em idade de casamento.

– O que é isto? – perguntou, tentando resistir à vontade de rasgar o papel.

Georgina sorriu, confiante.

– Uma lista de noivas em potencial. Qualquer uma delas seria uma boa escolha para reinar ao seu lado. E todas, como me informaram, são capazes de gerar herdeiros.

Dorian colocou a lista de nomes no bolso da camisa. Dentro do príncipe, a ansiedade era incessante.

– Vou pensar a respeito – falou. E antes que a mãe pudesse dizer alguma coisa, Dorian desceu do palanque coberto onde estavam os tronos.

Foi logo cercado por cinco jovens mulheres que o encheram de perguntas: se gostaria de dançar, se estava se sentindo bem, se iria ao baile de Samhuinn*. As palavras das moças enchiam o ar, e Dorian olhou para elas sem saber o que dizer. Quais seriam seus nomes?

Ele espiou por entre as cabeças enfeitadas com joias da nobreza para localizar a saída. Sufocaria se ficasse mais tempo ali. Entre despedidas educadas, o príncipe abriu caminho no meio da confusão da corte, e a lista de noivas possíveis dentro do bolso parecia queimar-lhe a pele através do tecido.

Dorian caminhou pelos corredores do castelo com as mãos enfiadas nos bolsos. Como os cães estavam soltos, os canis estavam vazios. Dorian queria inspecionar uma das cadelas grávidas, apesar de saber ser impossível prever como seria a ninhada até que nascesse. Torcia para que os filhotes fossem puros, mas a mãe tinha o hábito de fugir do canil. Era a mais veloz de seus cães, mas Dorian jamais conseguira aplacar a selvageria dentro dela.

Ele não sabia para onde estava indo, só precisava andar. Para qualquer lugar.

Dorian abriu o primeiro botão da camisa. O som de espadas se chocando ecoou de uma porta aberta, e ele parou. Estava diante da sala de treino dos campeões e, apesar de já ter passado do horário de treinamento...

Lá estava ela.

A cabeleira loira brilhava enquanto passava sem esforço entre três guardas. A espada parecia uma mera extensão metálica da mão. Não ficava parada diante dos guardas, mas os driblava e corria ao redor deles.

---

* Ou Samhain. Antiga festa pagã que marca o início do inverno e o ano-novo celta. A partir do século IX foi relacionado ao Dia de Todos os Santos e em seguida ao dia de Finados, tendo grande influência nas festas de Halloween. (*N. do E.*)

Ouviu-se o som de palmas vindo do lado esquerdo e os quatro duelistas pararam, ofegantes. Dorian observou um sorriso formando-se no rosto da assassina enquanto ela olhava na direção de onde vinham as palmas. O brilho do suor destacava ainda mais as maçãs do rosto pronunciadas, e os olhos azuis faiscavam. Sim, ela era mesmo adorável. Mas...

A princesa Nehemia se aproximou ainda batendo palmas. Não usava, dessa vez, o vestido branco, mas uma túnica escura e calças largas. Segurava em uma das mãos um bastão de madeira ornamentado.

A princesa segurou nos ombros da assassina e disse algo que a fez rir. Dorian olhou ao redor. Onde estavam Chaol e Brullo? O que a Assassina de Adarlan estava fazendo ali com a princesa de Eyllwe? E com uma espada! Aquilo era inaceitável, ainda mais depois da tentativa frustrada de fuga do campeão.

Dorian aproximou-se e sorriu para a princesa quando se curvou. Nehemia não lhe ofereceu mais do que um aceno ríspido com a cabeça. Nenhuma surpresa. Dorian segurou a mão de Celaena. Cheirava a metal e suor, mas beijou-a assim mesmo; então ergueu os olhos para o rosto da assassina.

– Lady Lillian – murmurou, os lábios ainda próximos da pele de Celaena.

– Vossa Alteza – respondeu ela, tentando puxar a mão, mas Dorian segurou firme, sentindo a palma calejada.

– Posso falar com você? – disse ele, levando Celaena para longe antes que ela tivesse tempo de responder.

Quando estavam longe dos ouvidos alheios, Dorian perguntou:

– Onde está Chaol?

Celaena cruzou os braços.

– É assim que você se dirige a sua querida campeã?

Dorian franziu o semblante.

– Onde está ele?

– Não sei. Mas apostaria que está examinando o cadáver destroçado do Devorador de Olhos ou então se livrando do corpo de Sven. Além do mais, Brullo me autorizou a ficar aqui o tempo que quisesse depois do final do treino. E *tenho* outra prova amanhã, você sabe.

Claro que ele sabia.

– O que a princesa Nehemia está fazendo aqui?

– Ela estava me procurando. E quando Philippa disse que eu estava aqui, ela insistiu em participar do treino. Pelo jeito, as mulheres não aguentam passar muito tempo sem uma espada entre as mãos. – Celaena mordeu o lábio.

– Eu não lembrava que você falava tanto.

– Bom, talvez se tivesse encontrado tempo para conversar comigo, teria descoberto.

Ele deu um risinho, mas mordeu a isca, que diabo.

– E quando eu teria tempo de conversar com você?

– *Lembro-me* do pequeno fato de que viajamos juntos de Endovier até aqui, você não? E de que já estou aqui há semanas.

– Eu mandei aqueles livros – objetou ele.

– E por acaso já me perguntou alguma vez se os li?

Será que ela se esquecera de com quem estava falando?

– Falei com você uma vez desde que chegamos.

Ela deu de ombros e começou a se virar para ir embora quando Dorian, irritado, mas levemente curioso, agarrou-a pelo braço. Os olhos cor de turquesa de Celaena brilharam quando ela fixou o olhar na mão de Dorian, e o príncipe sentiu o coração acelerar quando a assassina ergueu a vista para encarar seus olhos. Sim, mesmo suada daquele jeito, ela era linda.

– Você não tem medo de mim? – Celaena olhou para o cinto de onde pendia a espada de Dorian. – Ou será que é tão habilidoso com a espada quanto o capitão Westfall?

Ele se aproximou mais, segurando-a com mais força.

– Sou melhor – cochichou Dorian ao ouvido de Celaena. Pronto: ela estava corada e piscando.

– Bem... – Celaena tentou começar, mas demorara demais. Dorian vencera. Ela cruzou os braços. – Muito divertido, Vossa Alteza.

Dorian fez uma reverência exagerada.

– Faço o que posso. Mas a princesa Nehemia não pode ficar aqui com você.

– E por quê? Por acaso acha que vou *matá-la*? Por que eu mataria a única pessoa desse castelo que não é uma boba tagarela? – E Celaena lançou um olhar para o príncipe que sugeria que ele não era diferente da maioria. – Sem falar que os guardas dela *me* matariam antes de eu conseguir levantar a mão.

– Simplesmente não é possível. Ela está aqui para aprender sobre os nossos costumes, e não para treinamento militar.

– É uma princesa, pode fazer o que quiser.

– E suponho que seja *você* quem vai ensiná-la a lidar com armas? Celaena inclinou a cabeça de lado.

– Talvez você tenha mesmo um *pouquinho* de medo de mim.

– Eu acompanharei a princesa de volta aos seus aposentos. Celaena fez um gesto exagerado para deixá-lo passar.

– Que Wyrd o ajude.

Dorian passou a mão pelos cabelos e caminhou até a princesa, que os esperava com a mão na cintura.

– Vossa Alteza – começou Dorian, gesticulando para que a guarda pessoal de Nehemia se aproximasse. – Temo que seja necessário acompanhá-la até seus aposentos.

A princesa arqueou a sobrancelha e olhou por cima do ombro de Dorian. Para infelicidade do príncipe herdeiro, Celaena começou a falar em eyllwe com a princesa, que então bateu o bastão no chão. Ela disse algo ríspido na direção do príncipe. Os conhecimentos que Dorian tinha de eyllwe eram bem limitados e, além disso, a princesa falava rápido demais. Para sua sorte, Celaena traduziu.

– Ela disse que é para você voltar para suas almofadas e dancinhas e nos deixar em paz.

– Diga que é inaceitável que ela treine – replicou ele, se esforçando ao máximo para permanecer sério.

Celaena falou algo para a princesa, que reagiu com um gesto de indiferença e simplesmente caminhou até a área de treinamento.

– O que você disse? – perguntou Dorian.

– Falei que você se ofereceu para ser o primeiro oponente dela – respondeu a assassina. – E então? Você não quer aborrecer a princesa, quer?

– Eu não vou *lutar* com a princesa.

– Prefere lutar comigo?

– Talvez se tivermos uma aula particular nos seus aposentos – respondeu Dorian, suavemente. – Esta noite.

– Estarei esperando – respondeu ela, enrolando uma mecha de cabelo no dedo.

A princesa girou o bastão com tanta força e precisão que Dorian engoliu em seco. E então, decidindo que não gostaria de ser privado de ver o dia seguinte, foi até a estante de armas e escolheu duas espadas de madeira.

– Que tal uma esgrima básica em vez disso? – perguntou ele a Nehemia.

Para seu alívio, a princesa concordou e passou o bastão para um dos guardas. Então pegou uma das espadas de treino que Dorian lhe oferecia. Celaena *não* iria fazê-lo de bobo!

– Você fica nessa posição – instruiu ele, e tomou posição defensiva.

❧ 18 ❧

Celaena sorria enquanto observava o príncipe herdeiro de Adarlan ensinando a princesa de Eyllwe a dar os primeiros passos na esgrima. Ele era carismático, mas de um jeito arrogante, pensou ela. Porém, outros com o mesmo título poderiam ser bem piores. Celaena ficava incomodada com a facilidade com que Dorian a fazia enrubescer. Na verdade, ele era tão atraente que era difícil *não* pensar no quão atraente era. E, mais uma vez, ela se perguntou por que ele ainda não se casara.

Celaena meio que queria beijá-lo.

Ela engoliu em seco. A assassina tinha sido beijada antes, é claro. Por Sam e com tal frequência que a experiência não lhe era estranha. Mas já fazia mais de um ano que perdera o assassino com quem convivera desde a infância. E, apesar de a ideia de beijar outra pessoa deixá-la enojada, quando olhava para Dorian...

A princesa Nehemia atacou, atingindo com a espada o pulso de Dorian. Celaena segurou-se para não rir. Ele fez uma careta e esfregou a mão no local dolorido, mas abriu um sorriso quando a princesa começou a se gabar.

Maldito seja por ser tão bonito!

Celaena apoiou-se na parede para assistir à aula quando alguém segurou seu braço com tanta força que doeu.

— *O que* é isso? — Arrastada da parede, ela se viu diante de Chaol.

– O que é o quê?

– O *que* Dorian está fazendo com *ela*?

Celaena deu de ombros.

– Lutando.

– E por que estão *lutando*?

– Talvez porque ele tenha se oferecido para ensiná-la a lutar?

Chaol chegou perto do par, praticamente empurrando Celaena. Os dois pararam e Dorian seguiu Chaol para um canto. Trocaram poucas e ríspidas palavras. Então Chaol dirigiu-se a Celaena:

– Os guardas vão acompanhar você até seus aposentos.

– O quê? – A assassina se lembrou da conversa que tinham tido na varanda e franziu a testa. Trocar histórias não fizera diferença alguma. – A prova é amanhã e eu preciso treinar!

– Já treinou o bastante por hoje e está quase na hora do jantar. A aula com Brullo terminou há duas horas. Descanse um pouco ou vai ficar imprestável amanhã. E *não*, *não* sei como será a prova. Então nem adianta perguntar.

– Que absurdo! – gritou Celaena, mas um beliscão de Chaol fez com abaixasse a voz.

A princesa Nehemia olhou preocupada para Celaena, mas a assassina fez um gesto para que continuasse a aula com o príncipe herdeiro.

– Não vou *fazer* nada, seu babaca insuportável!

– Você é realmente tão deslumbrada que não consegue ver por que não podemos tolerar isso?

– Não podemos tolerar... vocês só estão com medo de mim!

– Não se superestime.

– Você por acaso acha que *quero* voltar para Endovier? – ciciou ela. – Acha mesmo que não sei que, se fugir, serei caçada pelo resto da vida? Pensa que não sei a *razão* por que vomito quando corremos de manhã? Meu corpo está em *ruínas*. *Preciso* dessas horas a mais de treinamento, e você não deveria me punir por isso!

– Não vou fingir que sei como funciona a mente de uma criminosa.

Celaena ergueu as mãos.

– Sabe, até me senti culpada. Apenas um *pouquinho*. Mas agora lembro-me por que não deveria. Odeio ficar sentada, trancada no quarto, entediada até morrer. Odeio todos esses guardas e toda essa palhaçada. Odeio você dizendo para eu me segurar quando Brullo enche Cain de elogios e eu tenho de permanecer ali, entediante e invisível no meio. Odeio que me digam o que *não* fazer. E odeio *você* mais do que tudo!

Chaol dava batidinhas no chão com o pé.

– Terminou?

Não havia nenhum traço de gentileza no semblante de Chaol, e Celaena partiu estalando a língua, com os punhos doendo de vontade de quebrar os dentes do capitão até a garganta.

⚜ 19 ⚜

Sentada em uma cadeira próxima à lareira do salão principal, Kaltain observava o duque Perrington conversar com a rainha Georgina em seu palanque. Era uma pena que Dorian tivesse saído tão rapidamente uma hora antes; Kaltain não tivera a chance de conversar com ele. Isso era especialmente irritante considerando que passara grande parte da manhã se vestindo para o cortejo: os cabelos pretos como penas de corvos estavam perfeitamente presos ao redor da cabeça, e a pele dela reluzia devido ao sutil pó brilhante que colocara sobre o rosto. Embora os laços do vestido rosa e amarelo lhe esmagassem a costela e as pérolas e os diamantes ao redor do pescoço a estrangulassem, Kaltain mantinha o queixo alto, empertigada. Dorian saíra, mas o surgimento de Perrington fora uma surpresa inesperada. O duque raramente visitava a corte; devia ter alguma motivação importante.

Kaltain se levantou da cadeira próxima à lareira quando o duque fez uma reverência para a rainha e se dirigiu à porta. Quando ela se colocou no caminho de Perrington, ele parou ao vê-la, os olhos reluzindo com uma luxúria que a fazia querer se encolher. O duque Perrington fez uma reverência acentuada.

– Milady.

– Sua Graça – sorriu ela, enterrando toda aquela repulsão bem fundo de si.

– Espero que esteja bem – falou Perrington, oferecendo o braço para conduzir Kaltain para fora do salão. Ela sorriu mais uma vez e o aceitou. Embora o duque fosse um pouco rechonchudo, músculos fortes cobriam o braço que oferecera a Kaltain.

– Muito bem, obrigada. E você? Sinto como se não o visse há dias e mais dias! Que surpresa maravilhosa que tenha visitado a corte.

Perrington exibiu um sorriso com dentes amarelados.

– Também senti sua falta, milady.

Kaltain tentou não se encolher quando os dedos peludos e grossos do duque roçaram sua pele impecável e, em vez disso, inclinou a cabeça na direção dele.

– Espero que Sua Majestade esteja em boa saúde; sua conversa foi agradável?

Ah, era tão perigoso investigar, principalmente porque Kaltain estava na corte sob a hospitalidade do duque. Conhecê-lo na primavera anterior fora um golpe de sorte. E convencê-lo a convidá-la para a corte – principalmente após insinuar o que o esperaria uma vez que a jovem estivesse fora da casa do pai e sem um supervisor – não fora tão difícil. Mas Kaltain não estava ali simplesmente para aproveitar os prazeres da corte. Não, ela estava cansada de ser uma dama inferior, aguardando para ser oferecida em casamento para quem desse o lance mais alto, cansada de política sem sentido e de tolos facilmente manipuláveis.

– Sua Majestade está muito bem, na verdade – respondeu Perrington, enquanto levava Kaltain para os aposentos. O estômago dela se contraiu levemente. Embora ele não escondesse que a desejava, não a havia pressionado para levá-la para a cama... ainda. Mas com um homem como Perrington, que sempre conseguia o que queria... Kaltain não tinha muito tempo para encontrar um modo de evitar ter de cumprir a promessa sutil que fizera ao duque no início daquele ano. – Mas – continuou o duque – com um filho em idade de se casar, ela anda ocupada.

Kaltain mantinha o rosto inexpressivo. Calma. Serena.

– Podemos esperar alguma notícia de noivado em um futuro próximo? – Outra pergunta perigosa.

– Certamente espero que sim – murmurou o duque, o rosto tornando-se obscuro sob os cabelos desgrenhados. A cicatriz protuberante ao longo da bochecha de Perrington se destacou de forma pungente. – Sua Majestade já tem uma lista de garotas consideradas apropriadas... – O duque parou, lembrando-se de com quem falava, e Kaltain piscou para ele.

– Ah, sinto muitíssimo – disse a jovem, como um ronronado. – Não quis me intrometer nos assuntos da Casa Real. – Kaltain deu tapinhas no ombro de Perrington, o coração acelerado como se galopasse. Dorian recebera uma lista de noivas apropriadas? Quem estava nela? E como ela poderia... Não, pensaria naquilo mais tarde. Por enquanto, precisava descobrir quem estava entre ela e a coroa.

– Não há por que se desculpar – disse o duque, os olhos brilhando. – Venha, diga-me o que tem feito nesses últimos dias.

– Nada demais. Embora tenha conhecido uma jovem muito interessante – falou Kaltain, de modo casual, levando Perrington por uma escadaria ladeada por janelas na seção de vidro do castelo. – Uma amiga de Dorian, Lady Lillian, foi como ele a chamou.

O duque ficou definitivamente retesado.

– Você a conheceu?

– Ah, sim... ela é bastante gentil. – A mentira rolou pela língua da jovem. – Quando falei com ela hoje, mencionou o quanto o príncipe herdeiro gosta dela. Espero que para o próprio bem esteja na lista da rainha. – Embora quisesse *alguma* informação a respeito de Lillian, não esperara *isto*.

– Lady Lillian? É claro que não está.

– Pobrezinha. Suspeito que ficará de coração partido. Sei que não é minha posição indagar – continuou Kaltain, e o duque ficava cada vez mais vermelho e furioso –, mas soube faz uma hora do próprio Dorian que...

– Que o quê? – Um calafrio percorreu o corpo de Lady Kaltain diante da raiva de Perrington... não raiva dela, mas de Lillian. Da arma que Kaltain, por acaso, tivera a boa sorte de encontrar.

– Que ele é muito apegado a Lady Lillian. Possivelmente está apaixonado por ela.

– Isso é um absurdo.

– É verdade! – Kaltain deu um aceno triste com a cabeça. – Que trágico.

– Tolice, é o que é. – O duque parou no fim do corredor que levava ao quarto de Kaltain. A raiva lhe fazia soltar a língua. – Tolice e perigoso e impossível.

– Impossível?

– Algum dia explicarei por quê. – Um relógio soou desafinado, e Perrington se virou na direção do instrumento. – Tenho uma reunião do conselho. – Ele se inclinou próximo o bastante para sussurrar no ouvido de Kaltain, o hálito dele era quente e úmido contra a pele dela. – Talvez a veja esta noite? – O duque arrastou uma das mãos pela lateral do corpo da jovem antes de ir embora.

Ela o observou partir e, quando o homem desapareceu, Kaltain emitiu um suspiro e estremeceu. Mas se ele pudesse aproximá-la de Dorian...

Kaltain precisava descobrir quem eram suas concorrentes, mas ainda precisava encontrar um jeito de arrancar as garras de Lillian do príncipe. Com ou sem lista, a garota era uma ameaça.

E se o duque a odiava tanto quanto parecia, Kaltain poderia ter aliados poderosos quando chegasse a hora de se certificar que Lillian soltasse Dorian.

Dorian e Chaol não disseram muito conforme caminhavam para o jantar no salão principal. A princesa Nehemia estava a salvo nos aposentos, cercada pelos guardas. Ficou rapidamente acordado que, embora fosse tolice Celaena lutar com a princesa, a ausência de Chaol era indesculpável, mesmo com o campeão morto para investigar.

– Você parecia bastante amigável com Sardothien – disse Chaol, a voz fria.

– Está com ciúmes? – provocou Dorian.

– Estou mais preocupado com sua segurança. Ela pode ser bonita e impressioná-lo com sua inteligência, mas ainda é uma *assassina*, Dorian.

– Você parece meu pai.

– É bom senso. Fique longe dela, campeã ou não.

– Não me dê ordens.

– Só estou fazendo isso pela sua segurança.

– Por que ela me mataria? Acho que gosta de ser paparicada. Se não tentou fugir nem matou ninguém, então por que o faria agora? – O príncipe deu tapinhas no ombro do amigo. – Você se preocupa demais.

– É meu trabalho me preocupar.

– Então terá cabelos brancos antes dos 25 anos, e Sardothien certamente *não* se apaixonará por você.

– Que besteira está dizendo?

– Bem, se ela tentar escapar, o que não fará, então partirá seu coração. Você será obrigado a jogá-la na masmorra, a caçá-la ou a matá-la.

– Dorian, não gosto dela.

Ao perceber a irritação crescente do amigo, Dorian mudou de assunto:

– E quanto ao campeão morto... o Devorador de Olhos? Alguma ideia de quem tenha cometido o crime, ou por quê?

Os olhos de Chaol ficaram sombrios.

– Examinei o corpo diversas vezes nos últimos dias. Ele estava totalmente destruído. – A cor desapareceu de seu rosto. – As entranhas puxadas para fora e desaparecidas; até mesmo o cérebro estava... desaparecido. Enviei uma mensagem a seu pai a respeito, mas continuarei investigando enquanto isso.

– Aposto que foi apenas uma briga de bêbados – disse Dorian, embora tivesse, ele mesmo, participado de diversas brigas de bêbados e jamais soubera de ninguém que removesse as entranhas da outra pessoa. Um arrepio de medo se formou na mente do príncipe. – Meu pai provavelmente ficará contente porque o Devorador de Olhos morreu de vez.

– Espero que sim.

Dorian sorriu e passou um dos braços sobre os ombros do capitão.

– Com você investigando, tenho certeza de que tudo será resolvido amanhã – disse o príncipe, guiando o amigo até o salão de jantar.

⁂ 20 ⁂

Celaena fechou o livro e suspirou. Que fim terrível. Ela se levantou da cadeira, incerta de para onde ir, e saiu do quarto. Estivera pronta para se desculpar com Chaol quando ele a encontrou lutando com Nehemia naquela tarde, mas o comportamento do capitão... A assassina caminhou entre os aposentos. Ele tinha coisas mais importantes para fazer do que vigiar a criminosa mais famosa do mundo, não é? Celaena não gostara de ter sido cruel, mas... Chaol não merecera?

Celaena realmente se fizera de boba ao mencionar os vômitos. E o chamara de todo tipo de coisa ruim. Será que ele confiava nela ou a odiava? Celaena olhou para as mãos e percebeu que as esfregara com tanta força que estava com os dedos vermelhos. Como passara da prisioneira mais temida de Endovier para *aquela* confusão sentimental?

Tinha coisas mais importantes com que se preocupar, como a prova do dia seguinte. E aquele campeão morto. Já havia alterado as treliças de todas as portas de modo que rangessem alto quando fossem abertas. Se alguém entrasse em seu quarto, saberia com bastante antecedência. E conseguira prender algumas agulhas de costura roubadas em uma barra de sabão para uma lança em miniatura improvisada. Era melhor do que nada, principalmente se esse assassino tivesse um gosto por sangue de campeões. Celaena forçou as mãos na lateral do corpo para afastar a inquietude e caminhou para a sala de música e de jogos. Não podia jogar bilhar ou cartas sozinha, mas...

Celaena olhou para o piano. Ela costumava tocar – ah, amava tocar, amava música, o modo como a melodia conseguia partir e curar e fazer com que tudo parecesse possível e heroico.

Com cuidado, como se estivesse se aproximando de uma pessoa dormindo, Celaena caminhou até o enorme instrumento. Pegou o banco de madeira e se encolheu diante do barulho alto que fez quando foi arrastado. Depois de abrir a tampa pesada, pressionou os pedais, para testá-los. Olhou para as teclas de marfim lisas, então para as teclas pretas, que eram como os espaços entre os dentes.

Fora boa um dia – talvez melhor do que boa. Arobynn Hamel fazia Celaena tocar para ele sempre que os dois se encontravam.

Ela imaginou se Arobynn sabia de sua saída das minas. Tentaria libertá-la se soubesse? Celaena ainda não ousava encarar a possibilidade de *quem* poderia tê-la traído. Sua captura fora tão confusa – em duas semanas, perdera Sam e a própria liberdade, e perdera algo de si mesma naqueles dias embaçados também.

Sam. O que ele acharia daquilo tudo? Se estivesse vivo quando Celaena foi capturada, teria tirado a companheira das masmorras reais antes que o rei sequer soubesse que ela fora presa. Mas Sam, como Celaena, fora traído – e às vezes a ausência dele a atingia com tanta força que Celaena se esquecia de respirar. Ela tocou um tom mais grave. Era profundo e pulsante, cheio de mágoa e raiva.

Cuidadosamente, com uma das mãos, ela tamborilou uma melodia simples, lenta, nas notas mais altas. Ecos – retalhos de memórias que emergiam do vazio de sua mente. Os aposentos de Celaena eram tão silenciosos que a música parecia se destacar. Ela moveu a mão direita, tocando sustenidos e bemóis. Era uma peça que costumava tocar repetidas vezes, até Arobynn gritar para que tocasse outra coisa. Celaena tocou um acorde, então outro, acrescentou algumas notas limpas com a mão direita, pressionou uma vez um dos pedais e prosseguiu no embalo.

As notas irrompiam dos dedos de Celaena, a princípio cambaleantes, mas então mais confiantes conforme a emoção da música tomava conta. Era uma peça lúgubre, mas transformava a própria assassina em algo mais limpo e novo. Ela ficou surpresa porque as mãos não haviam esquecido, porque em algum lugar em sua mente, depois de anos de melancolia e escravidão, a música ainda estava viva e respirava. Em algum lugar, entre as notas, estava Sam. Celaena se esqueceu do tempo conforme flutuava entre as peças, dava voz ao impronunciável, abria velhas feridas, tocava e tocava enquanto o som a perdoava e a salvava.

⁓

Recostado contra o portal, Dorian permanecia completamente espantado. Celaena estava tocando havia algum tempo, de costas para ele. O príncipe se perguntou quando a assassina o notaria ou se algum dia pararia. Dorian não se importaria de ouvir para sempre. Tinha ido até lá com a intenção de envergonhar uma assassina arrogante, em vez disso, encontrara uma jovem derramando seus segredos em um piano.

Dorian se afastou da parede. Apesar de toda a experiência com assassinatos, Celaena não o havia notado, até que o príncipe se sentou no banco ao lado dela.

— Você toca linda...

Os dedos de Celaena escorregaram nas teclas, que emitiram um alto e terrível *CLANK*, e ela estava a meio caminho da estante de tacos de bilhar quando o viu. Dorian poderia jurar que os olhos da jovem estavam cheios de lágrimas.

— O que está fazendo aqui? — Celaena olhou para a porta. Estava planejando usar um daqueles tacos contra ele?

— Chaol não está comigo — disse Dorian, com um sorriso rápido. – Se é isso que está se perguntando. Peço desculpas se a interrompi. — Ele se maravilhou com o desconforto de Celaena quando ela ficou vermelha. Parecia uma emoção humana demais para a Assassina de Adarlan. Talvez o plano anterior de envergonhá-la ainda não estivesse arruinado. — Mas estava tocando tão lindamente que eu...

— Tudo bem. — Celaena caminhou até uma das cadeiras. Dorian se levantou e bloqueou o caminho dela. A assassina tinha estatura surpreendentemente mediana. O príncipe abaixou os olhos para a silhueta de Celaena. Estatura mediana à parte, as curvas da jovem eram convidativas. – O que está fazendo aqui? – repetiu ela.

Dorian sorriu de modo malicioso.

— Nós combinamos de nos encontrar esta noite. Não se lembra?

— Achei que fosse brincadeira.

– Sou o príncipe herdeiro de Adarlan. – Ele se afundou em uma cadeira diante da lareira. – Jamais brinco.

– Tem permissão para estar aqui?

– Permissão? Repito: sou um príncipe. Posso fazer o que quiser.

– Sim, mas eu sou a Assassina de Adarlan.

Dorian não se deixaria intimidar, mesmo que Celaena pudesse pegar aquele taco de bilhar para derrubá-lo em questão de segundos.

– Pelo modo como toca, parece que é muito mais do que isso.

– O que quer dizer?

– Bem – falou Dorian, tentando não se perder nos olhos estranhos e adoráveis de Celaena –, acho que ninguém que toca dessa forma pode ser *apenas* um criminoso. Parece que você tem alma – provocou ele.

– É claro que tenho uma alma. Todos têm.

Celaena ainda estava vermelha. Ele a deixara tão desconfortável assim? Dorian lutou contra o sorriso. Aquilo era divertido demais.

– Gostou dos livros?

– Eram muito bons – respondeu Celaena, baixinho. – Eram maravilhosos, na verdade.

– Fico feliz. – Os olhos dos dois se encontraram, e Celaena recuou para trás do encosto da cadeira. Se Dorian já não soubesse, diria que *ele* era o assassino, na verdade! – Como vai o treinamento? Algum competidor está lhe causando problemas?

– Excelente – falou Celaena, mas os cantos da boca da jovem deslizaram para baixo. – E não. Depois de hoje, acho que nenhum de nós causará problemas para ninguém. – Dorian levou um tempo para perceber que a assassina falava do competidor que fora morto tentando escapar. Ela mordeu o lábio inferior, silenciosa por um segundo, então perguntou: – Chaol deu ordens para matar Sven?

– Não – respondeu ele. – Meu pai ordenou que todos os guardas atirassem para matar se qualquer um de vocês tentasse escapar. Não acho que Chaol teria dado essa ordem – acrescentou o príncipe, embora não tivesse certeza do porquê. Mas a quietude enervante nos olhos de Celaena sumiu, finalmente. Quando a jovem não falou mais, Dorian perguntou o mais casualmente possível: – Falando nisso, você e Chaol estão se dando bem? – Com certeza era uma pergunta completamente inocente.

146

Celaena deu de ombros e o príncipe tentou não interpretar demais o gesto.

– Sim. Acho que ele me odeia um pouco, mas, considerando a posição em que está, não me surpreende.

– Por que acha que ele a odeia? – Por algum motivo, Dorian não conseguiu negar.

– Porque sou uma assassina e ele é o capitão da guarda, forçado a se rebaixar para atender à campeã do futuro rei.

– Gostaria que fosse de outro jeito? – Dorian exibiu um sorriso preguiçoso. Essa pergunta não era tão inocente.

Celaena deu a volta na cadeira e se aproximou dele, então o coração do príncipe deu um salto.

– Bem, quem quer ser odiado? Embora eu preferisse ser odiada a ser invisível. Mas não faz diferença. – Ela não foi convincente.

– Sente-se sozinha? – perguntou Dorian, antes que conseguisse se impedir.

– Sozinha? – Celaena balançou a cabeça e, finalmente, depois de um gesto tão convincente, sentou-se. Dorian lutou contra a vontade de esticar o braço no espaço entre os dois para ver se os cabelos dela eram tão sedosos quanto pareciam. – Não. Posso sobreviver muito bem por conta própria se tiver acesso ao material apropriado para leitura.

O príncipe olhou para o fogo, tentando não pensar em onde ela estivera apenas semanas antes – e que sentimentos aquele tipo de solidão podia provocar. Não havia livros em Endovier.

– Mesmo assim, não deve ser agradável ser sua própria companhia o tempo todo.

– E o que você faria? – Celaena gargalhou. – Eu preferiria não ser vista como uma de suas *amantes*.

– Qual o problema disso?

– Já sou famosa como assassina, não gostaria de ser famosa por compartilhar sua cama. – Dorian reprimiu uma risada, mas Celaena continuou: – Você gostaria que eu explicasse *por que* ou basta dizer que não aceito joias e enfeites como pagamento pelo meu afeto?

Dorian grunhiu.

– Não vou debater moralidade com uma assassina. Você mata pessoas por *dinheiro*, sabe.

A expressão de Celaena ficou séria, e ela apontou para a porta.

– Você pode se retirar agora.

– Está *me* dispensando? – O príncipe não sabia se ria ou gritava.

– Devo mandar chamar Chaol para ver o que ele acha? – A assassina cruzou os braços, ciente de que havia ganhado. Talvez também tivesse percebido que podia ser divertido provocar Dorian.

– Por que eu deveria ser expulso dos seus aposentos por dizer a verdade? Acaba de me chamar de pouco mais do que mulherengo. – O príncipe não se divertia tanto havia anos. – Conte-me sobre sua vida, como aprendeu a tocar o piano tão habilidosamente. E que peça era aquela? Era tão triste; estava pensando em um amante secreto? – Dorian deu uma piscadinha.

– Eu pratiquei. – Celaena se levantou e caminhou até a porta. – E sim – disparou a assassina –, estava.

– Você está bastante arisca esta noite – disse ele, seguindo-a. Então parou, a 30 centímetros de distância, mas o espaço entre os dois parecia estranhamente íntimo, ainda mais quando Dorian falou, ronronando: – Não parece nem de longe a tagarela desta tarde.

– Não sou uma mercadoria velha que você pode simplesmente admirar! – Celaena se aproximou. – Não sou uma atração de circo, e você não vai *me* usar como parte de algum desejo não satisfeito por aventura e agitação! Motivo, sem dúvida, pelo qual me escolheu para ser sua campeã.

Dorian ficou boquiaberto e recuou um passo.

– O quê? – Foi a única coisa que conseguiu dizer.

Celaena passou por ele e se jogou na poltrona. Pelo menos não estava indo embora.

– Achou mesmo que eu não perceberia por que veio aqui esta noite? Como alguém que me deu *A coroa de um herói* para ler, o que sugere que tem a mente fantasiosa e anseia por aventura?

– Não acho que você seja uma aventura – murmurou Dorian.

– Ah? O castelo oferece tanta agitação que a presença da Assassina de Adarlan não é nada incomum? Nada que atraísse um jovem príncipe que passou a vida confinado à corte? E o que sugere essa competição, por falar nisso? Já estou à disposição do pai. Não serei a diversão do filho também.

Foi a vez de Dorian corar. Será que jamais recebera um sermão daquele tipo de alguém? Dos pais e dos tutores, talvez, mas certamente não de uma jovem.

– Não sabe com quem está falando?

– Meu querido príncipe – disse Celaena, devagar, verificando as unhas –, está sozinho em meus aposentos. A porta do corredor está muito distante. Posso dizer o que eu quiser.

Ele caiu na gargalhada. Celaena se sentou reta e o observou, a cabeça inclinada para o lado. As bochechas dela estavam vermelhas, o que deixava seus olhos azuis ainda mais brilhantes. Será que sabia o que ele poderia querer ter feito com ela, caso não fosse uma assassina?

– Irei embora – disse o príncipe, enfim, impedindo-se de imaginar se poderia, de fato, arriscar... arriscar a ira do pai e de Chaol, e o que poderia acontecer se decidisse mandar as consequências para o inferno. – Mas voltarei em breve.

– Tenho certeza – respondeu ela, com sarcasmo.

– Boa noite, Sardothien. – Dorian olhou ao redor, para os aposentos dela, e sorriu. – Diga-me, antes que eu vá: esse seu amante misterioso... não mora no castelo, mora?

O príncipe soube no mesmo instante que dissera a coisa errada quando parte da luz desapareceu dos olhos dela.

– Boa noite – respondeu Celaena, um pouco fria.

Dorian balançou a cabeça.

– Eu não quis...

A assassina apenas gesticulou para que ele partisse, com o rosto virado para o fogo. Ao compreender a dispensa, Dorian caminhou até a porta, cada um de seus passos ecoando pelo então silencioso quarto. Ele estava quase no portal quando Celaena falou, com a voz distante:

– O nome dele era Sam.

A jovem ainda encarava o fogo. *Era* Sam...

– O que aconteceu?

Celaena olhou para Dorian com um sorriso triste.

– Ele morreu.

– Quando? – disparou o príncipe. Jamais a teria provocado daquela forma, jamais diria uma coisa sequer se soubesse...

As palavras de Celaena estavam embargadas quando ela respondeu:

– Há 13 meses.

Um brilho de dor passou pelo rosto dela, tão real e tão interminável que Dorian o sentiu dentro de si.

– Sinto muito – disse ele, soltando o ar.

Celaena deu de ombros, como se isso, de alguma forma, diminuísse o luto que o príncipe ainda via em seus olhos, que brilhavam tão forte à luz do fogo.

– Eu também – sussurrou ela, e olhou novamente para as chamas.

Ao perceber que ela havia realmente terminado de falar dessa vez, Dorian pigarreou.

– Boa sorte com a prova amanhã. – Celaena não disse nada conforme ele saía do quarto.

Dorian não conseguia tirar da mente a música de partir o coração que a assassina tocara, mesmo enquanto queimava a lista de damas elegíveis feita pela rainha, mesmo enquanto lia um livro noite afora, mesmo quando finalmente caiu no sono.

❧ 21 ❧

Celaena pendia da muralha de pedra do castelo, as pernas tremendo, e enfiou os dedos cobertos de alcatrão e os dedos dos pés nas rachaduras entre os blocos gigantes. Brullo gritou algo para os dezenove campeões restantes que escalavam as muralhas do castelo, mas a 21 metros do chão o vento carregava as palavras para longe. Um dos campeões não aparecera para a prova – nem mesmo os vigias dele sabiam para onde tinha ido. Talvez tivesse, de fato, conseguido escapar. Arriscar uma fuga parecia melhor do que aquela prova infeliz e estúpida, de toda forma. Celaena trincou os dentes e impulsionou a mão para cima, elevando-se mais trinta centímetros.

A mais 6 metros de altura e cerca de nove metros de distância tremulava o objetivo daquela corrida impossível: uma bandeira de ouro. A prova era simples: escalar o castelo até onde a bandeira oscilava, 27 metros no ar, e recuperá-la. O primeiro a pegar a bandeira e levá-la de volta para baixo receberia um tapinha nas costas. O último a alcançar o ponto determinado seria enviado de volta para a sarjeta de onde saíra.

Surpreendentemente, ninguém caíra ainda – talvez porque o caminho até a bandeira fosse relativamente fácil: varandas, ombreiras de janelas e treliças cobriam a maior parte do trajeto. Celaena se ergueu mais alguns metros, os dedos doloridos. Olhar para baixo era sempre uma má ideia, mesmo que Arobynn a tivesse forçado a ficar no beiral de seu Forte dos Assassinos durante horas para se acostumar com alturas. Ela arquejou quando se agarrou a outra ombreira de janela e se impulsionou para cima. A cavidade era profunda o bastante para que Celaena se agachasse dentro dela, e a assassina parou um momento para estudar os demais competidores.

Como esperado, Cain estava na liderança e escolhera o caminho mais fácil em direção à bandeira. Cova e Verin seguiam em seu encalço, Nox estava logo atrás e Pelor, o jovem assassino, não estava muito abaixo dele. Havia tantos competidores atrás do rapaz que os equipamentos, muitas vezes, enroscavam-se. Cada um recebera a oportunidade de selecionar um objeto para auxiliar na subida: cordas, pinos, botas especiais; e, previsivelmente, Cain fora direto para a corda.

Celaena escolhera uma pequena lata de alcatrão, e, enquanto se erguia do agachamento na ombreira da janela, as mãos escuras e grudentas e os pés descalços se agarravam com facilidade à muralha de pedra. Ela usou um pouco de corda para prender a lata ao cinto e, antes de sair da sombra da ombreira, esfregou mais um pouco da substância nas palmas das mãos. Alguém arquejou abaixo, e Celaena conteve a vontade de olhar. Ela sabia que havia escolhido um caminho mais difícil – mas era melhor do que lutar contra todos os competidores que haviam escolhido a rota mais fácil. Celaena não descartaria a possibilidade de Cova ou Verin a empurrarem para fora da muralha.

As mãos da assassina simularam um movimento de sucção contra a pedra, Celaena se impulsionou para cima bem a tempo de ouvir um grito, um estampido e depois silêncio, seguido pela gritaria dos observadores. Um competidor havia caído – e morrido. Ela olhou para baixo e contemplou o corpo de Ned Clement, o assassino que se chamava de Foice e passara anos nos campos de trabalhos forçados de Calaculla por seus crimes. Um tremor percorreu o corpo de Celaena. Embora o assassinato do Devorador de Olhos tivesse feito com que muitos dos competidores se aquietassem, os patrocinadores certamente não pareciam se importar com o fato de que aquela prova poderia muito bem matar mais alguns deles.

Celaena subiu por um cano de escoamento, as coxas agarrando-se ao ferro. Cain prendeu a longa corda ao pescoço de uma gárgula maligna e se balançou até o outro lado de uma extensão de muralha lisa, parando na beirada de uma varanda a quatro metros da bandeira. Celaena lutou contra a frustração conforme subia cada vez mais, seguindo o curso do cano de escoamento.

Os outros competidores subiam com dificuldade, seguindo o caminho de Cain. Houve mais alguns gritos e Celaena olhou para baixo tempo o bastante para ver que Cova atrasava o grupo por não conseguir lançar a corda ao redor do pescoço da gárgula como Cain havia feito. Verin empurrou o assassino para o lado e o ultrapassou, prendendo com facilidade a própria corda. Nox, agora atrás de Cova, tentava o mesmo, mas Cova começou a xingá-lo, e Nox parou, erguendo a mão em um gesto apaziguador. Com um risinho, Celaena ajustou os pés sujos sobre uma saliência para se estabilizar e manteve o cano no lugar. Ela, em breve, estaria diretamente paralela à bandeira. Então, apenas nove metros de pedras a separariam do objeto.

Celaena subiu mais sobre o cano, os dedos dos pés grudando no metal. Cerca de cinco metros abaixo do cano, um mercenário se agarrava aos chifres de uma gárgula conforme tentava prender a corda na cabeça da estátua. Ele parecia ter escolhido a rota mais rápida entre um aglomerado de gárgulas. Então o homem precisaria se balançar até uma plataforma a cinco metros de distância antes de chegar às demais gárgulas, nas quais Cova e Nox agora discutiam. Celaena não corria o perigo de o homem tentar escalar o cano de escoamento para incomodá-la. Centímetro após centímetro, ela subiu, o vento lançando seus cabelos para um lado, depois para outro.

Então, a assassina ouviu Nox gritar e olhou a tempo de ver Cova empurrá-lo da reentrância sobre as costas da gárgula. Nox oscilou bastante, a corda que estava amarrada em seu tronco se repuxou quando o competidor colidiu contra a muralha do castelo abaixo. Celaena congelou e tomou fôlego quando Nox raspou as mãos e os pés contra a pedra para se agarrar.

Mas Cova ainda não havia terminado. Ele se inclinou, fingindo ajustar a bota, e Celaena viu uma pequena adaga reluzir à luz do sol. Como havia conseguido esconder a arma dos vigias era, por si só, um feito. O grito de aviso de Celaena foi carregado pelo vento enquanto Cova começou a cortar a corda de Nox a partir do pescoço da gárgula. Nenhum dos outros campeões próximos se incomodou em fazer alguma coisa, embora Pelor tenha parado por um momento antes de desviar de Cova. Se Nox morresse, seria um competidor a menos – e se interferissem, poderia custar-lhes a prova. Celaena sabia que deveria continuar em frente, mas algo a mantinha presa onde estava.

Nox não conseguia encontrar um apoio na muralha de pedra, e sem uma ombreira ou uma gárgula próximas onde se segurar, não tinha para onde ir senão para baixo. Depois que a corda se partisse, ele cairia.

Uma a um, os fios da corda se partiram sob a adaga de Cova, e Nox, ao sentir as vibrações, ergueu o rosto para o assassino, horrorizado. Se caísse, não teria chance de sobreviver. Mais alguns cortes da lâmina de Cova e a corda seria completamente partida.

A corda rangeu. Celaena se mexeu.

Ela desceu pelo cano de escoamento, a carne dos pés e das mãos se rasgou conforme o metal cortava sua pele, mas a assassina não se permitiu pensar na dor. O mercenário na gárgula abaixo teve tempo apenas de se inclinar contra a muralha quando Celaena se chocou contra a cabeça da criatura, agarrando-se aos chifres para se equilibrar. O mercenário já amarrara uma das pontas da corda de escalada ao redor do pescoço da gárgula; Celaena a pegou e amarrou a outra ponta à própria cintura. A corda era longa o bastante – e forte o bastante –, e as quatro gárgulas agachadas ao lado daquela na qual a assassina estava presa forneceriam espaço o bastante para correr.

– Toque nesta corda e eu o estriparei – avisou ela ao mercenário, então se preparou.

Nox gritou para Cova, e Celaena ousou olhar para o local no qual o ladrão pendia. Ouviu-se um estalo agudo de corda se partindo e o grito de medo e raiva de Nox, então Celaena disparou, correndo sobre as costas das quatro gárgulas antes de se lançar ao vazio.

⊱ 22 ⊰

O vento a cortava, mas Celaena manteve a concentração em Nox, que caía tão rápido e tão longe das mãos esticadas da assassina.

As pessoas gritavam abaixo, e a luz refletida do castelo de vidro a ofuscava. Mas lá estava ele, à distância de apenas uma palma dos dedos de Celaena, os olhos cinzentos arregalados, os braços agitados como se pudessem ser transformados em asas.

Em um piscar de olhos, os braços da assassina envolveram o tronco de Nox, e ela se chocou contra ele com tanta força que perdeu o fôlego. Juntos, os dois mergulharam como uma pedra, para baixo, bem abaixo, na direção do chão que parecia se erguer.

Nox agarrou a corda, mas nem mesmo isso foi o suficiente para amenizar o impacto ofuscante no torso de Celaena quando a corda se esticou. Ela se agarrou ao ladrão com cada gota de força que tinha, obrigando os braços a não soltarem. A corda os lançou em curva em direção à muralha. Celaena mal conseguiu ter a reação de inclinar a cabeça para longe das pedras que se aproximavam e o impacto irrompeu na lateral de seus corpos e em seus ombros. Ela ainda se agarrava com força a Nox, concentrando-se nos braços, na respiração forte demais. Os dois ficaram pendurados ali, chapados contra a muralha, recuperando o fôlego enquanto olhavam para o chão, nove metros abaixo. A corda os aguentou.

– Lillian – falou Nox, arquejando para tomar fôlego. Ele encostou o rosto contra os cabelos dela. – Pelos deuses. – Mas ovações irromperam abaixo e suprimiram as palavras dele. Os braços e as pernas de Celaena tremiam com tanta violência que ela precisou se concentrar em agarrar-se a Nox; o estômago da assassina se revirava incessantemente.

Os dois ainda estavam no meio da prova – ainda esperava-se que a completassem, e Celaena olhou para cima. Todos os campeões haviam parado para vê-la salvando o ladrão que caía. Todos, menos um, que estava agachado bem acima deles.

Celaena só conseguiu ficar boquiaberta quando a bandeira foi arrancada e Cain urrou, triunfante. Mais ovações irromperam até eles quando Cain balançou a bandeira para que todos vissem. Celaena não se aguentava de raiva.

Teria ganhado se tivesse escolhido o caminho mais fácil – teria chegado lá em metade do tempo que Cain levou. Mas Chaol lhe dissera para não se destacar, de toda forma. E o caminho que escolhera fora muito mais impressionante e demonstrativo no que dizia respeito a suas habilidades. Cain precisou apenas saltar e se balançar – escalada amadora. Além disso, se Celaena tivesse ganhado, se tivesse escolhido o caminho mais fácil, não teria salvado Nox.

A assassina enrijeceu o maxilar. Será que conseguiria chegar ao topo a tempo? Talvez Nox pudesse levar a corda e Celaena apenas escalaria a muralha com as próprias mãos. Não havia nada pior do que o segundo lugar. Mas mesmo enquanto pensava nisso, Verin, Cova, Pelor e Renault escalaram os últimos poucos metros até o local e o tocaram com a mão antes de descerem.

– Lillian. Nox. Apressem-se – gritou Brullo, e Celaena olhou para baixo, para o mestre de armas.

Celaena fez uma expressão de irritação e começou a deslizar os pés pelas fendas nas pedras, procurando por um apoio. A pele dela, esfolada e sangrando em certos locais, doía enquanto a competidora buscava uma reentrância na qual espremer os pés. Com muito cuidado, ela se impulsionou para cima.

– Desculpe-me – falou Nox, soltando o ar, as pernas chocando-se contra as dela enquanto também buscava um apoio para o pé.

– Está tudo bem – respondeu Celaena.

Tremendo, dormente, Celaena escalou a muralha de novo, deixando que Nox descobrisse um modo por conta própria. Tolice. Fora muita tolice salvá-lo. Em que estava pensando?

— Anime-se — disse Chaol, bebendo do copo de água. — O décimo oitavo lugar é bom. Pelo menos Nox ficou atrás de você.

Celaena não disse nada e empurrou as cenouras pelo prato. Precisara de dois banhos e uma barra de sabão inteira para retirar o alcatrão das mãos e dos pés doloridos, e Philippa passara trinta minutos limpando e enrolando ataduras nos ferimentos. Embora Celaena tivesse parado de tremer, ainda conseguia ouvir o grito e o estampido quando Ned Clement caiu no chão. Haviam retirado o corpo antes de Celaena terminar a prova. Somente a morte de Ned salvara Nox da eliminação. Cova não fora repreendido. Não havia regras contra jogar sujo.

— Está fazendo exatamente como planejamos — continuou Chaol. — Embora eu dificilmente considere seu bravo resgate algo totalmente discreto.

Celaena o encarou.

— Bem, mesmo assim perdi. — Embora Dorian a tivesse parabenizado por ter salvado Nox e o ladrão a tivesse abraçado e agradecido inúmeras vezes, Chaol exibia uma cara feia ao fim da prova. Aparentemente, resgates ousados não eram parte do repertório de uma ladra de joias.

Os olhos castanhos de Chaol brilhavam dourados ao sol do meio-dia.

— Aprender a perder com graciosidade não foi parte de seu treinamento?

— Não — respondeu Celaena, com amargura. — Arobynn me dizia que o segundo lugar é apenas um título bonitinho para o primeiro perdedor.

— Arobynn Hamel? — perguntou Chaol, apoiando o copo. — O rei dos assassinos?

Celaena olhou para a janela e para a extensão luminosa de Forte da Fenda, mal visível ao fundo. Era estranho pensar que Arobynn estava na mesma cidade, que estava tão próximo dela no momento.

— Você sabe que ele foi meu mestre, não sabe?

— Eu havia esquecido — disse Chaol. Arobynn teria chicoteado Celaena por ter salvado Nox, arriscando a própria segurança e o lugar na competição. — Ele supervisionava pessoalmente seu treinamento?

– Ele mesmo me treinou e depois trouxe tutores de toda Erilea. Os mestres de luta dos campos de arroz do continente ao sul, especialistas em veneno da selva Bogdano... Certa vez, me enviou aos Assassinos Silenciosos do deserto Vermelho. Nenhum preço era alto demais para ele. Ou para mim – acrescentou ela, passando os dedos pelo tecido refinado do robe de banho. – Ele não se incomodou em me dizer, até que eu completasse 14 anos, que teria de pagar de volta por tudo.

– Ele a treinou e então a fez pagar por isso?

Celaena deu de ombros, mas foi incapaz de esconder o rompante de raiva.

– Cortesãs passam pela mesma experiência: são levadas muito jovens e ficam presas aos bordéis até que possam arrecadar de volta cada moeda que foi gasta com seu treinamento, sua manutenção e seu guarda-roupa.

– Isso é desprezível – disparou Chaol, e Celaena piscou diante da raiva na voz do capitão, raiva que, pela primeira vez, não era direcionada a ela. – Você pagou?

Um sorriso frio que não chegou aos olhos se abriu no rosto de Celaena.

– Ah, até a última moeda. Então ele saiu e gastou tudo. Mais de quinhentas mil moedas de ouro. Desapareceram em três horas. – Chaol se mexeu na cadeira. Celaena havia enfiado a lembrança em algum lugar tão profundo que parara de doer. – Você ainda não pediu desculpas – disse ela, mudando de assunto antes que Chaol fizesse mais perguntas.

– Desculpas? Pelo quê?

– Por todas as coisas horríveis que me disse ontem à tarde, quando eu estava lutando com Nehemia.

Ele semicerrou os olhos e mordeu a isca.

– Não vou pedir desculpas por dizer a verdade.

– A verdade é que você me tratou como se fosse uma criminosa descontrolada!

– E *você* disse que me odiava mais do que qualquer pessoa viva.

– E cada palavra foi sincera. – Um sorriso, no entanto, começou a se formar nos lábios de Celaena, e ela logo o viu refletido no rosto de Chaol. Ele jogou um pedaço de pão na assassina; Celaena o pegou com uma das mãos e atirou de volta no capitão. Ele agarrou o pedaço de pão com facilidade. – Babaca – disse Celaena, agora sorrindo.

– Criminosa descontrolada – replicou ele, também sorrindo.

– Eu odeio você de verdade.

– Pelo menos não cheguei em décimo oitavo lugar – respondeu Chaol.

Celaena sentiu as narinas se dilatarem, e Chaol mal pôde se desviar da maçã que ela atirou na cabeça dele.

Somente mais tarde Philippa chegou com as notícias. O campeão que não aparecera para a prova havia sido encontrado morto em uma das escadarias dos criados, golpeado brutalmente e desmembrado.

***

O novo assassinato projetara uma sombra sobre as duas semanas seguintes e as duas provas que nelas ocorreriam. Celaena passou nas provas – destreza e rastreamento – sem chamar muita atenção para si ou arriscar o pescoço para salvar alguém. Nenhum outro campeão foi morto, por sorte, mas Celaena se via olhando constantemente por cima do ombro, ainda que Chaol parecesse considerar os dois assassinatos apenas incidentes infelizes.

Todo dia, ela ficava melhor na corrida, indo cada vez mais longe e mais rápido, e conseguia evitar matar Cain quando ele a provocava no treinamento. O príncipe herdeiro não fez questão de aparecer nos aposentos de Celaena de novo, e ela só o via durante as provas, quando Dorian costumava sorrir e piscar para sua campeã, e fazia-a se sentir ridiculamente arrepiada e quente.

Mas Celaena tinha coisas mais importantes com que se preocupar. Restavam apenas nove semanas até o duelo final, e alguns dos outros, inclusive Nox, estavam indo bem o suficiente para fazer com que aquelas quatro vagas parecessem muito preciosas. Cain definitivamente estaria lá, mas quem seriam os outros três finalistas? Celaena sempre acreditara com fervor de que conseguiria.

Mas, quando era sincera consigo mesma, não tinha mais certeza.

⊰ 23 ⊱

Celaena olhou para o chão. Conhecia aquelas pedras pontiagudas e cinzentas – sabia como se esfarelavam sob os pés, como cheiravam após a chuva, como poderiam facilmente cortar sua pele quando fosse jogada no chão. As pedras se estendiam por quilômetros, erguendo-se em montanhas afiadas como dentes que perfuravam o céu nublado. Exposta ao vento gélido, tinha poucas roupas para protegê-la das lufadas cortantes. Quando tocou os retalhos sujos, seu estômago subiu até a garganta. O que havia acontecido?

Celaena deu meia-volta, os grilhões tilintando, e observou o deserto desolador que era Endovier.

Havia falhado, falhado e sido enviada de volta para lá. Não havia chance de escapar. Experimentara a liberdade, chegara tão perto e então...

Celaena gritou quando uma dor insuportável irradiou em suas costas, anunciada pelo estalar do chicote. Ela caiu no chão, e as pedras cortaram seus joelhos nus.

– Levante-se – gritou alguém.

Lágrimas queimavam em seus olhos, e o chicote estalou quando foi erguido mais uma vez. Celaena seria morta dessa vez. Morreria com a dor.

O chicote desceu, partindo o osso, reverberando pelo corpo da assassina e fazendo com que tudo desabasse e explodisse em agonia, transformando o corpo dela em um cemitério, algo morto...

Os olhos de Celaena se abriram. Ela ofegava.

– Você está... – disse alguém ao lado dela, e Celaena se virou. Onde estava?

– Foi um sonho – disse Chaol.

Celaena o encarou, então olhou ao redor do quarto e passou uma das mãos pelos cabelos. Forte da Fenda. Forte da Fenda – era onde estava. No castelo de vidro – não, no castelo de pedra abaixo.

Estava suada, e o suor das costas parecia, desconfortavelmente, ser sangue. Ela se sentiu tonta, enjoada, pequena e grande demais ao mesmo tempo. Embora as janelas estivessem fechadas, uma corrente de ar esquisita vinda de algum lugar no quarto beijou-lhe o rosto, com um cheiro incomum de rosas.

– Celaena. Foi um sonho – falou novamente o capitão da guarda. – Você estava gritando. – Ele deu um sorriso trêmulo. – Achei que estivesse sendo assassinada.

Celaena esticou a mão para tocar as costas, sob a camisola. Conseguia sentir as três cicatrizes – e algumas menores, mas nada, nada...

– Eu estava sendo chicoteada. – Celaena balançou a cabeça para afastar a lembrança. – O que está fazendo aqui? Nem mesmo amanheceu. – Ela cruzou os braços e corou levemente.

– É Samhuinn. Não vou treinar com você hoje, mas queria saber se planejava comparecer à cerimônia.

– Hoje é... o quê? Hoje é Samhuinn? Por que ninguém mencionou? Há um banquete esta noite? – Será que ficara tão envolvida com a competição que perdera a noção do tempo?

Chaol franziu a testa.

– É claro, mas você não está convidada.

– É claro. E vocês invocarão os mortos nesta noite assombrada ou acenderão uma fogueira com os companheiros?

– Não participo de tais besteiras supersticiosas.

– Cuidado, meu amigo cínico! – avisou Celaena, levando uma das mãos para o alto. – Os deuses e os mortos estão mais próximos da terra hoje, podem ouvir cada comentário maldoso que faz!

Chaol revirou os olhos.

– É um feriado qualquer para celebrar a chegada do inverno. As fogueiras apenas produzem cinzas para cobrir os campos.

– Como uma oferta aos deuses para mantê-los a salvo!

– Como um modo de fertilizá-los.

Celaena empurrou as cobertas para longe.

– É o que você diz – falou ela, enquanto se levantava para arrumar a camisola ensopada. Fedia a suor.

Chaol riu com escárnio e seguiu a assassina conforme ela caminhava.

– Jamais a tomei por uma pessoa supersticiosa. Como *isso* se encaixa em sua carreira?

Celaena o encarou por cima do ombro antes de caminhar até o banheiro, com Chaol no encalço. Ela parou sob o batente da porta.

– Vai se juntar a mim? – disse a jovem, e Chaol enrijeceu, percebendo o erro. Ele bateu a porta em resposta.

Celaena o encontrou à espera na sala de jantar depois do banho, os cabelos pingando água no chão.

– Não tem o próprio café da manhã?

– Você ainda não me deu uma resposta.

– Uma resposta a quê? – Celaena se sentou do outro lado da mesa e serviu mingau dentro de uma tigela. Só era preciso uma colherada, não, três colheradas de açúcar e um pouco de creme quente e...

– Vai ao templo?

– Tenho permissão para ir ao templo, mas não ao banquete? – Ela comeu uma colher do mingau.

– Práticas religiosas não deveriam ser negadas a ninguém.

– E o banquete é...?

– Um espetáculo de frescuras.

– Ah, entendo. – Celaena engoliu mais uma colherada. Ah, como *amava* mingau! Mas talvez precisasse de mais uma colher de açúcar.

– Bem? Você vai? Precisamos sair em breve se você for.

– Não – disse ela, com comida na boca.

– Para alguém tão supersticioso, arrisca irritar os deuses ao faltar. Achei que uma assassina fosse se interessar mais pelo dia dos mortos.

Celaena fez uma careta e continuou comendo.

– Pratico do meu próprio modo. Talvez faça um sacrifício ou dois por conta própria.

Chaol se levantou, dando tapinhas na espada.

– Cuide-se enquanto eu estiver fora. Não se incomode em se vestir de modo muito elaborado... Não estarei, mas Brullo me disse que você vai treinar esta tarde. Tem uma prova amanhã.

– De novo? Não tivemos uma três dias atrás? – reclamou a jovem. A última prova fora de lançamento de dardos enquanto montavam cavalos, e um ponto do punho de Celaena ainda estava sensível.

Mas Chaol não disse mais nada e os aposentos dela ficaram silenciosos. Embora tivesse tentado esquecer, o som do chicote ainda estalava em seus ouvidos.

Feliz porque a cerimônia tinha finalmente acabado, Dorian Havilliard caminhava sozinho pela propriedade do castelo. Religião não o convencia, nem emocionava, e depois de horas sentado em um banco do templo, murmurando oração após oração, estava precisando desesperadamente de ar fresco. E de solidão.

O príncipe suspirou entre os dentes trincados, esfregando um ponto na têmpora, e se dirigiu ao jardim. Ele passou por um aglomerado de jovens, cada uma fez uma reverência e deu risinhos atrás do leque. Dorian lançou um breve aceno de cabeça para elas ao passar. A mãe dele usara a cerimônia como uma chance de indicar todas as moças casadouras ao filho. Dorian passara o tempo todo tentando não gritar a plenos pulmões.

O príncipe virou em uma cerca-viva e quase se chocou contra uma figura que vestia veludo azul-esverdeado. Era da cor do lago da montanha – aquele tom como o de uma gema sem nome exato. Sem falar que o vestido estava cerca de cem anos desatualizado. O olhar dele se ergueu até o rosto da figura, e Dorian sorriu.

– Olá, Lady Lillian – disse o príncipe, e fez uma reverência, então se virou para as duas companhias da moça. – Princesa Nehemia, capitão Westfall. – Dorian olhou mais uma vez para o vestido da assassina. As dobras de tecido, como as águas correntes do rio, eram bem atraentes. – Você parece festiva. – Celaena abaixou as sobrancelhas.

– Os criados de Lady Lillian estavam na cerimônia quando ela se vestiu – disse Chaol. – Não havia mais nada para ela usar. – É claro que corseletes

163

requeriam assistência para vestir e tirar, e os vestidos eram um labirinto de presilhas e laços secretos.

– Minhas desculpas, meu senhor príncipe – falou Celaena. Os olhos dela brilhavam de raiva, e as bochechas ficaram coradas. – Sinto muitíssimo por minhas roupas não serem de seu gosto.

– Não, não – disse Dorian, rapidamente, olhando para os pés de Celaena. Estavam calçados em sapatos vermelhos, vermelhos como as frutas de inverno que começavam a surgir nos arbustos. – Você está muito bonita. Só um pouco... deslocada. – Séculos deslocada, na verdade. Celaena lançou ao príncipe um olhar exasperado. Ele se virou para Nehemia. – Perdoe-me – falou Dorian, em seu melhor eyllwe, que não era nada impressionante. – Como está?

Os olhos da princesa brilharam com diversão diante do eyllwe tosco do príncipe, mas ela assentiu em reconhecimento.

– Estou bem, Vossa Alteza – respondeu Nehemia, na língua de Dorian.

A atenção dele se voltou para os dois guardas da princesa, os quais espreitavam às sombras, próximos, aguardando, observando. O sangue de Dorian latejou nas veias.

Há semanas, o duque Perrington insistia na ideia de levar mais forças para Eyllwe – para esmagar os rebeldes com tanta eficiência que não ousariam desafiar o domínio de Adarlan novamente. No dia anterior, o duque apresentara um plano: deslocariam mais legiões e manteriam Nehemia no castelo para desencorajar qualquer retaliação dos rebeldes. Não muito disposto a acrescentar sequestro ao repertório de habilidades, Dorian passara horas discutindo contra tal estratégia. Embora alguns integrantes do conselho também tivessem expressado sua reprovação, a maioria parecia pensar que a tática do duque seria bem-sucedida. Mesmo assim, Dorian convencera-os a recuar até que seu pai retornasse. Isso lhe daria mais tempo para mudar a opinião de alguns dos apoiadores do duque.

Agora, diante de Nehemia, Dorian rapidamente desviou o olhar da princesa. Se ele fosse outra pessoa que não o príncipe herdeiro, avisaria a princesa de Eyllwe. Mas se Nehemia partisse antes do previsto, o duque saberia quem a havia informado e contaria ao rei. As coisas já estavam bastante ruins entre Dorian e o rei; o príncipe não precisava ser tachado de simpatizante dos rebeldes.

– Vai ao banquete esta noite? – perguntou Dorian à princesa, obrigando-se a olhar para ela e manter as feições do rosto naturais.

Nehemia olhou para Celaena.

– *Você* vai?

Celaena deu a ela um sorriso que só significava problemas.

– Infelizmente, tenho outros planos. Não é, Vossa Alteza? – A assassina não se incomodou em esconder a irritação subjacente.

Chaol tossiu, repentinamente muito interessado nas frutinhas e na sebe. Dorian estava por conta própria.

– Não me culpe – falou o príncipe, com suavidade. – Você aceitou o convite para aquela festa em Forte da Fenda há semanas. – Os olhos de Celaena pareceram confusos, mas Dorian não cederia. Não podia levá-la ao banquete, não com tantos assistindo. Haveria perguntas demais. Pessoas demais. Vigiá-la seria difícil.

Nehemia franziu a testa na direção de Celaena.

– Então você não vai?

– Não, mas tenho certeza de que você se divertirá bastante – respondeu Celaena, então passou a falar eyllwe e disse outra coisa. O eyllwe de Dorian era competente o bastante para compreender que a ideia geral do que ela dissera fora: "Sua Alteza com certeza sabe divertir as mulheres".

Nehemia gargalhou, e o rosto de Dorian ficou quente. As duas formavam um par incrível, pelos deuses.

– Bem, somos muito importantes e estamos muito ocupadas – disse Celaena a ele, e deu o braço à princesa. Talvez permitir que as duas fossem amigas fosse uma ideia horrorosa e perigosa. – Então, precisamos ir. Um bom dia para você, Vossa Alteza. – Celaena fez uma reverência, as gemas vermelhas e azuis em seu cinto reluziram sob o sol. Ela olhou por cima do ombro e fez uma careta para Dorian enquanto levava a princesa para o jardim.

Dorian encarou Chaol.

– Obrigado por sua ajuda?

O capitão deu tapinhas no ombro do príncipe.

– Acha que foi ruim? Deveria vê-las quando se empenham. – Com isso, o capitão seguiu as mulheres.

Dorian queria gritar, arrancar os cabelos. Gostara de ver Celaena naquela noite – gostara imensamente. Mas durante as últimas semanas, ficara

165

ocupado com reuniões do conselho e com a corte, e não pudera visitá-la. Não fosse pelo banquete, visitaria a assassina novamente. Não quisera irritá-la com o comentário sobre o vestido – embora fosse ultrapassado – nem soubera que ela ficaria *tão* chateada por não ter sido convidada para o evento, mas...

Dorian fez uma expressão de irritação e caminhou até os canis.

Celaena sorriu consigo mesma e passou um dos dedos por uma bainha perfeitamente costurada. Ela achava o vestido lindo. *Festivo, de fato!*

– Não, não, Vossa Alteza – dizia Chaol para Nehemia, devagar o bastante para que ela pudesse entender. – Não sou um soldado. Sou um guarda.

– Não há diferença – replicou a princesa, o sotaque pesado e um pouco difícil. Mesmo assim, Chaol entendeu o bastante para bufar, e Celaena mal conseguiu controlar a alegria.

Conseguiu ver Nehemia bastante nas últimas duas semanas – na maior parte, não somente para caminhadas rápidas e jantares, nos quais discutiam como tinha sido para Nehemia crescer em Eyllwe, o que ela achava de Forte da Fenda e quem na corte conseguira irritar a princesa naquele dia. O que, para a satisfação de Celaena, era feito, normalmente, por todos.

– Não sou treinado para lutar em batalhas – respondeu Chaol, com os dentes trincados.

– Você mata a mando de seu rei.

Seu rei. Nehemia podia não ser completamente versada na língua deles, mas era esperta o bastante para entender o poder de dizer aquelas duas palavras. "Seu rei", não o dela. Embora Celaena pudesse ouvir Nehemia reclamar do rei de Adarlan durante horas, estavam em um jardim – outras pessoas poderiam estar ouvindo. Um estremecimento passou pelo corpo de Celaena, e ela interrompeu antes que Nehemia pudesse dizer mais.

– Acho que é inútil discutir com ela, Chaol – falou Celaena, cutucando o capitão da guarda com o cotovelo. – Talvez não devesse ter dado seu título a Terrin. Pode pedi-lo de volta? Evitaria muita confusão.

– Como se lembra do nome de meu irmão?

Celaena deu de ombros, sem entender muito bem o brilho nos olhos dele.

– Você me disse. Por que não me lembraria? – Chaol estava bonito naquele dia. Era o modo como os cabelos tocavam a pele, nos espaços minúsculos entre as mechas, no modo como caía sobre as sobrancelhas dele.

– Acho que vai se divertir no banquete... sem minha presença lá, quero dizer – falou Celaena, chateada.

Ele riu com escárnio.

– Está chateada porque vai perdê-lo?

– Não – respondeu a assassina, e jogou os cabelos soltos sobre um dos ombros. – Mas... Bem, é uma festa, e todos amam festas.

– Devo levar-lhe uma lembrança da festividade?

– Somente se consistir em uma porção generosa de cordeiro assado.

O ar estava claro e limpo ao redor deles.

– O banquete não é tão animador assim – apaziguou Chaol. – É igual a qualquer jantar. Posso assegurar-lhe de que o cordeiro estará seco e duro.

– Como meu amigo, você deveria me levar ou me fazer companhia.

– Amigo? – perguntou ele.

Celaena corou.

– Bem, "acompanhante emburrado" é uma descrição melhor. Ou "colega relutante", se preferir. – Para a surpresa da jovem, ele sorriu.

A princesa agarrou a mão de Celaena.

– Você me ensinará! – disse ela, em eyllwe. – A falar melhor sua língua, e me ensinará a escrever e ler melhor do que faço agora. Assim não terei de sofrer com aqueles velhos terrivelmente chatos a quem chamam de tutores.

– Eu... – Celaena começou a falar na língua comum, então se encolheu. Ela se sentia culpada por deixar Nehemia de fora da conversa por tanto tempo, e se a princesa fosse fluente nas duas línguas, *seria* muito divertido. Mas convencer Chaol a deixá-la ver Nehemia era sempre uma chateação, pois o capitão insistia em estar junto para observar. Ele jamais concordaria em assistir a aulas. – Não sei como ensiná-la minha língua de maneira apropriada – mentiu Celaena.

– Besteira – falou Nehemia. – Você me ensinará. Depois... do que quer que você faça com *esse* aí. Durante uma hora, todos os dias antes do jantar.

Nehemia ergueu o queixo de modo que sugeria que recusar não era uma opção. Celaena engoliu em seco e fez o melhor que pôde para parecer agradável quando se virou para Chaol, que observava as duas com as sobrancelhas erguidas.

– Ela quer que eu a ensine todos os dias antes do jantar.

– Creio que não seja possível – respondeu o capitão. Celaena traduziu.

Nehemia lançou a Chaol seu olhar desencorajador, o qual costumava fazer as pessoas começarem a suar.

– Por que não? – Ela voltou a falar Eyllwe. – Lady Lillian é mais inteligente do que a maioria das pessoas neste castelo.

Chaol, ainda bem, entendeu a ideia geral.

– Não acho que..

– Não sou a princesa de Eyllwe? – interrompeu Nehemia na língua comum.

– Vossa Alteza – começou Chaol, mas Celaena o silenciou com um gesto da mão. Estavam se aproximando do relógio da torre, sombrio e ameaçador como sempre. Mas, ajoelhado diante do monumento, estava Cain. A cabeça dele estava inclinada e o competidor se concentrava em algo no chão.

Ao ouvir as passadas do grupo, a cabeça de Cain se ergueu. Ele abriu um sorriso largo e ficou de pé. Estava com as mãos cobertas de terra, mas antes que Celaena pudesse observá-lo melhor ou analisar o comportamento esquisito, o campeão assentiu para Chaol e saiu andando para trás da torre.

– Brutamontes nojento – disse Celaena, com um suspiro, ainda olhando na direção em que Cain desaparecera.

– Quem é ele? – perguntou Nehemia, em eyllwe.

– Um soldado do exército do rei – falou Celaena –, embora agora sirva ao duque Perrington.

Nehemia olhou para Cain, e seus olhos castanhos se semicerraram.

– Algo a respeito dele me faz querer acertar-lhe o rosto.

Celaena gargalhou.

– Que bom que não sou a única.

Chaol não disse nada quando começou a andar de novo. Celaena e Nehemia seguiram atrás do capitão, e, quando atravessaram o pequeno pátio no qual se erguia o relógio da torre, Celaena olhou para o lugar em que Cain estivera ajoelhado. Ele havia cavado a terra alojada nos sulcos da marca esquisita na pedra, tornando o símbolo mais visível.

– O que acha que é isto? – perguntou Celaena à princesa, e apontou para a marca na pedra. E por que Cain a estava limpando?

– A marca de Wyrd – respondeu a princesa, proferindo o nome na língua de Celaena.

As sobrancelhas da assassina se ergueram. Era apenas um triângulo dentro de um círculo.

– Consegue ler esses símbolos? – perguntou ela. – Marca de Wyrd... que estranho!

– Não – respondeu Nehemia, rapidamente. – São parte de uma religião antiga que morreu faz muito tempo.

– Que religião? – perguntou Celaena. – Olhe, tem outra. – Ela apontou para outra marca, a poucos metros de distância. Era uma linha vertical com uma seta invertida que se estendia para cima a partir do meio.

– Você deveria deixar isso de lado – disse Nehemia, bruscamente, e Celaena piscou. – Tais coisas foram esquecidas por um motivo.

– Do que vocês estão falando? – perguntou Chaol, e Celaena explicou a ideia geral da conversa. Quando terminou, o capitão comprimiu o lábio, mas não disse nada.

O grupo continuou, e Celaena viu outra marca. Era de uma forma estranha: um pequeno losango com duas pontas invertidas que se projetavam de lados opostos. Os vértices do topo e da base do losango pareciam ser simetricamente perfeitos. Será que o rei os havia mandado entalhar quando construiu a torre do relógio ou seriam de antes disso?

Nehemia olhava para a testa de Celaena, e a assassina perguntou:

– Tem sujeira no meu rosto?

– Não – respondeu Nehemia, um pouco distante, franzindo as sobrancelhas enquanto estudava as de Celaena. A princesa, de súbito, encarou os olhos de Celaena com uma ferocidade que fez a assassina se recolher levemente. – Você não sabe nada sobre as marcas de Wyrd?

O relógio da torre soou.

– Não – replicou Celaena. – Não sei nada sobre elas.

– Você está escondendo alguma coisa – falou a princesa, baixinho, em eyllwe, embora não em tom acusatório. – Você é muito mais do que parece, Lillian.

– Eu... bem, espero que seja mais do que uma dama da corte afetada – respondeu Celaena, com o máximo de coragem que conseguiu reunir. Ela abriu um sorriso largo, esperando que Nehemia parasse de encará-la de modo tão estranho e parasse de olhar para as sobrancelhas dela. – Pode me ensinar a falar eyllwe da maneira correta?

– Se você puder me ensinar mais da sua língua ridícula – falou a princesa, embora alguma cautela ainda pairasse nos olhos dela. O que Nehemia vira que a fizera agir daquela forma?

– Fechado – disse Celaena, com um sorriso fraco. – Apenas não conte a *ele*. O capitão Westfall me deixa sozinha no meio da tarde. A hora antes do jantar é perfeita.

– Então irei amanhã às cinco da tarde – replicou Nehemia. A princesa sorriu e começou a caminhar mais uma vez, um brilho surgindo em seus olhos castanhos. Celaena não teve escolha a não ser segui-la.

❦ 24 ❦

Celaena estava deitada na cama observando um facho de luz no chão. O luar enchia as fendas empoeiradas entre os azulejos de pedra e conferia a tudo um tom prata-azulado, o que a fazia se sentir como se estivesse congelada em um momento eterno.

Ela não temia a noite, embora achasse pouco reconfortantes as horas escuras. Era apenas o momento em que dormia, o momento em que perseguia e matava, o momento em que as estrelas emergiam com beleza reluzente e a faziam se sentir maravilhosamente pequena e insignificante.

Celaena franziu a testa. Era apenas meia-noite e, embora tivessem outra prova no dia seguinte, ela não conseguia dormir. Os olhos da assassina estavam pesados demais para ler, ela não tocava o piano por medo de outro encontro desconfortante e certamente não se divertiria imaginando como estava o banquete. Ainda vestia o vestido azul-esmeralda, tinha preguiça demais para se trocar.

A jovem percorreu com os olhos o facho de luz até onde ele sumia, sobre a parede coberta por uma tapeçaria. A tapeçaria era esquisita, velha e não fora preservada com cuidado. Imagens de animais silvestres entre árvores inclinadas pontuavam a grande extensão. Uma mulher – o único ser humano na tapeçaria – estava de pé perto do chão.

Era de tamanho real e surpreendentemente linda. Embora tivesse cabelos prateados, o rosto era jovem e o vestido branco esvoaçante parecia se mover ao luar; ele...

Celaena se sentou na cama. A tapeçaria estava oscilando levemente? A assassina olhou para a janela. Estava muito bem fechada. A tapeçaria flutuava fracamente para fora, não para o lado.

Seria possível?

A pele de Celaena se eriçou e ela acendeu uma vela antes de se aproximar da parede. A tapeçaria parou de se mover. A assassina estendeu a mão até a ponta do tecido e puxou-o para cima. Havia somente pedra. Mas...

Celaena empurrou para longe as dobras pesadas da obra de arte e as enfiou atrás de um baú para mantê-las afastadas. Uma fenda vertical se estendia até embaixo na parede, diferentemente do resto. E então outra, a menos de um metro da primeira. As reentrâncias emergiam a partir do chão e, logo acima da cabeça de Celaena, se encontravam em uma...

É uma porta!

Celaena pressionou o ombro no azulejo de pedra. Ele cedeu um pouco, e o coração dela acelerou. A jovem empurrou de novo, a vela tremeluzindo em sua mão. A porta rangeu ao se mover levemente. Resmungando, Celaena a empurrou e, finalmente, abriu.

Uma passagem escura se avultava diante dela.

Uma brisa soprava nas profundezas escuras, puxando as mechas do cabelo de Celaena para a frente do rosto. Ela sentiu um calafrio na espinha. Por que o vento entrava? Principalmente quando havia soprado a tapeçaria para fora?

Celaena olhou para trás, para a cama cheia de livros que a assassina não leria aquela noite. Ela respirou fundo e avançou para dentro da passagem.

A luz da vela revelou que era feita de pedra e que estava coberta por uma espessa camada de poeira. Celaena voltou para o quarto. Se iria explorar, precisaria de provisões. Era uma pena não ter uma espada ou uma adaga. Celaena apoiou a vela. Também precisaria de uma tocha – ou pelo menos algumas velas sobressalentes. Embora pudesse estar acostumada com a escuridão, não era tola o bastante para confiar nela.

Movendo-se pelo quarto, tremendo de agitação, Celaena reuniu dois novelos de lã da cesta de costura de Philippa, junto com três palitos de giz e uma das facas improvisadas. Ela enfiou três velas extras nos bolsos do manto, o qual havia amarrado com força ao redor do corpo.

Novamente, ficou diante da passagem escura. *Era* terrivelmente escura e parecia que a chamava. A brisa soprou na passagem mais uma vez.

Celaena empurrou uma cadeira contra a porta – não adiantaria de nada se ela se fechasse atrás da jovem e a deixasse trancada para sempre. A assassina amarrou um fio de lã nas costas da cadeira e deu cinco nós, então segurou o novelo na mão livre. Caso se perdesse, aquilo a levaria de volta. Celaena dobrou cuidadosamente a tapeçaria sobre a porta, para o caso de alguém aparecer.

Ao caminhar pela passagem, descobriu que era fria, mas seca. Teias de aranha pendiam de toda parte e não havia janelas, apenas uma escadaria muito longa que descia para muito além da luz da vela. Celaena ficou tensa quando desceu, esperando por um único som que a enviaria correndo de volta aos aposentos. Estava silenciosa – silenciosa e morta e completamente esquecida.

Celaena segurou a vela afastada, o manto se arrastando atrás dela, deixando uma trilha limpa nas escadas cobertas de poeira. Minutos se passaram e ela verificou as paredes em busca de entalhes ou marcas, mas não viu nada. Seria apenas uma passagem para criados esquecida? A assassina percebeu que estava um pouco desapontada.

A base das escadas surgiu logo, e Celaena parou diante de três portais igualmente escuros e imponentes. Onde estava? Tinha dificuldade de imaginar que tal espaço pudesse ser esquecido em um castelo tão cheio, mas...

O chão estava coberto de poeira. Nem mesmo um traço de pegada.

Porque sabia como a história sempre terminava, Celaena ergueu a vela até os arcos acima dos portais, em busca de qualquer escritura que dissesse respeito à morte certa que ela encontraria se entrasse em um dos portais específicos.

A assassina avaliou o novelo de lã na mão. Era pouco mais do que um montinho de lã no momento. Celaena apoiou a vela no chão e amarrou outro novelo à ponta da lã. Talvez devesse ter levado mais um. Bem, pelo menos ainda tinha o giz.

Celaena escolheu a porta do meio, somente porque estava mais próxima. Do outro lado, a escadaria continuava para baixo – na verdade, ia tanto para baixo que a jovem se perguntou se estava sob o castelo. A passagem ficou bastante úmida e bastante fria, e a vela que carregava tremeluzia sob a umidade.

Havia muitos arcos agora, mas Celaena optou por seguir em frente, na direção da umidade que crescia a cada centímetro. Água escorria pelas paredes, e as pedras ficaram escorregadias com qualquer que fosse o fungo que crescera ao longo dos séculos. Os sapatos de veludo vermelho pareciam lisos e finos contra a umidade da câmara. Ela teria considerado voltar se não fosse pelo som que aumentava.

Era água corrente – devagar. Na verdade, conforme caminhava, a passagem ficava mais clara. Não era luz de uma vela, mas a luz tênue e branca do lado de fora – da lua.

O novelo de lã acabou, e Celaena deixou-o no chão. Não havia mais curvas para marcar. Ela sabia o que era aquilo – ou melhor, não ousava esperar que fosse de fato o que acreditava ser. Celaena se apressou pelo caminho, escorregou duas vezes, o coração batia tão alto que ela achou que os ouvidos estourariam. Um arco surgiu, e além dele, além dele...

Celaena encarou o esgoto que corria, fluindo diretamente para fora do castelo. Tinha um cheiro desagradável, no mínimo.

Ela ficou de pé ao lado, examinando o portão aberto para um córrego amplo que, sem dúvida, desaguava no mar ou no Avery. Não havia vigias, nenhuma fechadura, exceto pela cerca de ferro que pairava acima da superfície da água, erguida o suficiente para permitir que o lixo passasse.

Quatro pequenos barcos estavam amarrados em cada margem, e havia diversas outras portas – algumas de madeira, algumas de ferro – que levavam àquela saída. Era provavelmente uma rota de escape para o rei, embora, de acordo com as condições semiapodrecidas de alguns dos barcos, Celaena se perguntou se ele sabia que ela existia.

A assassina caminhou até a cerca de ferro e passou a mão por um dos espaços. O ar da noite estava frio, mas não congelante. Árvores avultavam logo além do córrego: ela devia estar nos fundos do castelo – na lateral que dava para o mar...

Haveria algum vigia do lado de fora? Celaena encontrou uma pedra no chão – um pedaço do teto que havia caído – e a atirou na água além do portão. Nenhum ruído de armadura se mexendo, nenhum resmungo ou xingamento. Ela observou o outro lado. Havia uma alavanca que erguia o portão para os barcos. Celaena apoiou a vela no chão, removeu o manto e apoiou um dos pés no portão, então o outro.

Seria tão fácil erguer o portão. Ela se sentia inconsequente – inconsequente e selvagem. O que estava fazendo em um palácio? Por que ela – a Assassina de Adarlan! – estava participando de uma competição absurda para provar que era a melhor? Ela *era* a melhor!

Estavam sem dúvida bêbados agora, todos eles. Celaena poderia pegar um dos barcos menos antigos e desaparecer na noite. Ela começou a descer o portão. Precisava do manto. Ah, eram tolos se achavam que podiam *domá-la*!

O pé da assassina escorregou em uma fresta cheia de lodo, e Celaena mal conteve o grito quando se agarrou às barras de ferro, xingando ao bater com o joelho no portão. Agarrada à grade, ela fechou os olhos. Era apenas água.

Celaena se tranquilizou, permitiu que os pés encontrassem apoio novamente. A lua estava quase ofuscante, tão brilhante que mal se podia ver as estrelas.

Ela sabia que poderia escapar facilmente e que seria tolice fazer isso. O rei a encontraria, de alguma forma. E Chaol cairia em desgraça e seria deposto. E a princesa Nehemia ficaria sozinha na companhia de babacas e bem...

Celaena esticou as costas, o queixo se elevou. Ela não fugiria deles como se fosse uma criminosa comum. Ela os enfrentaria – enfrentaria o rei – e conquistaria a liberdade de um modo honroso. E por que não tirar vantagem da comida e do treinamento de graça por mais algum tempo? Sem falar que precisaria estocar provisões para a fuga, o que poderia levar semanas. Por que a pressa?

Celaena voltou para a margem de onde viera e pegou o manto. Ela venceria. E depois de vencer, se quisesse escapar da servidão ao rei... bem, agora tinha uma rota.

Mesmo assim, a assassina teve dificuldade para sair da câmara. Estava contente pelo silêncio da passagem conforme subia, as pernas queimavam por causa de tantos degraus. Era a coisa certa a fazer.

Celaena logo se viu diante dos outros dois portais. Que outras decepções encontraria neles? Havia perdido o interesse. Mas a brisa soprou de novo e tão forte na direção do arco mais à direita que Celaena deu um passo na direção dele. Os pelos em seu braço se arrepiaram quando a jovem viu a chama da vela se curvar para a frente, apontando para a escuridão que parecia mais forte do que em todo o resto. Sussurros se entremeavam à brisa, falando com ela em línguas esquecidas. Celaena estremeceu e decidiu ir na direção oposta – pegar o portal da esquerda. Seguir sussurros no dia de Samhuinn só poderia levar a problemas.

Apesar da brisa, a passagem era quente. A cada passo acima da escadaria ondulante, os sussurros desapareciam. Para cima, para cima e para cima, a respiração pesada e os passos ruidosos de Celaena eram os únicos sons. Não havia passagens curvas depois que a jovem chegou ao topo, mas um corredor reto que parecia se estender para sempre. Ela o seguiu, os pés já cansados. Depois de algum tempo, Celaena ficou surpresa ao ouvir música.

Na verdade, era o som de uma grande festa. Havia uma luz dourada à frente, que entrava por uma porta ou por uma janela.

Celaena virou em um canto e subiu um pequeno lance de degraus que levava a um corredor significativamente menor. Na verdade, o teto era tão baixo que Celaena precisou se curvar conforme seguia na direção da luz. Não era uma porta, nem uma janela, mas uma fenda de bronze.

Celaena piscou diante da luz quando olhou, de cima, para o banquete no salão principal.

Seriam aqueles túneis para espionagem? Ela franziu a testa com o que viu. Mais de cem pessoas comendo, cantando, dançando... Lá estava Chaol, sentado ao lado de um velho, conversando e...

Gargalhando?

A felicidade do capitão fez o rosto de Celaena corar, e ela apoiou a vela no chão. Olhou para a outra ponta do enorme salão; havia algumas outras fendas logo abaixo do teto, embora a assassina não conseguisse ver outros olhos semicerrados além do metal ornamentado. Celaena desviou o olhar para os dançarinos. Entre eles estavam alguns dos campeões, vestidos em roupas finas, mas não o suficiente para esconder a dança sofrível. Nox, que agora havia se tornado seu parceiro de luta e treino, dançava também, talvez de uma forma um pouco mais elegante do que os outros – embora Celaena, mesmo assim, sentisse pena das damas que dançavam com ele. Mas...

Os outros campeões tiveram permissão de comparecer? Celaena se agarrou à fenda e pressionou o rosto contra ela para ver melhor. Certamente, havia mais campeões sentados às mesas – até mesmo Pelor, de rosto espinhento, estava sentado ao lado de Chaol! Um assassino moleque de quinta categoria! Celaena exibiu os dentes. Como *ousavam* negar um convite para ela ir ao banquete? A pressão em seu peito se amenizou apenas um pouco quando não viu o rosto de Cain entre os festejadores. Pelo menos o haviam mantido trancado em uma gaiola também.

Celaena viu o príncipe herdeiro dançando e rindo com uma loira qualquer. Ela queria odiá-lo por ter-lhe negado o convite; era a campeã *dele*, afinal de contas! Mas... tinha dificuldade de deixar de encará-lo. Celaena não desejava conversar com Dorian, mas apenas olhar para ele, ver aquela graciosidade incomum e a gentileza nos olhos do príncipe que a fizera lhe contar sobre Sam. Embora pudesse ser um Havilliard, ele era... Bem, Celaena queria muito beijá-lo.

A assassina fez uma careta quando a dança terminou e o príncipe herdeiro beijou a mão da mulher loira. Celaena se afastou da fenda. Ali acabava o corredor. Ela olhou de volta para o banquete e viu Chaol se levantar da mesa e começar a abrir caminho para fora do salão principal. E se fosse aos aposentos dela e não a encontrasse? Não havia prometido levar algo do banquete para Celaena?

Resmungando ao pensar em todos os degraus que agora precisaria subir, Celaena pegou a vela e o novelo e correu na direção do conforto de tetos mais altos, enrolando o novelo conforme seguia. Para baixo e para baixo ela correu, descendo os degraus de dois em dois.

Celaena irrompeu pelos portais e disparou escadaria acima até o quarto, a pequena luz aumentando a cada salto. Chaol a jogaria nas masmorras se a encontrasse em alguma passagem secreta – principalmente se a passagem secreta levasse para fora do castelo!

Celaena estava suando quando chegou aos aposentos. Ela chutou a cadeira para longe, fechou a porta, puxou a tapeçaria sobre ela e se atirou na cama.

⌁

Depois de horas se divertindo no banquete, Dorian entrou nos aposentos de Celaena, sem saber o que, exatamente, estava fazendo no quarto de uma assassina às duas da manhã. A cabeça dele girava devido ao vinho, e estava tão cansado de tanto dançar que tinha quase certeza de que caso se sentasse, dormiria. Os aposentos da jovem estavam silenciosos e escuros, e Dorian entreabriu a porta do quarto dela para olhar do lado de dentro.

Embora estivesse dormindo na cama, Celaena ainda vestia aquele vestido esquisito. De alguma forma, parecia muito mais adequado agora que ela estava jogada sobre o cobertor vermelho. Os cabelos dourados de Celaena estavam espalhados ao redor da cabeça, e um borrão rosado lhe cobria as bochechas.

Um livro estava ao lado da assassina, aberto e ainda esperando que ela virasse a página. Dorian permaneceu à porta, temeroso de que Celaena acordasse caso ele desse mais um passo. Bela assassina. Nem mesmo se incomodara em se mexer. Mas não havia nada da assassina no rosto dela. Nenhum traço de agressividade ou sede por sangue nas feições.

O príncipe a conhecia de alguma forma. E sabia que ela não lhe faria mal. Fazia pouco sentido. Quando conversavam, por mais que as palavras de Celaena fossem afiadas, ele se sentia à vontade, como se pudesse dizer qualquer coisa. E ela deveria sentir o mesmo, depois de ter-lhe contado sobre Sam, quem quer que fosse. Então, ali estava Dorian, no meio da noite. Ela flertara com ele, mas fora real? O príncipe ouviu um passo e viu Chaol de pé do outro lado do saguão.

O capitão caminhou até Dorian e agarrou o príncipe pelo braço. Dorian sabia que não deveria lutar enquanto o amigo o arrastava pelo saguão, então os dois pararam diante da porta para o corredor.

– O que está fazendo aqui? – ciciou Chaol, baixinho.

– O que *você* está fazendo aqui? – replicou Dorian, tentando manter a voz baixa. Era a melhor pergunta, inclusive. Se Chaol passava tanto tempo avisando-o sobre os perigos de se aproximar de Celaena, o que ele estava fazendo ali no meio da noite?

– Por Wyrd, Dorian! Ela é uma *assassina*. Por favor, por favor, diga-me que não esteve aqui antes. – Dorian não conseguiu conter um risinho. – Nem mesmo quero uma explicação. Apenas saia, seu tolo inconsequente. Saia. – Chaol agarrou o príncipe pelo colarinho do casaco, e Dorian poderia ter socado o amigo se Chaol não fosse rápido como um raio. Antes que percebesse, o príncipe foi atirado, bruscamente, no corredor, e a porta se fechou e se trancou atrás dele.

Dorian, por algum motivo, não dormiu bem naquela noite.

Chaol Westfall respirou fundo. O que estava fazendo ali? Tinha algum direito de tratar o príncipe herdeiro de Adarlan daquela forma quando ele mesmo estava agindo contra a razão? Não entendia a raiva que havia surgido quando viu Dorian de pé à porta, não *queria* entender aquele tipo de raiva. Não era ciúme, mas algo além disso. Algo que transformava o amigo em outra pessoa, alguém que não conhecia. Chaol tinha quase certeza de que Celaena era virgem, mas será que Dorian sabia? Isso provavelmente o interessava ainda mais. O capitão suspirou e abriu a porta com cuidado, encolhendo-se quando ela rangeu alto.

Celaena ainda estava com as roupas e, embora estivesse linda, isso não fazia nada para mascarar o potencial mortífero que jazia por baixo. Estava presente no maxilar forte da jovem, na curva das sobrancelhas, na perfeita quietude da forma de Celaena. Ela era uma lâmina afiada feita pelo rei dos Assassinos para o próprio lucro. Era um animal adormecido – um felino da montanha ou um dragão – e as marcas de poder da jovem estavam por toda parte. Chaol balançou a cabeça e entrou no quarto.

Ao som das passadas dele, Celaena abriu um dos olhos.

– Não é de manhã – resmungou ela, e rolou para o lado.

– Trouxe um presente para você. – O capitão se sentia imensamente tolo e, por um momento, considerou sair correndo dos aposentos da jovem.

– Um presente? – repetiu Celaena, virando-se para ele e piscando.

– Não é nada; estavam distribuindo na festa. Apenas me dê sua mão. – Era uma mentira, em parte. Distribuíram as lembranças às mulheres da nobreza como brindes, e Chaol pegou uma da cesta quando foram distribuídas. A maioria das mulheres jamais as usaria, seriam jogadas fora ou dadas à criada preferida.

– Deixe-me ver. – Celaena estendeu um braço de forma preguiçosa.

Chaol vasculhou os bolsos e pegou o presente.

– Aqui. – Ele o colocou na palma da mão de Celaena.

Ela o examinou com um sorriso sonolento.

– Um anel. – Celaena o colocou no dedo. – Que lindo. – Era simples: feito de prata, o único ornamento consistia na ametista do tamanho de uma unha incrustada no centro da joia. A superfície da pedra era lisa e redonda, e reluzia para a assassina como um olho roxo. – Obrigada – disse ela, com as pálpebras se fechando.

– Você está de vestido, Celaena. – A vermelhidão nas bochechas de Chaol não queria sumir.

– Trocarei em um momento. – O capitão sabia que ela não trocaria. – Só preciso... descansar. – Então ela estava dormindo, uma das mãos sobre o seio, o anel acima do coração. Com um suspiro desconcertante, o capitão pegou um cobertor no sofá próximo e o jogou sobre a jovem. Ele ficou tentado a retirar o anel do dedo dela, mas... Bem, havia algo de pacífico a respeito da assassina. Esfregando o pescoço, o rosto ainda queimando, Chaol saiu dos aposentos de Celaena imaginando como, exatamente, explicaria aquilo a Dorian no dia seguinte.

⊰ 25 ⊱

Celaena sonhou. Ela estava caminhando pela longa passagem secreta de novo. Não tinha uma vela nem o novelo de lã para guiá-la. Tinha escolhido o portal à direita, pois os outros dois estavam úmidos e pouco acolhedores, e aquele parecia ser aconchegante e agradável. E o cheiro – não era o cheiro de orvalho, mas de rosas. A passagem serpenteava e girava, e Celaena se viu descendo um lance estreito de escadas. Por algum motivo que não conseguia discernir, evitava roçar contra as pedras. A escadaria girava para baixo, dando voltas e mais voltas, e a assassina seguia o cheiro de rosas sempre que outra porta surgia. Assim que se cansou de caminhar tanto, chegou à base de um lance de escadas e parou. Estava diante de uma antiga porta de madeira.

Uma aldrava de bronze com formato de caveira estava no centro da porta. Parecia estar sorrindo. Celaena esperou por aquela brisa horrível ou até que ouvisse alguém gritar ou que ficasse frio e úmido. Mas ainda estava acolhedor e ainda tinha um cheiro delicioso, então a assassina, com um pouco de coragem, abriu a maçaneta. Sem um ruído, a porta se abriu.

Celaena esperava encontrar um quarto escuro e esquecido, mas deu de cara com algo bem diferente. Um facho de luar irrompia por um pequeno buraco no teto e recaía sobre o rosto de uma linda estátua de mármore que jazia sobre uma placa de pedra. Não, não era uma estátua. Era um sarcófago. Era uma tumba.

Árvores invadiam o teto de pedra e se estendiam acima da figura feminina. Um segundo sarcófago fora colocado ao lado da mulher e retratava um homem. Por que o rosto da mulher estava banhado em luar e o do homem estava na escuridão?

Ele era bonito, com barba curta, semblante amplo e suave e nariz reto e determinado. O homem segurava uma espada de pedra entre as mãos, o punho da arma repousava sobre o peito dele. Celaena perdeu o fôlego. Havia uma coroa sobre a cabeça do homem.

A mulher também usava uma coroa. Não era algo brega e enorme, mas um vértice fino com uma gema azul incrustada no centro – a única joia na estátua. Os cabelos da mulher, longos e ondulados, cascateavam ao redor da cabeça e caíam na lateral da tampa do sarcófago de modo tão vívido que Celaena poderia ter jurado que era real. O luar se projetou sobre o rosto da figura, e a mão de Celaena tremeu quando a assassina a esticou e tocou a bochecha lisa e jovem.

Estava fria e dura, como uma estátua deve ser.

– Que rainha você foi? – falou Celaena, em voz alta, reverberando as palavras pela câmara silenciosa.

Ela passou uma das mãos sobre os lábios, então sobre as sobrancelhas. Os olhos de Celaena se semicerraram. Havia uma marca sutil gravada na superfície, praticamente invisível aos olhos. A jovem percorreu a marca com o dedo, uma e outra vez. Depois de notar que o luar deveria estar clareando o entalhe, Celaena sombreou o local com a mão. Um losango perfurado por duas flechas nas laterais e com uma linha vertical no meio...

Era a marca de Wyrd que vira mais cedo. Celaena recuou diante dos sarcófagos, sentindo frio de repente. Aquele era um lugar proibido.

A assassina tropeçou em alguma coisa e, enquanto cambaleava, reparou no chão. Ficou boquiaberta. Estava coberto de estrelas – entalhes protuberantes que espelhavam o céu noturno. E o teto retratava a terra. Por que estavam invertidos? Ela olhou para as paredes e levou uma das mãos ao coração.

Inúmeras marcas de Wyrd estavam desenhadas na superfície. Eram espirais e arabescos, linhas e quadrados. As marcas de Wyrd menores formavam outras, maiores, e as maiores formavam umas ainda maiores, até que parecesse que o cômodo inteiro significava algo que Celaena não poderia, de jeito algum, entender.

A jovem olhou para os caixões de pedra. Havia algo escrito aos pés da rainha. Celaena se inclinou na direção da figura feminina. Ali, em letras de pedra, podia ser lido:

Ah! Fenda do Tempo!

Fazia pouco sentido. Deviam ter sido governantes importantes e imensamente antigos, mas...

Celaena se aproximou da cabeça mais uma vez. Havia algo tranquilizador e familiar a respeito do rosto da rainha, algo que lembrava Celaena do cheiro de rosas. Mas ainda havia algo deslocado em relação a ela – algo esquisito.

A jovem quase gritou quando as viu: as orelhas pontiagudas e arqueadas. As orelhas do povo feérico, os imortais. Mas nenhum feérico se casara com um Havilliard em quase mil anos, e existira somente uma, e era de linhagem mista. Se aquilo fosse verdade, se ela fosse feérica, ou meio feérica, então ela era... era...

Celaena cambaleou afastando-se da mulher e se chocou contra a parede. Uma camada de poeira voou no ar ao redor da assassina.

Então aquele homem era Gavin, o primeiro rei de Adarlan. E aquela era Elena, a primeira princesa de Terrasen, filha de Brannon e mulher e rainha de Gavin.

O coração de Celaena batia tão violentamente que ela se sentiu enjoada. Mas não conseguia fazer os pés se moverem. Não deveria ter entrado na tumba, não deveria ter se aventurado nos lugares sagrados dos mortos se estava tão manchada e maculada por seus crimes. Algo a perseguiria, assombraria e torturaria por ter perturbado a paz deles.

Mas por que a tumba dos dois estava tão negligenciada? Por que ninguém fora honrar os mortos naquele dia? Por que não havia flores sobre a cabeça de Elena? Por que Elena Galathynius Havilliard estava esquecida?

Contra a parede mais afastada da câmara havia pilhas de joias e de armas. Uma espada era exibida com proeminência diante de uma armadura dourada. Celaena conhecia aquela espada. Ela se direcionou ao tesouro. Era a espada lendária de Gavin, a espada que empunhara nas guerras ferozes que quase haviam dividido o continente, a espada que derrotara o Senhor das Trevas, Erawan. Mesmo depois de mil anos, não estava enferrujada. Embora a magia pudesse ter desaparecido, parecia que o poder que forjara a lâmina ainda vivia.

183

– Damaris – sussurrou a jovem, pronunciando o nome da espada.

– Você conhece história – falou uma voz feminina e branda, e Celaena se sobressaltou, gritando ao tropeçar em uma lâmina e cair em um baú cheio de ouro. A voz gargalhou. Celaena tentou agarrar uma adaga, um candelabro, qualquer coisa. Mas então viu a dona da voz e congelou.

Era inacreditavelmente linda. Os cabelos prateados fluíam ao redor do rosto jovial como um rio de luar. Os olhos da mulher eram de um azul cristalino e reluzente, e a pele dela era branca como alabastro. E as orelhas, levemente pontiagudas.

– Quem é você? – perguntou a assassina aos sussurros, sabendo a resposta, mas querendo ouvi-la.

– Você sabe quem sou – respondeu Elena Havilliard.

A aparência da rainha fora perfeitamente reproduzida no sarcófago. Celaena não se moveu de onde havia caído, dentro do baú, apesar de a coluna e as pernas estarem latejando.

– Você é um fantasma?

– Não exatamente – replicou a rainha Elena, ajudando Celaena a se levantar do baú. A mão dela estava fria, mas era sólida. – Não estou viva, mas meu espírito não assombra este lugar. – A rainha olhou para o teto, e sua expressão ficou séria. – Arrisquei muito para vir aqui esta noite.

Celaena, apesar não querer, deu um passo para trás.

– Arriscou?

– Não posso ficar muito tempo, nem você – disse a rainha. Que tipo de sonho absurdo era aquele? – Estão distraídos agora, mas... – Elena Havilliard olhou para o sarcófago do marido.

A cabeça de Celaena doeu. Gavin Havilliard estaria distraindo alguma coisa lá em cima?

– Quem precisa ser distraído?

– Os oito guardiões; você sabe de quem falo.

Celaena encarou a rainha inexpressiva, mas então entendeu.

– As gárgulas no relógio da torre?

A rainha assentiu.

– Elas vigiam o portal entre nossos mundos. Conseguimos ganhar algum tempo, e eu pude fugir... – Elena segurou os braços de Celaena. Para a surpresa da assassina, doeu. – Você precisa ouvir o que eu disser. Nada é coincidência. Tudo tem um propósito. Você deveria vir para este castelo, assim como deveria ser uma assassina, aprender as habilidades necessárias para sobreviver.

O enjoo voltou. Celaena esperava que a rainha não falasse do que o coração da assassina se recusava a se lembrar, esperava que a rainha não mencionasse o que Celaena passara tanto tempo esquecendo.

– Algo maligno vive neste castelo, algo pernicioso o bastante para fazer com que as estrelas estremeçam. Essa malícia ecoa em todos os mundos – continuou a rainha. – Você deve impedi-la. Esqueça suas amizades, esqueça suas dívidas e juramentos. *Destrua* essa coisa antes que seja tarde demais, antes que um portal tão grande seja aberto que seja impossível desfazer. – A cabeça da rainha se virou, como se tivesse ouvido alguma coisa. – Ah, não há tempo – disse Elena, revirando os olhos. – Você *deve* vencer essa competição e se tornar a campeã do rei. Você entende as súplicas do povo. Erilea precisa de você como a campeã do rei.

– Mas o que...

A rainha levou a mão ao bolso.

– Não devem pegá-la aqui. Se pegarem... tudo estará perdido. Use isto. – Elena empurrou algo frio e metálico para as mãos de Celaena. – Ele a protegerá do perigo. – A rainha arrastou Celaena até a porta. – Você foi trazida para cá esta noite. Mas não por mim. Eu fui trazida para cá também. Alguém quer que você aprenda; alguém quer que você veja... – A cabeça de Elena virou para o lado quando um grunhido irrompeu no ar. – Eles estão vindo – sussurrou ela.

– Mas não entendo! Não sou... não sou quem você pensa que sou!

A rainha Elena apoiou as mãos sobre os ombros de Celaena e beijou-lhe a testa.

– Um coração corajoso é muito raro – disse ela, com uma tranquilidade repentina. – Deixe que ele a guie.

Um grunhido distinto estremeceu as paredes e tornou o sangue de Celaena gélido.

– Vá – disse a rainha, empurrando Celaena para o corredor. – *Corra*!

Sem precisar de mais encorajamento, a jovem subiu as escadas aos tropeços. Celaena seguiu tão rápido que mal tinha ideia de para onde ia. Ouviu-se um grito abaixo e grunhidos, e o estômago de Celaena subiu à garganta conforme a jovem se impulsionava para cima. A iluminação dos aposentos surgiu, e, conforme se aproximava, a assassina ouviu um grito fraco atrás de si, quase de percepção e raiva.

Celaena disparou para dentro do quarto e só viu a cama antes de tudo ficar escuro.

———

Os olhos de Celaena se abriram. Ela estava respirando – com dificuldade. E ainda usava o vestido. Mas estava segura – segura no quarto. Por que tinha uma tendência tão grande para sonhos estranhos e desagradáveis? E por que estava sem fôlego? *Encontre e destrua a coisa maligna que espreita o castelo de fato!*

Celaena se virou para o lado e teria caído no sono de novo com satisfação se não fosse pelo metal pressionando a palma de sua mão. *Por favor, que seja o anel de Chaol.*

Mas a assassina sabia que não era. Em sua mão havia um amuleto dourado do tamanho de uma moeda em uma corrente delicada. Celaena lutou contra a vontade de gritar. Feitos de camadas entrelaçadas de metal, dentro da borda redonda do amuleto estavam dois círculos sobrepostos, um sobre o outro. No espaço entre eles havia uma pequena gema azul que dava ao centro do amuleto a aparência de um olho. Uma linha cortava a coisa toda. Era lindo e esquisito e...

Celaena olhou para a tapeçaria. A porta estava entreaberta.

A jovem saltou da cama e se atirou contra a parede com tanta força que seu ombro fez um ruído feio de estalo. Apesar da dor, Celaena correu até a porta e fechou-a bem. A última coisa de que precisava era que o que quer que estivesse lá embaixo acabasse em seus aposentos. Ou que Elena aparecesse de novo.

Ofegante, Celaena deu um passo para trás e analisou a tapeçaria. A figura da mulher se erguia de detrás do baú de madeira. Com um sobressalto, percebeu que era Elena; a rainha estava de pé exatamente onde ficava a porta. Marcação inteligente.

Celaena colocou mais lenha na lareira e rapidamente vestiu a camisola, então foi para a cama, agarrada à faca improvisada. O amuleto estava onde o havia deixado. *Ele vai protegê-la...*

Celaena olhou mais uma vez para a porta. Nenhum grito, nenhum grunhido – nada que indicasse o que acabara de acontecer. Mesmo assim...

Celaena se xingou por isso, mas, apressadamente, colocou a corrente ao redor do pescoço. Era leve e acolhedora. Depois de puxar as cobertas até a altura do queixo, a jovem fechou os olhos bem apertados e esperou que o sono viesse ou que garras a puxassem para decapitá-la. Se não tinha sido um sonho – se tinha sido apenas uma alucinação...

Celaena agarrou o colar. Torne-se a campeã do rei – poderia fazer isso. Ela *faria* isso, de toda forma. Mas quais eram os motivos de Elena? Erilea precisava que o campeão do rei fosse alguém que entendia o sofrimento das massas. Isso parecia bastante simples. Mas por que *Elena* teve de lhe dizer isso? E como isso se encaixava com a primeira ordem: encontrar e destruir o mal que espreitava o castelo?

Celaena inspirou para se acalmar, aninhando-se mais nos travesseiros. Que tola era por abrir a porta secreta no Samhuinn! Será que tinha causado tudo aquilo a si mesma? Celaena abriu os olhos e observou a tapeçaria.

Algo maligno vive neste castelo... Destrua...

Não tinha muito com que se preocupar no momento? Cumpriria o segundo comando de Elena – mas o primeiro... isso poderia causar-lhe problemas. Não era como se pudesse sair investigando pelo castelo quando e onde quisesse também!

Mas, se houvesse ameaça do tipo, então não era apenas a vida de Celaena que estava em risco. E embora fosse mais feliz se alguma força maligna, por algum motivo, destruísse Cain, Perrington, o rei e Kaltain Rompier, se Nehemia ou mesmo Chaol e Dorian fossem, de alguma forma, feridos...

Celaena inspirou e estremeceu. O mínimo que podia fazer era investigar a tumba em busca de provas. Talvez descobrisse algo em relação ao propósito de Elena. E se isso não levasse a nada... bem, ao menos teria tentado.

A brisa fantasmagórica fluía para dentro do quarto com cheiro de rosas. Levou um bom tempo até que Celaena caísse em um sono perturbado.

❧ 26 ❧

As portas do quarto foram escancaradas, e Celaena se pôs de pé em um instante, com uma vela na mão.

Mas Chaol não reparou nela conforme entrou, com o maxilar contraído. A jovem murmurou e voltou para a cama.

– Você não dorme *nunca*? – resmungou ela, e puxou as cobertas. – Não iam celebrar até as primeiras horas da manhã?

O capitão colocou a mão na espada enquanto puxava as cobertas e arrastava Celaena da cama pelo cotovelo.

– Onde você estava ontem à noite?

A jovem afastou o medo que lhe fechou a garganta. De maneira alguma ele poderia saber sobre as passagens. Celaena sorriu para Chaol.

– Aqui, é claro. Você não me visitou e me deu isto? – Ela puxou o cotovelo da mão do capitão e agitou os dedos diante dele, exibindo o anel de ametista.

– Isso foi durante alguns minutos. E quanto ao restante da noite?

Celaena se recusou a recuar enquanto Chaol estudava seu rosto, então suas mãos e depois o restante dela. Enquanto o fazia, Celaena retribuía o favor. A túnica preta de Chaol estava desabotoada em cima e levemente amarrotada – e os cabelos curtos do capitão precisavam ser penteados. O que quer que aquilo fosse, ele estava com pressa.

– Por que a agitação? Não temos uma prova esta manhã? – Celaena limpava as unhas enquanto aguardava uma resposta.

– Foi cancelada. Um campeão foi encontrado morto esta manhã. Xavier, o ladrão de Melisande.

Celaena virou os olhos para Chaol, então de volta para as unhas.

– E imagino que você pense que *eu* fiz isso?

– Espero que não, pois o corpo estava semidevorado.

– Devorado! – A jovem enrugou o nariz. Celaena se sentou de pernas cruzadas na cama, apoiando-se sobre as mãos. – Que nojento. Talvez Cain o tenha feito; ele é selvagem o bastante para tal coisa.

O estômago de Celaena estava contraído. Outro campeão encontrado morto. Teria algo a ver com o mal que Elena mencionara? As mortes do Devorador de Olhos e dos outros dois campeões não tinham sido apenas infortúnios ou brigas de bêbados, conforme determinara a investigação. Não, aquilo era um padrão.

Chaol suspirou pelo nariz.

– Que bom que encontra humor no assassinato de um homem.

Ela se obrigou a sorrir para o capitão.

– Cain *é* o candidato mais provável. Você é de Anielle, deveria saber melhor do que ninguém como são os habitantes das montanhas Canino Branco.

Chaol passou uma das mãos pelos cabelos curtos.

– Você deveria tomar cuidado com quem acusa. Embora Cain seja um brutamontes, é o campeão do duque Perrington.

– E eu sou a campeã do príncipe herdeiro! – Celaena jogou os cabelos para trás de um dos ombros. – Acho que isso significa que posso acusar quem quiser.

– Apenas me diga, simplesmente: onde estava ontem à noite?

Celaena se endireitou e encarou os olhos castanho-dourados de Chaol.

– Conforme meus vigias podem atestar, eu fiquei *aqui* a noite inteira. Mas se o rei quiser me interrogar, posso dizer a ele que você também pode confirmar isso.

Chaol olhou para o anel, e Celaena escondeu o sorriso quando um leve rubor surgiu nas bochechas dele.

– Tenho certeza de que ficará ainda mais feliz ao saber que nós dois não teremos treino hoje.

A jovem sorriu diante disso e suspirou de forma dramática quando deslizou de volta para debaixo das cobertas e se aninhou nos travesseiros.

– Imensamente feliz. – Celaena puxou as cobertas até a altura do queixo e piscou os olhos para Chaol. – Agora saia. Vou comemorar dormindo por mais cinco horas. – Uma mentira, mas o capitão engoliu.

Ela fechou os olhos antes que pudesse ver o olhar intenso que Chaol lhe dirigiu, então sorriu consigo mesma quando o ouviu sair do quarto batendo os pés. Somente quando escutou o bater das portas Celaena se sentou.

O campeão fora *devorado*?

Na noite anterior, durante o sonho – não, não fora um sonho. Fora real. E havia aquelas criaturas guinchando... Será que Xavier fora morto por uma delas? Mas estavam na tumba; de maneira alguma poderiam estar nos corredores do castelo sem que alguém notasse. Algum verme devia ter chegado ao corpo antes que fosse encontrado. Um verme muito, muito faminto.

Celaena estremeceu de novo, então saltou de baixo das cobertas. Precisava de mais algumas armas improvisadas e de um modo de fortificar as trancas nas janelas e nas portas.

Mesmo enquanto preparava as defesas, Celaena ficava se assegurando de que não havia nada com que se preocupar. Mas com algumas horas de liberdade à frente, a assassina carregou consigo tantas armas quanto pôde quando trancou a porta do quarto e entrou na tumba.

Celaena caminhava ao longo da tumba e resmungava consigo mesma. *Nada* ali explicava os motivos de Elena. Ou qual poderia ser a fonte desse mal misterioso. Absolutamente nada.

Durante o dia, um raio de luz do sol brilhou na tumba, fazendo com que todas as partículas de poeira parecessem neve caindo. Como era possível haver luz tão longe sob o castelo? Celaena parou sob a fenda no teto e olhou para cima, para a luz que fluía por ela.

Certamente as laterais da abertura reluziam – eram cobertas de ouro polido. *Muito* ouro, se significava que podiam refletir os raios do sol até lá embaixo.

Celaena caminhou entre os dois sarcófagos. Embora tivesse levado três das armas improvisadas, não encontrara qualquer traço do que quer que estivesse grunhindo e guinchando na noite anterior. E nenhum traço de Elena também.

Celaena parou ao lado do sarcófago de Elena. A gema azul-esverdeada incrustada na coroa de pedra pulsava sob a luz fraca do sol.

– Qual foi seu propósito ao *me* dizer para fazer aquelas coisas? – ponderou a jovem, em voz alta, ecoando pelas paredes complexamente entalhadas. – Você está morta há mil anos. Por que ainda se incomoda com Erilea?

E por que não pedir que Dorian ou Chaol ou Nehemia ou *outra* pessoa fizesse isso?

Celaena passou um dos dedos sobre o nariz empinado da rainha.

– Eu achava que você teria coisas melhores para fazer com a pós-vida. – Embora tentasse sorrir, a voz de Celaena saiu mais baixa do que a jovem queria.

Ela deveria ir embora; mesmo com a porta do quarto trancada, alguém apareceria em busca de Celaena mais cedo ou mais tarde. E ela duvidava muito que alguém acreditasse se contasse que fora encarregada de uma missão *muito* importante pela primeira rainha de Adarlan. Na verdade, percebeu Celaena, e fez uma careta, teria sorte se não a acusassem de traição e de usar magia. Isso certamente lhe garantiria o retorno a Endovier.

Depois de uma varredura final na tumba, Celaena partiu. Não havia nada útil ali. Além disso, se Elena queria tanto que ela fosse a campeã do rei, então Celaena não deveria passar o tempo todo caçando qualquer que fosse aquele mal. Isso provavelmente *prejudicaria* suas chances de vencer, na verdade. Celaena se apressou escada acima, a tocha projetando sombras esquisitas nas paredes. Se aquele mal era tão ameaçador quanto Elena o fizera parecer, então como *ela* poderia derrotá-lo?

Não que a ideia de alguma coisa maligna habitando o castelo *amedrontasse* Celaena ou algo assim.

Não. Não era isso mesmo. Celaena bufou. Iria se concentrar em se tornar a campeã do rei. Então, se ganhasse, sairia em busca desse mal.

Talvez.

⚬⟆

Uma hora depois, ladeada por vigias, Celaena erguia o queixo conforme caminhavam na direção da biblioteca. Ela sorriu para os jovens cavalheiros conforme passavam – e deu risinhos de escárnio para as mulheres da corte que encaravam seu vestido rosa e branco. Não podia culpá-las; o vestido era espetacular. E a assassina ficava espetacular nele. Até mesmo Ress, um dos mais lindos vigias a postos do lado de fora dos aposentos dela, o dissera. Naturalmente, não fora muito difícil convencê-lo a escoltá-la até a biblioteca.

Celaena sorriu com presunção para si mesma quando assentiu para um homem que passava, o qual ergueu as sobrancelhas assim que a viu. Ele era imensamente pálido, reparou a jovem no momento em que o homem abriu a boca para dizer alguma coisa, mas Celaena continuou na direção do fim do corredor. Os passos dela se apressaram quando ouviu o burburinho de uma discussão de vozes masculinas ecoando pelas pedras conforme se aproximavam de uma curva.

Correndo um pouco mais, Celaena ignorou o estalar da língua de Ress quando ela virou a esquina. Conhecia muito bem aquele cheiro. A mistura de sangue e o fedor pungente de carne em decomposição.

Mas não esperava o que viu. "Semidevorado" era um modo agradável de descrever o que havia sobrado do corpo minguado de Xavier.

Um de seus acompanhantes xingou baixinho, e Ress se aproximou de Celaena, apoiando a mão levemente nas costas da jovem para encorajá-la a continuar. Nenhum dos homens reunidos olhou para Celaena conforme ela passou, margeando a cena e reparando melhor no corpo ao fazer isso.

O peito de Xavier fora aberto, e os órgãos vitais do ladrão tinham sido removidos. A não ser que alguém os tivesse retirado quando encontrou o corpo, não havia vestígios dos órgãos. E o rosto longo do competidor, com a carne dilacerada, ainda estava contorcido em um grito silencioso.

Aquilo não fora uma morte acidental. Havia um buraco na coroa da cabeça de Xavier, e Celaena viu que o cérebro dele também tinha desaparecido. As manchas de sangue na parede pareciam indicar que alguém escrevera e depois borrara para apagar. Mas mesmo naquele momento, algumas inscrições permaneciam, e Celaena tentou não ficar boquiaberta diante delas. Marcas de Wyrd. Três marcas de Wyrd formando um arco que deveria ter sido um círculo próximo ao corpo.

– Pelos deuses – murmurou um dos vigias, quando deixaram para trás a comoção na cena do crime.

Não era de surpreender que Chaol estivesse tão desorientado naquela manhã! Celaena endireitou as costas. Ele achou que *ela* havia feito aquilo?

Tolo. Se quisesse derrubar os competidores um por um, faria de modo rápido e limpo – uma garganta cortada, uma faca no coração, uma taça de vinho envenenada. Aquilo era simplesmente rudimentar. E estranho; as marcas de Wyrd tornavam o assassinato mais que brutal. Ritualístico, talvez.

Alguém se aproximou da direção oposta. Era Cova, o assassino cruel, encarando o cadáver a distância. Os olhos dele, escuros e quietos como um lago de floresta, encontraram os de Celaena. Ela ignorou os dentes podres do competidor quando indicou com o queixo os restos mortais de Xavier.

– Uma pena – disse Celaena, sem parecer nem um pouco sentida, deliberadamente.

Cova riu e enfiou os dedos retorcidos nos bolsos das calças velhas e sujas. O patrocinador dele não se incomodava em vesti-lo de modo apropriado? *Obviamente não, se o patrocinador era ruim e tolo o bastante para escolher Cova como campeão.*

– Que pena – disse Cova, e deu de ombros quando Celaena o ultrapassou.

Lacônica, ela acenou com a cabeça e, apesar de não querer, manteve a boca fechada conforme continuou pelo corredor. Havia apenas 16 deles agora – 16 campeões e quatro deveriam duelar. A competição estava ficando mais rápida. Celaena deveria agradecer a qualquer um que tivesse sido o deus sombrio que decidira acabar com a vida de Xavier. Mas por algum motivo, não conseguia.

Dorian girou a espada e resmungou quando Chaol defendeu o golpe facilmente e rebateu. Os músculos do príncipe doíam devido às semanas sem treino, e o fôlego dele se detinha na garganta conforme golpeava repetidas vezes.

– Isto é o resultado de um comportamento tão fútil. – Chaol gargalhou e desviou para o lado para que Dorian tropeçasse para a frente. Ele se lembrava da época em que as habilidades dos dois eram iguais, embora tivesse sido há muito tempo. Dorian, embora gostasse de lutar com espadas, passara a preferir os livros.

– Tive reuniões e coisas importantes para ler – disse o príncipe, ofegante. Ele investiu um golpe.

Chaol se defendeu, fez uma finta e então golpeou com tanta força que Dorian deu um passo para trás. O capitão se irritou.

– Reuniões que você usou como desculpa para discutir com o duque Perrington. – Dorian atacou com a espada em um gesto amplo, e Chaol defendeu. – Ou talvez estivesse ocupado demais visitando os aposentos de Sardothien no meio da noite. – Suor pingava da testa de Chaol. – Há quanto tempo *isso* vem acontecendo?

Dorian resmungou quando Chaol passou para uma posição ofensiva e recebeu os golpes, um após o outro, com as coxas doendo.

– Não é o que você pensa – disse ele, com os dentes trincados. – Não passo minhas noites com ela. Além da noite passada, só a visitei uma vez, e ela foi menos do que acolhedora, não se preocupe.

– Pelo menos um de vocês tem bom senso. – Chaol dava cada golpe com tal precisão que Dorian precisava admirar. – Porque você visivelmente perdeu a cabeça.

– E quanto a você? – Dorian exigiu saber. – Quer que eu comente sobre como *você* apareceu nos aposentos dela ontem à noite, na mesma noite em que outro campeão morreu? – Dorian fez uma finta, mas Chaol não caiu no ardil. Em vez disso, ele golpeou com força o bastante para que Dorian cambaleasse um passo atrás, lutando para manter-se de pé. Dorian fez uma careta diante da raiva que reluzia nos olhos de Chaol. – Está bem, foi um golpe baixo – admitiu o príncipe, e ergueu a espada para desviar de outro golpe. – Mas ainda quero uma resposta.

– Talvez eu não tenha uma. Como você disse, não é o que você pensa. – Os olhos castanhos de Chaol brilharam, mas antes que Dorian pudesse replicar, o amigo mudou de assunto bruscamente. – Como está a corte? – perguntou o capitão, respirando com dificuldades. Dorian se encolheu. Era por isso que estava ali. Se passasse mais um minuto sentado na corte da mãe, perderia a cabeça. – Tão terrível assim?

– Cale-se – grunhiu Dorian, e bateu a espada contra a de Chaol.

– Deve ser excepcionalmente ruim ser você hoje. Aposto que todas as damas estavam implorando para que as protegesse do assassino sob nosso teto. – Chaol deu um sorriso discreto. Arranjar tempo para lutar com o príncipe enquanto havia um cadáver fresco no castelo era um sacrifício de Chaol que surpreendeu Dorian; o príncipe sabia quanto o cargo significava para o amigo.

Dorian parou de repente e se endireitou. Chaol deveria estar fazendo coisas mais importantes naquele momento.

– Basta – falou o príncipe, embainhando o florete. Sem hesitar, Chaol fez o mesmo.

Os dois saíram da sala de luta em silêncio.

– Alguma notícia de seu pai? – perguntou Chaol, com um tom de voz que indicava que sabia que algo estava errado. – Imagino para onde foi.

Dorian emitiu um suspiro longo, acalmando o fôlego.

– Não. Não faço a mínima ideia. Lembro-me de quando éramos crianças e ele ia embora desse jeito, mas isso não acontece há alguns anos. Aposto que está fazendo algo particularmente ruim.

– Cuidado com o que diz, Dorian.

– Ou o quê? Vai me atirar às masmorras? – O príncipe não quis ser grosseiro, mas mal conseguira dormir na noite anterior, e o campeão ter acabado morto não ajudava a melhorar seu humor. Quando Chaol não se incomodou em retrucar, Dorian perguntou: – Acha que alguém quer matar todos os campeões?

– Talvez. Entendo querer encerrar a competição, mas fazer de um modo tão pernicioso... Espero que não seja um padrão.

O sangue de Dorian ficou gelado.

– Acha que tentarão matar Celaena?

– Coloquei mais vigias nos aposentos dela.

– Para protegê-la ou para mantê-la do lado de dentro?

Os dois pararam na interseção entre os corredores, onde seguiriam caminhos distintos para seus aposentos.

– Que diferença faz? – perguntou Chaol, baixinho. – Você não parece se importar de um modo ou de outro. Você a visita não importa o que eu diga, e os vigias não o impedem porque é o príncipe.

Havia um tom de derrota e amargura sob as palavras do capitão, e Dorian, por um segundo, se sentiu mal. Ele *deveria* ficar longe de Celaena – Chaol tinha muito com que se preocupar. Mas então pensou na lista que a mãe tinha feito e percebeu que também tinha várias preocupações.

– Preciso inspecionar o corpo de Xavier de novo. Verei você no salão para jantar esta noite. – Foi tudo o que Chaol disse antes de seguir para os próprios aposentos.

Dorian o observou partir. O caminho de volta à torre pareceu surpreendentemente longo. O príncipe abriu a porta de madeira que dava para seus aposentos, tirou as roupas e se dirigiu à sala de banho. Tinha a torre inteira para si, embora os aposentos ocupassem apenas o andar superior. Forneciam um refúgio para qualquer um, mas naquele dia, pareciam apenas vazios.

⊰ 27 ⊱

No fim daquela tarde, Celaena encarava o relógio ébano da torre. Ele ficava cada vez mais escuro, como se, de alguma forma, absorvesse os raios agonizantes do sol. Sobre o relógio, as gárgulas permaneciam estáticas. Não tinham se movido. Nem mesmo um dedo. Os Guardiões, fora como Elena as chamara. Mas Guardiões de quê? Assustaram Elena o suficiente para mantê-la afastada. Certamente, se fossem o mal que Elena mencionara, a rainha simplesmente teria dito de vez. Não que Celaena considerasse procurar por ele no momento – não se isso pudesse causar-lhe problemas. Ou de alguma forma acabar por matá-la antes que sequer conseguisse se tornar campeã do rei.

Mesmo assim, por que Elena tivera de ser tão evasiva com relação a tudo?

– Qual é sua obsessão com essas coisas feias? – perguntou Nehemia, ao lado de Celaena.

A assassina se virou para a princesa.

– Acha que se movem?

– São feitas de pedra, Lillian – disse a princesa na língua comum, o sotaque de Eyllwe um pouco menos pesado.

– Ah! – exclamou Celaena, sorrindo. – Isso foi muito bom! Uma lição e você já está me envergonhando! – Infelizmente, não se podia dizer o mesmo sobre o eyllwe de Celaena.

Nehemia sorriu.

– Elas parecem malignas – disse a princesa, em eyllwe.

– E creio que as marcas de Wyrd não ajudem – disse Celaena. Havia uma marca de Wyrd aos pés da assassina, e ela olhou para as demais. Havia 12 no total, formando um grande círculo ao redor da torre solitária. Celaena não fazia a menor ideia do que aquilo significava. Nenhuma das marcas combinava com as três que vira no local do assassinato de Xavier, mas tinha de haver alguma conexão. – Então, pode mesmo ler essas marcas? – perguntou Celaena à amiga.

– Não – respondeu Nehemia, de forma rude, e se direcionou para as sebes que margeavam o pátio. – E você não deveria tentar descobrir o que dizem – acrescentou a princesa, sobre o ombro. – Nada de bom virá disso.

Celaena fechou mais o manto sobre o corpo conforme seguiu a princesa. A neve começaria a cair em alguns dias, aproximando todos do Yule e do duelo final, dali a dois meses. A assassina aproveitou o calor do manto, lembrando-se muito bem do inverno que passara em Endovier. O inverno era implacável quando se vivia às sombras das montanhas Ruhnn. Era um milagre que Celaena não tivesse sofrido ulcerações. Se voltasse, mais um inverno poderia matá-la.

– Você parece preocupada – falou Nehemia, quando Celaena chegou ao seu lado, e apoiou a mão no braço da amiga.

– Estou bem – respondeu Celaena em eyllwe, sorrindo para tranquilizar a princesa. – Não gosto do inverno.

– Jamais vi neve – disse Nehemia, olhando para o céu. – Imagino quanto tempo a graça da novidade durará.

– Espero que o suficiente para que você não se incomode com a brisa nos corredores, as manhãs geladas e os dias sem luz do sol.

Nehemia gargalhou.

– Você deveria ir para Eyllwe comigo quando eu voltar, e certifique-se de ficar o bastante para vivenciar um dos nossos verões escaldantes. *Então* vai apreciar as manhãs geladas e os dias sem sol.

Celaena já havia passado um verão escaldante no calor do deserto Vermelho, mas contar isso a Nehemia apenas atrairia perguntas difíceis. Em vez disso, ela falou:

– Eu gostaria muito de conhecer Eyllwe.

O olhar de Nehemia se deteve sobre a expressão de Celaena durante um momento antes de a princesa sorrir.

– Então será feito.

Os olhos de Celaena se alegraram, e a jovem virou a cabeça para trás para que pudesse ver o castelo que se assomava sobre as duas.

– Me pergunto se Chaol se entendeu na sujeira daquele assassinato.

– Meus guarda-costas me disseram que o homem foi... morto de maneira muito violenta.

– Para dizer o mínimo – murmurou Celaena, observando as cores que se alteravam ao sol poente e tornavam o castelo dourado e vermelho e azul. Apesar da natureza ostentadora do castelo de vidro, a assassina precisava admitir que ele *ficava* muito bonito de vez em quando.

– Você viu o corpo? Não permitiram que meus guardas se aproximassem o suficiente.

Celaena assentiu devagar.

– Tenho certeza de que não quer saber os detalhes.

– Arrisque – insistiu Nehemia, com um sorriso contido.

Celaena ergueu uma das sobrancelhas.

– Bem... o sangue tinha sido esfregado por toda parte. Nas paredes, no chão.

– Esfregado? – disse Nehemia, abaixando a voz até virar um sussurro. – Não respingado?

– Foi o que pareceu. Como se alguém o tivesse esfregado ali. Havia algumas daquelas marcas de Wyrd pintadas, mas a maioria tinha sido apagada. – Celaena balançou a cabeça diante da imagem que se formou em sua mente. – E o corpo do homem estava sem os órgãos vitais, como se alguém o tivesse aberto do pescoço até o umbigo e... desculpe-me, você parece que vai vomitar. Não deveria ter dito nada.

– Não. Continue. O que mais estava faltando?

Celaena parou por um momento, então disse:

– O cérebro dele. Alguém fez um buraco no topo da cabeça do homem e o cérebro dele havia sumido. E a pele do rosto tinha sido rasgada.

Nehemia assentiu, encarando um arbusto sem folhas diante das duas. A princesa mordeu o lábio inferior, e Celaena reparou que os dedos dela se dobravam e se abriam na lateral do vestido longo e branco. Uma brisa fria passou, fazendo com que as diversas tranças finas de Nehemia oscilassem. O ouro trançado nos cabelos dela tilintou baixinho.

– Desculpe-me – disse Celaena. – Eu não deveria...

Uma passada ecoou atrás delas, e antes que Celaena conseguisse se virar, uma voz masculina falou:

– Olhe para isto.

A assassina enrijeceu quando Cain se aproximou, meio escondido à sombra da torre do relógio atrás deles. Verin, o ladrão tagarela de cabelos cacheados, estava ao lado do campeão.

– O que você quer? – perguntou ela.

O rosto de Cain se contorceu em uma expressão de escárnio. De alguma forma, o homem tinha ficado maior... ou talvez os olhos de Celaena estivessem pregando peças na jovem.

– Fingir ser uma dama não a torna uma – disse ele.

Celaena lançou um olhar para Nehemia, mas os olhos da princesa permaneciam em Cain, semicerrados, enquanto os lábios dela estavam, estranhamente, inexpressivos.

Cain não havia terminado, e a atenção dele se voltou para Nehemia. Os lábios do competidor se retraíram, e ele exibiu dentes brancos reluzentes.

– Assim como usar uma coroa não torna você uma princesa de verdade, não mais.

Celaena se aproximou do homem.

– Cale essa sua boca idiota ou vou socar seus dentes até sua garganta e calá-la para você.

Cain emitiu uma gargalhada pungente, logo imitado por Verin. O ladrão caminhou até as costas das duas, e Celaena enrijeceu, imaginando se, de fato, começariam uma briga ali.

– A cachorrinha do príncipe late bastante – falou Cain. – Mas será que tem presas?

Celaena sentiu a mão de Nehemia sobre seu ombro, mas a afastou quando deu outro passo na direção de Cain, aproximando-se o bastante para que o hálito dele chegasse ao seu rosto. Dentro do castelo, os guardas permaneciam caminhando, conversando entre si.

– Você vai descobrir quando minhas presas estiverem enterradas em seu pescoço – replicou a assassina.

– Por que não agora? – sussurrou Cain. – Vamos lá, bata em mim. Bata em mim com toda essa raiva que sente toda vez que se obriga a errar a mira do alvo ou quando diminui o próprio ritmo para evitar escalar as muralhas tão rápido quanto eu. Bata em mim, *Lillian* – sussurrou Cain de modo que somente Celaena pudesse ouvir –, e vamos ver o que aquele ano em Endovier ensinou a você de verdade.

O coração de Celaena ficou acelerado. Ele sabia. Ele sabia quem ela era e o que estava fazendo. Celaena não ousou olhar para Nehemia e esperou apenas que a compreensão da princesa da língua comum ainda fosse fraca o bastante para que ela não tivesse entendido. Verin ainda observava atrás das duas.

– Acha que é a única cujo patrocinador está disposto a fazer qualquer coisa? Acha que seu príncipe e seu capitão são os únicos que sabem quem você é?

Celaena fechou a mão em punho. Dois golpes e ele estaria no chão, lutando para respirar. Outro golpe depois disso e Verin estaria ao lado de Cain.

– Lillian – falou Nehemia, na língua comum, e pegou a mão da amiga. – Temos afazeres. Vamos.

– Isso mesmo – disse Cain. – Siga-a como o cachorrinho que é.

A mão de Celaena tremeu. Se batesse nele... Se batesse nele, se entrasse em uma briga bem ali, os guardas teriam de separá-los e Chaol talvez não a deixasse ver Nehemia de novo, que dirá sair dos aposentos após as lições ou mesmo ficar até mais tarde para praticar com Nox. Então, Celaena sorriu e gesticulou com os ombros ao dizer, alegremente:

– Vá se danar, Cain.

Cain e Verin gargalharam, mas Celaena e Nehemia foram embora, a princesa segurando a mão da assassina com força. Não era por medo ou raiva, mas apenas para indicar que compreendia... que estava ali. Celaena apertou de volta a mão de Nehemia. Fazia tempo desde que alguém cuidara dela, e Celaena teve a sensação de que poderia se acostumar com aquilo.

Chaol estava de pé com Dorian às sombras, sobre o mezanino, olhando para baixo, para a assassina, enquanto ela socava o boneco no centro do térreo. Celaena enviara uma mensagem ao capitão avisando que treinaria por algumas horas antes do jantar, e Chaol convidara Dorian para assistir com ele. Talvez o príncipe visse *por que* ela era uma ameaça tão grande para ele. Para todos.

Celaena grunhia, golpe após golpe, esquerda-direita-esquerda-esquerda-direita. Incessantemente, como se tivesse algo queimando dentro de si que não conseguia expurgar.

– Ela parece mais forte do que antes – falou o príncipe, baixinho. – Você fez um excelente trabalho ao deixá-la em forma novamente. – Celaena socava e chutava o boneco, desviando de golpes invisíveis. Os vigias à porta apenas observavam, os rostos impassíveis. – Acha que ela tem chance contra Cain?

Celaena girou a perna no ar e a acertou na cabeça do boneco. O objeto oscilou para trás. O golpe teria apagado um homem.

– Acho que, se não ficar agitada demais e mantiver a cabeça fria quando duelarem, pode ter. Mas ela é... selvagem. E imprevisível. Precisa aprender a controlar seus sentimentos, principalmente essa raiva impossível.

Era verdade. Chaol não sabia se era por causa de Endovier ou simplesmente por que era uma assassina; qualquer que fosse a causa daquela raiva implacável, Celaena jamais poderia se soltar por completo.

– Quem é aquele? – perguntou bruscamente Dorian quando Nox entrou no salão e caminhou até Celaena. Ela pausou, esfregou os nós dos dedos, envoltos em bandagens, e limpou o suor dos olhos quando acenou para ele.

– Nox – respondeu Chaol. – Um ladrão de Perranth. O campeão do ministro Joval.

Nox disse algo para Celaena que a fez dar risadinhas. O ladrão também gargalhou.

– Ela fez outro amigo? – disse Dorian, e ergueu as sobrancelhas quando Celaena demonstrou um movimento a Nox. – Ela o está ajudando?

– Todos os dias. Eles costumam ficar depois que as lições com os demais terminam.

– E você permite isso?

Chaol escondeu a irritação diante do tom de voz de Dorian.

– Se quiser que eu acabe com isso, acabo.

Dorian observou por mais um momento.

– Não. Deixe que ela treine com ele. Os outros campeões são brutamontes e Celaena precisa de um aliado.

– Isso é verdade.

Dorian se afastou do balcão e caminhou até a escuridão do corredor além do mezanino. Chaol observou o príncipe desaparecer, a capa vermelha oscilando atrás dele, e suspirou. O capitão reconhecia ciúmes quando via, e embora Dorian fosse esperto, era tão ruim quanto Celaena em esconder emoções. Talvez levar o príncipe até ali tivesse tido o efeito oposto ao que Chaol pretendia.

Com os pés pesados, o capitão seguiu o príncipe, esperando que Dorian não estivesse prestes a arrastar todos para sérios problemas.

Alguns dias depois, Celaena folheava as páginas amareladas e quebradiças de um volume pesado, revirando-se no assento. Assim como os inúmeros outros livros que tentara, era apenas páginas após páginas de insensatez rabiscada. Mas valia a pena pesquisar se havia marcas de Wyrd na cena do crime de Xavier e na torre do relógio. Quanto mais soubesse a respeito do que aquele assassino queria – *por que* e *como* estava matando – melhor. *Essa* era a real ameaça com que lidar, não algum mal misterioso e inexplicável que Elena mencionara. É claro que havia pouco ou quase nada a ser encontrado. Os olhos da jovem doíam, e Celaena ergueu o rosto do livro e suspirou. A biblioteca estava pouco iluminada e, se não fosse pelo som de Chaol virando as páginas, estaria totalmente silenciosa.

– Terminou? – perguntou o capitão, e fechou o romance que lia.

Celaena não contara a Chaol que Cain revelara que sabia quem ela realmente era ou que havia uma possível conexão do assassinato com as marcas de Wyrd; ainda não. Dentro da biblioteca, ela não precisava pensar em competições e em brutamontes. Ali, podia aproveitar o silêncio e a quietude.

– Não – resmungou Celaena, tamborilando os dedos sobre a mesa.

– É *assim* que você passa o tempo? – O indício de um sorriso surgiu nos lábios do capitão. – Tomara que ninguém mais descubra, arruinaria sua reputação. Nox a deixaria por Cain. – Chaol riu consigo mesmo e abriu o livro novamente, recostando-se na cadeira. Celaena encarou-o por um momento, imaginando se o capitão pararia de rir dela se soubesse o que estava pesquisando. E como isso poderia ajudá-lo também.

A assassina se ajeitou na cadeira, esfregou um machucado feio na perna. Era resultado, claro, de um golpe intencional do bastão de madeira de Chaol. Celaena o encarou, mas o capitão continuou lendo.

203

Ele era impiedoso durante as lições. Obrigava-a a fazer todo tipo de atividade: caminhar sobre as mãos, fazer malabarismo com facas... não era nada novo, mas era desagradável. De alguma forma, no entanto, o comportamento de Chaol melhorara. Ele *parecia* mesmo um pouco arrependido de ter batido com tanta força na perna dela. Até que ele não era tão ruim.

A assassina fechou o livro bruscamente, fazendo voar poeira pelo ar. Era inútil.

– O que foi? – perguntou Chaol, endireitando-se.

– Nada – resmungou ela.

O que *eram* marcas de Wyrd e de onde vinham? E, mais importante, por que Celaena jamais ouvira falar delas antes? Também estavam por toda parte na tumba de Elena. Uma religião antiga de um tempo esquecido... o que estavam fazendo *ali*? E na cena do crime! Tinha de haver uma conexão.

Até então, Celaena não aprendera muito: de acordo com um dos livros, marcas de Wyrd eram um alfabeto. No entanto, segundo o livro que lia, não existia gramática para reger as marcas: tudo era feito apenas de símbolos que precisavam ser unidos. E mudavam de significado de acordo com os detalhes no entorno. Eram arduamente difíceis de desenhar; requeriam extensões e ângulos precisos ou se tornavam uma coisa totalmente diferente.

– Pare de ficar irritada e chateada – brigou Chaol. Ele olhou para o título do livro. Nenhum dos dois mencionara o assassinato de Xavier, e Celaena não conseguiu mais informações sobre o assunto. – Lembre-me do que está lendo.

– Nada – respondeu a jovem de novo, e cobriu o livro com os braços. Mas as sobrancelhas do capitão se franziram mais e Celaena suspirou. – É só... só sobre marcas de Wyrd, aqueles relógios solares perto da torre do relógio. Eu estava interessada, então comecei a aprender sobre elas. – Uma meia verdade, pelo menos.

Celaena esperou pelo escárnio e pelo sarcasmo, mas não vieram. Chaol simplesmente falou:

– E? Por que a frustração?

Ela olhou para o teto e fez um biquinho.

– Só consegui encontrar... umas teorias radicais e exageradas. Jamais soube da existência de *nada* disso! *Por quê*? Alguns livros dizem que Wyrd é a força que une e governa Erilea... e não apenas Erilea! Diversos outros mundos também.

– Já ouvi falar – falou Chaol, e pegou o próprio livro, mas os olhos do capitão permaneceram fixos no rosto de Celaena. – Sempre achei que Wyrd fosse um termo antigo para sina ou destino.

– Eu também. Mas Wyrd não é uma religião, pelo menos não nas partes do norte do continente, e não está incluído na adoração à Deusa ou aos deuses.

Chaol apoiou o livro no colo.

– Existe um motivo para isso, além de sua obsessão com aquelas marcas no jardim? Está *tão* entediada assim?

Estou mais é preocupada com minha segurança!

– Não. Sim. É interessante: algumas teorias sugerem que a Deusa Mãe é apenas um espírito de um desses outros mundos e que ela fugiu por meio de algo chamado de portal de Wyrd e encontrou Erilea, que precisava de forma e de vida.

– Isso parece um sacrilégio – avisou Chaol.

Ele era velho o bastante para se lembrar com mais vivacidade das fogueiras e das execuções de dez anos antes. Como teria sido crescer à sombra de um rei que comandara tanta destruição? Ter vivido ali quando famílias reais foram massacradas, quando videntes e praticantes de magia foram queimados vivos e o mundo caiu em escuridão e tristeza?

Mas a assassina continuou, pois precisava descarregar o conteúdo da mente, caso todas as peças, por algum motivo, se encaixassem depois de dizê-las em voz alta.

– Existe uma teoria que diz que antes de a Deusa chegar, *havia* vida, uma civilização antiga, mas, de alguma forma, desapareceu. Talvez por aquele portal de Wyrd. As ruínas existem, ruínas antigas demais para serem feéricas. – Como isso se ligava aos assassinatos dos campeões estava além da compreensão de Celaena. Ela definitivamente avançava às escuras.

Chaol colocou os pés no chão e apoiou o livro na mesa.

– Posso ser sincero com você? – O capitão se aproximou, e Celaena se inclinou para se aproximar conforme ele sussurrava: – Você parece uma lunática.

A assassina fez um ruído de nojo e se recostou de novo, bufando.

– Desculpe-me se tenho *algum* interesse na história de nosso mundo!

– Conforme disse, parecem teorias radicais e exageradas. – Chaol começou a ler de novo e falou, sem olhar para Celaena: – De novo, por que a frustração?

Ela esfregou os olhos.

– Porque... – respondeu Celaena, quase choramingando. – Porque quero apenas uma resposta direta para o *que* são marcas de Wyrd e por que estão no jardim *daqui*, entre tantos lugares. – A magia fora expulsa sob ordens do rei; então por que algo como as marcas de Wyrd tivera permissão para continuar? O fato de terem surgido na cena do crime significava algo.

– Você deveria encontrar outro modo de ocupar seu tempo – disse ele, e voltou ao livro. Em geral, vigias costumavam observá-la na biblioteca durante horas, dia após dia. O que ele estava fazendo ali? Celaena sorriu, seu coração acelerou, e ela olhou para os livros na mesa.

Mais uma vez, a assassina revisou as informações que conseguira. Também havia a noção dos portais de Wyrd, a qual aparecia diversas vezes quando se mencionavam a marcas de Wyrd, mas a assassina jamais ouvira falar deles. Quando se deparou pela primeira vez com a teoria dos portais, dias antes, parecera interessante, e Celaena pesquisara, aprofundara-se em pilhas de pergaminhos e somente encontrara teses mais confusas.

Os portais eram coisas reais e invisíveis. Os humanos não podiam vê-los, mas tais passagens podiam ser conjuradas e acessadas por meio das marcas de Wyrd. Abriam-se para outros domínios, alguns bons, outros ruins. As coisas podiam passar do outro lado e se esgueirar para Erilea. Era devido a isso que muitas das criaturas estranhas e sinistras de Erilea existiam.

Celaena pegou outro livro e sorriu. Era como se alguém tivesse lido sua mente. Era um volume grande e preto intitulado *Os mortos andam*, com letras prateadas desbotadas. Ainda bem que o capitão não viu o título antes que a jovem abrisse. Mas...

Celaena não se lembrava de ter escolhido aquele das prateleiras. O livro fedia, quase como terra, e o nariz de Celaena se enrugou conforme ela virou as páginas. A jovem buscou algum sinal das marcas de Wyrd ou qualquer menção aos portais de Wyrd, mas logo descobriu algo muito mais interessante.

A ilustração de um rosto retorcido e em putrefação sorria para ela, a carne caía dos ossos. O ar esfriou, e Celaena esfregou os braços. Onde havia encontrado aquilo? Como aquele livro escapara das fogueiras? Como *qualquer um* daqueles livros havia escapado das fogueiras do expurgo dez anos antes?

Celaena estremeceu de novo, quase encolhendo-se. Os olhos vazios e selvagens do monstro estavam cheios de malícia. Parecia que ele olhava para ela. A assassina fechou o livro e o empurrou para a ponta da mesa. Se o rei soubesse que aquele tipo de livro ainda existia em sua biblioteca, faria com que todos fossem destruídos. Ao contrário da Grande Biblioteca de Orynth, ali não havia mestres estudiosos para proteger os livros de valor inestimável. Chaol continuava lendo. Algo gemeu, e a cabeça de Celaena se virou na direção dos fundos da biblioteca. Era um ruído gutural, um som animalesco...

– Ouviu alguma coisa? – perguntou ela.

– Quando planeja ir embora? – foi a resposta do capitão.

– Quando me cansar de ler. – Celaena puxou o livro preto de volta para si, folheou além do retrato aterrorizante da coisa morta e aproximou a vela para ler as descrições de diversos monstros.

Ouviu-se um barulho de arranhão vindo de algum lugar sob os pés de Celaena – próximo, como se alguém estivesse raspando a unha no teto abaixo. Celaena fechou o livro bruscamente e se afastou da mesa. Os pelos do braço dela estavam arrepiados, e a jovem quase tropeçou na mesa mais próxima enquanto esperava que alguma coisa – mão, asa, uma boca aberta e cheia de dentes – surgisse e a agarrasse.

– Sentiu isso? – perguntou a assassina a Chaol, que, devagar e maliciosamente, sorriu. Ele ergueu a adaga e a arrastou pelo chão de mármore, criando o som e a sensação exatos.

– Seu babaca desgraçado – grunhiu Celaena. Ela agarrou dois livros pesados da mesa e saiu da biblioteca pisando duro, certificando-se de deixar *Os mortos andam* bem para trás.

❧ 28 ❧

Com as sobrancelhas franzidas, Celaena mirava o taco na bola branca. O objeto deslizou com facilidade por seus dedos enquanto ela firmava a mão sobre a superfície de feltro da mesa. Com um movimento esquisito do braço, Celaena impulsionou o taco para a frente. Errou feio.

Depois de xingar, a assassina tentou mais uma vez. Ela atingiu a bola branca de tal forma que o objeto deu uma meia-volta patética para o lado e, gentilmente, bateu em uma bola colorida com um leve clique. Bem, pelo menos acertara alguma coisa. Foi mais bem-sucedido do que a pesquisa sobre as marcas de Wyrd.

Eram mais de dez da noite e, necessitando de um descanso depois de horas de treino e pesquisa e de preocupações sobre Cain e Elena, Celaena entrara na sala de jogos. Estava cansada demais para música, não podia jogar cartas sozinha e, bem, bilhar parecia ser a única atividade plausível. Ela pegou o taco com esperanças de que o jogo não fosse difícil demais de aprender.

A assassina caminhou ao redor da mesa e mirou mais uma vez. Ela errou. Trincando os dentes, Celaena considerou partir o taco ao meio sobre o joelho. Mas estava tentando jogar havia apenas uma hora. Estaria incrível à meia-noite! Dominaria aquele jogo ridículo ou transformaria a mesa em lareira. E a usaria para queimar Cain vivo.

Celaena agitou o taco e acertou a bola com tanta força que ela saiu zunindo pela borda dos fundos da mesa, atingiu três bolas coloridas no caminho antes de colidir com a bola número três e mandá-la em disparada para uma caçapa.

A bola parou de rolar na beira do buraco.

Um gritinho de raiva irrompeu da garganta de Celaena, e a assassina correu até a caçapa. Primeiro, ela gritou com a bola, então pegou o taco nas mãos e o mordeu, ainda gritando entre dentes. Finalmente, a assassina parou e deu um tapa para que a bola três entrasse.

— Para a maior assassina do mundo, isso é patético — disse Dorian, passando pelo portal.

Celaena deu um grito e se precipitou na direção dele. Ela vestia uma túnica e calça e estava com os cabelos soltos. O príncipe recostou-se contra a mesa e sorriu quando a assassina ficou ainda mais vermelha.

— Se vai me insultar, pode enfiar este... — Celaena ergueu o taco e fez um gesto obsceno, que terminou a frase para ela.

Dorian revirou os olhos antes de pegar um taco na estante da parede.

— Está planejando morder o taco de novo? Porque, se estiver, eu gostaria de convidar o pintor da corte, para que possa sempre me lembrar dessa visão.

— Não ouse debochar de mim!

— Não seja tão séria. — Dorian mirou a bola e a mandou, graciosamente, contra uma bola verde, que caiu em uma caçapa. — Você é imensamente divertida quando está quicando de raiva.

Para a surpresa e o prazer do príncipe, Celaena sorriu.

— Engraçada para você — disse ela —, irritante para mim. — A jovem se moveu e tentou mais uma vez. E errou.

— Deixe-me mostrar como se faz. — Dorian caminhou até onde Celaena estava e abaixou o taco, pegando o dela. Depois de cutucar Celaena para que saísse do caminho, com o coração um pouco acelerado, ele se posicionou onde ela estava. — Está vendo como meu dedão e meu indicador estão sempre segurando a ponta superior do taco? Você só precisa...

Celaena empurrou-o para fora do caminho com um movimento de quadril e pegou o taco das mãos de Dorian.

— Sei como segurar, seu palhaço. — Ela tentou acertar a bola e errou de novo.

– Não está movendo o corpo do jeito certo. Aqui, apenas deixe-me mostrar.

Embora fosse o truque mais antigo e mais calhorda do mundo, Dorian passou o braço por cima dela e apoiou a mão sobre aquela de Celaena que segurava a ponta do taco. Então, posicionou os dedos da outra mão dela sobre a parte de cima, antes de, vagarosamente, segurar o punho da assassina. Para desalento de Dorian, o rosto dele ficou mais quente.

Os olhos do príncipe se voltaram para ela e, para seu alívio, ele viu que Celaena estava tão vermelha quanto ele, ou até mais.

– Se não parar de me apalpar e começar a ensinar, vou arrancar seus olhos e colocar essas bolas de bilhar no lugar.

– Olhe, tudo o que precisa fazer é... – Dorian relembrou os passos com ela, e Celaena acertou a bola com sutileza. Ela foi para um canto e quicou para dentro de uma caçapa. O príncipe se afastou de Celaena e deu um risinho. – Está vendo? Se fizer direito, funcionará. Tente de novo. – Dorian pegou o taco. Celaena deu uma risada de escárnio, mas, mesmo assim, se posicionou, mirou e acertou a bola. A bola branca disparou pela mesa, criando um caos generalizado. Mas pelo menos fez algum contato.

Dorian pegou o triângulo e o ergueu no ar.

– Quer jogar?

O relógio bateu duas da manhã antes que eles parassem. Dorian pedira sobremesas no meio do jogo e, embora Celaena tenha protestado, engoliu o maior pedaço de bolo de chocolate e depois comeu todo o pedaço dele também.

Dorian ganhou todos os jogos, mas Celaena mal reparara. Sempre que acertava a bola, ela se vangloriava sem vergonha. Quando errava – bem, nem mesmo os fogos do Inferno podiam se comparar aos impropério que irrompiam da boca da jovem. Dorian não conseguia se lembrar de ter rido tanto.

Quando Celaena não estava xingando e gritando, os dois conversavam sobre os livros que liam e, conforme Celaena tagarelava, Dorian sentia como se a garota não dissesse uma palavra há anos, e tinha medo de que ela de repente ficasse silenciosa de novo. A assassina era assustadoramente inteligente. Entendia o príncipe quando ele falava sobre história ou política –

embora alegasse odiar o assunto – e até mesmo tinha muito a dizer sobre o teatro. Dorian, de alguma forma, acabou prometendo levá-la a uma peça após a competição. Um silêncio desconfortável surgiu depois disso, mas passou rapidamente.

O príncipe estava jogado em uma poltrona, descansando a cabeça em uma das mãos. Celaena estava deitada, esparramada na poltrona diante dele, as pernas pendendo de um dos braços. Ela encarou o fogo com as pálpebras quase fechadas.

– O que está pensando? – perguntou Dorian.

– Não sei – respondeu ela. Celaena deixou a cabeça cair até o braço da poltrona. – Acha que o assassinato de Xavier e dos outros campeões foi intencional?

– Talvez. Faz diferença?

– Não. – Celaena agitou a mão no ar de forma preguiçosa. – Deixe para lá.

Antes que Dorian pudesse perguntar mais, a jovem caiu no sono.

Ele desejou saber mais sobre o passado dela. Chaol somente lhe dissera que Celaena vinha de Terrasen e que a família dela estava morta. Não tinha a mínima ideia de como fora a vida dela, como havia se tornado uma assassina, como aprendera a tocar piano... Era tudo um mistério.

O príncipe queria saber tudo sobre ela. Desejava que Celaena simplesmente lhe contasse. Dorian se levantou e se espreguiçou. Ele colocou os tacos na estante, organizou as bolas e voltou para a assassina dorminhoca. O príncipe a sacudiu com cuidado, e Celaena gemeu em protesto.

– Você pode querer dormir aí, mas vai se arrepender profundamente pela manhã.

Mal abrindo os olhos, ela se levantou e se arrastou até a porta. Quando Celaena havia quase atravessado o portal, Dorian decidiu que era necessário um braço guia antes que a jovem quebrasse alguma coisa. Tentando não pensar no calor da pele dela sob sua mão, o príncipe a guiou para o quarto e observou Celaena cambalear até a cama, onde ela caiu sobre os cobertores.

– Seus livros estão ali – murmurou ela, e apontou para uma pilha ao lado da cama. Dorian entrou no quarto devagar. Celaena ficou deitada, imóvel, os olhos fechados. Três velas queimavam em diversas superfícies. Com um suspiro, ele as apagou antes de se aproximar da cama. Ela estava dormindo?

– Boa noite, Celaena – disse Dorian. Era a primeira vez que a chamava pelo nome. Saiu da língua dele de modo agradável. Celaena murmurou algo que parecia "nonu" e não se moveu. Um colar interessante reluzia sobre a garganta dela. Dorian achou que parecia familiar, de alguma forma, como se o tivesse visto antes. Com um olhar final, ele pegou a pilha de livros e saiu do quarto.

Se Celaena se tornasse a campeã do rei e mais tarde ganhasse liberdade, será que continuaria a mesma? Ou era tudo aquilo uma fachada para conseguir o que queria? Mas Dorian não conseguia imaginar que a jovem estivesse fingindo. Não *queria* imaginar que ela estava fingindo.

O castelo estava silencioso e escuro conforme Dorian caminhava de volta para o quarto.

⇥ 29 ⇤

Durante a prova, na tarde seguinte, Celaena estava no salão de treinamento de braços cruzados observando Cain lutar com Cova. Cain sabia quem ela era; todo o figurino e o fingimento e ter se contido não serviram de nada. Ele tinha se *divertido*.

Celaena contraía o maxilar conforme Cain e Cova deslizavam pelo ringue de luta, as espadas se chocando. A prova era praticamente simples: cada um recebia um parceiro de luta e, se ganhasse o duelo, não precisaria se preocupar em ser eliminado. Os perdedores, no entanto, encarariam o julgamento de Brullo. Quem tivesse o pior desempenho seria mandado embora.

A seu favor, Cova enfrentara Cain, embora Celaena visse como os joelhos do competidor tremiam devido ao esforço. Nox, ao lado da assassina, ciciou quando Cain aplicou um golpe em Cova e o mandou cambaleando para trás.

Cain sorriu durante a coisa toda, sem sequer ofegar. Celaena fechou as mãos em punho e as pressionou com força contra as costelas. Com um lampejar de aço, Cain apontava a lâmina para a garganta de Cova, e o assassino com marcas de catapora exibiu os dentes para ele.

– Excelente, Cain – disse Brullo, aplaudindo. Celaena lutou para controlar a respiração.

– Cuidado, Cain – falou Verin, atrás de Celaena. O ladrão de cabelos enrolados sorriu para ela. A jovem não ficara animada quando anunciaram que lutaria contra Verin. Mas pelo menos não era Nox. – A mocinha quer um pedaço de você.

– Cuidado, Verin – avisou Nox, os olhos cinzentos incendiádos.

– O quê? – exclamou Verin. Agora, os outros campeões, e todo o resto das pessoas, se viravam para eles. Pelor, que estava por perto, recuou alguns passos. Movimento inteligente. – Defendendo-a, é? – provocou Verin. – Esse é o acordo? Ela abre as pernas, e você toma conta dela durante o treino?

– Cale a boca, seu porco desgraçado – disparou Celaena. Chaol e Dorian abriram caminho de onde estavam, inclinados contra a parede, e se aproximaram do ringue.

– Ou o quê? – disse Verin, aproximando-se dela. Nox enrijeceu, levando a mão à espada.

Celaena se recusou a recuar.

– Ou arranco sua língua.

– Basta! – grunhiu Brullo. – Resolvam isso no ringue. Verin. Lillian. Agora.

Verin deu um sorriso viperino para Celaena, e Cain deu tapinhas nas costas do colega quando ele entrou no círculo marcado com giz, empunhando a espada.

Nox apoiou a mão no ombro de Celaena, e, pelo canto do olho, ela olhou para Chaol e Dorian, que os observavam de perto. A jovem os ignorou.

Bastava. Bastava de fingimento e de submissão. Bastava de Cain.

Verin ergueu a espada e afastou os cachos loiros dos olhos.

– Vejamos como você se sai.

Celaena caminhou até ele, mantendo a espada embainhada na lateral do corpo. O sorriso de Verin aumentou quando ele ergueu a lâmina.

O competidor golpeou, mas Celaena o atacou e enfiou o punho no braço do homem, o que fez com que a espada dele voasse pelos ares. Com o mesmo fôlego, a palma da mão dela acertou o braço esquerdo de Verin, fazendo com que desviasse para o lado também. Enquanto o homem cambaleava para trás, Celaena ergueu a perna e os olhos de Verin se arregalaram quando o pé dela se chocou contra o peito dele. O chute fez com que Verin saísse voando; o corpo dele estalou quando atingiu o chão e deslizou para fora do ringue, o que o eliminava instantaneamente. O salão ficou, de súbito, em silêncio.

214

– Deboche de mim de novo – disparou ela para Verin – e farei isso com a espada da próxima vez. – Então a assassina se afastou dele e viu Brullo com uma expressão estupefata. – Eis uma lição para você, mestre de armas – disse Celaena, enquanto passava por ele –, dê-me homens de *verdade* com quem lutar. Então talvez eu me incomode em tentar.

A jovem saiu caminhando, para além do sorridente Nox, e parou diante de Cain. Ela ergueu o rosto para encará-lo – o rosto dele poderia ser bonito se o homem não fosse um desgraçado – e sorriu com doce veneno.

– Aqui estou – disse Celaena, esticando os ombros. – Apenas um cachorrinho.

Os olhos pretos de Cain reluziram.

– Só ouço latidos.

A mão dela foi até a espada, mas Celaena a manteve ao lado do corpo.

– Vejamos se você ainda ouvirá latidos depois que eu ganhar essa competição. – Antes que Cain pudesse dizer mais, ela saiu batendo os pés até a mesa de água.

Somente Nox ousou falar com Celaena depois disso. Surpreendentemente, Chaol não a reprimiu.

***

Quando estava a salvo de volta no quarto, depois da prova, Celaena observou os flocos de neve caírem das colinas além de Forte da Fenda. Eles voavam na direção dela, precursores da tempestade que viria. O sol do fim da tarde, preso atrás de uma parede de estanho, manchava as nuvens de um cinza-amarelado, tornando o céu incomumente claro. Parecia surreal, como se o horizonte tivesse desaparecido além das montanhas. Celaena estava perdida em um mundo de vidro.

A assassina se afastou da janela, mas parou diante da tapeçaria e do retrato da rainha Elena. Celaena desejara diversas vezes uma aventura, antigos feitiços e reis malignos. Mas não percebeu que seria daquele jeito – uma luta pela própria liberdade. E sempre imaginara que haveria alguém para ajudá-la – um amigo leal ou um soldado de um braço só, ou algo assim. Não imaginara que estaria tão... sozinha.

Celaena desejava que Sam estivesse com ela. Ele sempre sabia o que fazer, sempre a protegia, quisesse ela ou não. Celaena daria qualquer coisa – qualquer coisa no mundo – para ainda ter o rapaz consigo.

Os olhos dela ardiam, e Celaena levou uma das mãos ao amuleto. O metal estava quente sob seus dedos – reconfortante, de algum jeito. Ela deu um passo para trás diante da tapeçaria para estudar melhor o conteúdo completo da peça.

No centro havia um veado, magnífico e viril, olhando de soslaio para Elena. O símbolo da casa real de Terrasen, do reino que Brannon, o pai de Elena, fundara. Um lembrete de que embora Elena tivesse se tornado rainha de Adarlan, ela ainda pertencia a Terrasen. Como Celaena, não importava onde Elena fosse, não importava a distância, Terrasen *sempre* seria parte dela.

Celaena ouviu o vento uivar. Com um suspiro, ela balançou a cabeça e se virou.

Encontre o mal no castelo... Mas o único mal verdadeiro neste mundo é o homem que o governa.

Do outro lado do castelo, Kaltain Rompier aplaudia levemente enquanto uma trupe de acrobatas terminava as cambalhotas. Finalmente, a apresentação chegava ao fim. Ela não se sentia disposta a observar camponeses quicando com roupas de cores fortes durante horas, mas a rainha Georgina gostara e a convidara para sentar ao lado do trono naquele dia. Era uma honra e fora arranjada por meio de Perrington.

Perrington a queria, Kaltain sabia disso. E se insistisse, conseguiria facilmente que o duque oferecesse torná-la sua duquesa. Mas duquesa não bastava – não quando Dorian ainda era solteiro. A cabeça de Kaltain latejava na última semana e, naquele dia, parecia pulsar com as palavras: *não basta, não basta, não basta.* Mesmo durante o sono, a dor entrava, transformando seus sonhos em pesadelos tão vívidos que Kaltain mal podia se lembrar de quem era quando acordava.

– Que agradável, Vossa Majestade – disse Kaltain, enquanto os acrobatas recolhiam seus pertences.

– Sim, são muito emocionantes, não são? – Os olhos verdes da rainha brilhavam, e ela sorriu para Kaltain. Nesse momento, a cabeça de Kaltain emitiu um pulso de dor tão forte que a jovem fechou os punhos, escondendo-os nas dobras do vestido cor de tangerina.

– Eu gostaria que o príncipe Dorian os tivesse visto – disparou Kaltain. – Sua Alteza me contou ontem mesmo como gosta de vir aqui. – A mentira foi bastante fácil e, de alguma forma, fez a dor na cabeça melhorar.

– Dorian disse isso? – A rainha Georgina ergueu uma sobrancelha castanha.

– Isso a surpreende, Vossa Majestade?

A rainha levou uma das mãos ao peito.

– Achei que meu filho não tivesse apreço por esse tipo de coisa.

– Vossa Majestade – sussurrou a jovem –, jura que não dirá uma palavra?

– Uma palavra sobre o quê? – sussurrou a rainha de volta.

– Bem, o príncipe Dorian me contou algo.

– O que ele disse? – A rainha tocou o braço de Kaltain.

– Ele disse que o motivo pelo qual não vem tão frequentemente à corte é porque é tímido.

A rainha recuou, a luz nos olhos dela se apagou.

– Ah, ele me disse isso centenas de vezes. Eu estava esperando que você me dissesse algo interessante, Lady Kaltain. Como que ele encontrou uma jovem de que gosta.

O rosto de Kaltain ficou quente, e a cabeça dela latejou impiedosamente. A jovem ansiava pelo cachimbo, mas ainda faltavam horas para aquela sessão na corte terminar, e não seria apropriado sair antes que Georgina se fosse.

– Eu soube – disse a rainha, aos sussurros – que há uma dama, mas ninguém sabe quem! Ou pelo menos quando ouvem o nome dela, não soa *familiar*. Você a conhece?

– Não, Vossa Majestade. – Kaltain lutou para afastar a frustração do rosto.

– É uma pena. Esperava que você soubesse. É uma garota tão inteligente, Kaltain.

– Obrigada, Vossa Majestade. É muito gentil.

– Besteira. Sou excelente para julgar o caráter das pessoas; soube como você era extraordinária assim que entrou na corte. Somente você é adequada para um homem da altura de Perrington. Que pena que você não conheceu meu Dorian primeiro!

Não basta, não basta, cantarolava a dor. Era a vez dela.

– Mesmo que tivesse – Kaltain deu um risinho –, Vossa Majestade certamente não teria aprovado, sou de uma classe baixa demais para a atenção de seu filho.

– Sua beleza e sua riqueza compensam por isso.

– Obrigada, Vossa Majestade. – O coração de Kaltain batia rápido.

Se a rainha a aprovava... Kaltain mal conseguia pensar enquanto a rainha se ajustava no trono e aplaudia duas vezes. A música começou. Kaltain não ouviu.

Perrington dera os sapatos a ela. Agora era hora de dançar.

❧ 30 ❧

— Você não está *concentrada*.

– Sim, estou! – respondeu Celaena, com os dentes trincados, e puxou ainda mais a corda do arco.

– Então vá em frente – disse Chaol, apontando para um alvo distante na parede mais afastada do corredor abandonado. Uma distância absurda para qualquer um, exceto para ela. – Vejamos se consegue isso.

Celaena revirou os olhos e esticou um pouco as costas. A corda do arco estremeceu em sua mão, e a jovem ergueu levemente a ponta da flecha.

– Vai acertar a parede da esquerda – falou Chaol, e cruzou os braços.

– Vou acertar a sua cabeça se não calar a boca. – Celaena virou a cabeça e o encarou. As sobrancelhas de Chaol se ergueram, e, ainda encarando o capitão, a assassina deu um sorriso malicioso no momento em que lançou a flecha indistintamente.

O zunido do voo da flecha preencheu o corredor de pedras antes do estampido fraco e desinteressante do impacto. Mas os dois continuavam se olhando. A pele sob os olhos de Chaol estava ligeiramente roxa – será que o capitão não dormira nada nas três semanas desde a morte de Xavier?

Celaena certamente não vinha dormindo bem também. Qualquer barulho a acordava, e Chaol ainda não descobrira quem estaria eliminando os campeões um a um. O *quem* não importava tanto quanto o *como* para Celaena – *como* o assassino os escolhia? Não havia padrão; cinco estavam mortos e não tinham conexão um com o outro além da competição. Celaena não conseguira ver outra cena de crime para determinar se as marcas de Wyrd tinham sido pintadas com sangue no local. A assassina suspirou e gesticulou com os ombros.

– Cain sabe quem sou – disse ela, baixinho, e abaixou o arco.

O rosto de Chaol permaneceu impassível.

– Como?

– Perrington contou para ele. E Cain contou para mim.

– Quando? – Celaena jamais o vira tão sério. Isso fez algo dentro dela se encolher.

– Alguns dias atrás – mentiu a jovem. Fazia semanas desde que haviam se confrontado. – Eu estava no jardim com Nehemia, com meus vigias, não se preocupe, e ele se aproximou de nós. Ele sabe tudo sobre mim e sabe que eu me contenho quando estamos com os outros campeões.

– Ele deu algum indício de que os outros campeões saibam sobre você?

– Não – respondeu Celaena. – Acho que não sabem. Nox não faz ideia.

Chaol apoiou uma das mãos sobre o punho da espada.

– Vai ficar tudo bem. O elemento surpresa se foi, só isso. Ainda vencerá Cain nos duelos.

Celaena deu um meio sorriso.

– Sabe, está começando a parecer que você acredita mesmo em mim. É melhor ter cuidado.

Chaol começou a dizer algo, mas passadas apressadas vieram da esquina do corredor, então o capitão parou. Dois vigias pararam e os saudaram. Chaol deu aos homens um momento para se recomporem, então disse:

– Sim?

Um dos guardas, um homem de idade avançada com poucos cabelos, fez uma segunda saudação e falou:

– Capitão... você é requisitado.

Embora tivesse permanecido com a expressão do rosto neutra, os ombros de Chaol se mexeram, e ele ergueu o queixo um pouco.

– O que é? – disse o capitão, um pouco rápido demais para se passar por despreocupado.

– Outro corpo – respondeu. – Nas passagens dos criados.

O segundo guarda, um rapaz magro e de aparência frágil, estava mortalmente pálido.

– Você viu o corpo? – perguntou Celaena a ele. O guarda assentiu. – Quão recente?

Chaol lançou um olhar pungente para a assassina. O guarda respondeu:

– Acham que é da noite passada... pelo modo como o sangue está meio seco.

Os olhos de Chaol perderam o foco. Pensando... ele estava pensando no que fazer. O capitão se endireitou.

– Quer provar o quanto é boa? – perguntou ele a Celaena.

A jovem levou as mãos aos quadris.

– Preciso?

Chaol gesticulou para que os guardas guiassem o caminho.

– Venha comigo – disse o capitão a Celaena por cima do ombro, e, apesar do corpo, a jovem sorriu levemente e o seguiu.

Conforme partiam, Celaena olhou para o alvo.

Chaol estava certo. Ela errara o centro por 15 centímetros – para a esquerda.

Felizmente, alguém havia colocado um pouco de ordem no local antes de os dois chegarem. Mesmo assim, Chaol precisou empurrar para abrir caminho entre a multidão de guardas e criados reunidos. Celaena manteve-se próxima a ele. Quando chegaram perto da multidão e olharam para o corpo, as mãos da assassina ficaram inertes na lateral do corpo. Chaol xingou com uma violência impressionante.

Celaena não sabia para onde olhar primeiro. Para o corpo, com a caixa torácica aberta e sem o cérebro e o rosto, para as marcas de garras sulcadas no chão ou para as duas marcas de Wyrd desenhadas com giz em cada lado do corpo. O sangue de Celaena ficou gelado. Não havia como negar a conexão agora.

A multidão continuava falando enquanto o capitão se aproximava do corpo, então se virou para um dos guardas que o observava.

– Quem é?

– Verin Ysslych – respondeu Celaena antes do guarda. Ela reconheceria os cabelos cacheados de Verin em qualquer lugar. O campeão estivera em destaque no grupo desde o início da competição. O que quer que o tivesse matado...

– Que tipo de animal faz arranhões como aqueles? – perguntou ela a Chaol, mas não precisou ouvir a resposta do capitão para saber que ele estava tão perdido quanto ela.

As marcas de garras eram profundas, com pelo menos meio centímetro. A jovem se agachou ao lado de um conjunto de marcas e passou os dedos pela borda interior. Estava irregular, mas limpa por dentro do chão de pedra. As sobrancelhas de Celaena se uniram, e a jovem verificou as outras marcas de garras.

– Não há sangue nestas marcas – disse ela, ao virar o rosto para olhar para Chaol por cima do ombro. Ele se ajoelhou ao lado de Celaena quando a assassina apontou para as marcas. – Estão limpas.

– E o que isso significa?

Celaena franziu a testa, lutando contra os arrepios que percorriam seus braços.

– O que quer que tenha feito isso, afiou as unhas antes de estripá-lo.

– E por que *isso* é importante?

A jovem se levantou, olhou para as duas pontas do corredor, então se agachou de novo.

– Significa que essa coisa teve tempo de fazer isso antes de atacá-lo.

– Poderia ter feito enquanto o esperava.

Celaena balançou a cabeça.

– Essas tochas pela parede estão queimadas quase até o fim. Não há sinais de que foram apagadas antes do ataque, não há traços de água com fuligem. Se Verin morreu na noite passada, então essas tochas ainda estavam queimando quando ele morreu.

– E?

– E olhe para este corredor. A porta mais próxima fica a 15 metros e a esquina mais próxima fica um pouco mais distante do que isso. Se essas tochas estivessem queimando...

– Então Verin teria visto o que quer fosse muito antes de chegar a este ponto.

– Então por que se aproximar dele? – perguntou Celaena, mais para si mesma. – E se não foi um animal, mas uma pessoa? E se essa pessoa tiver imobilizado Verin por tempo o bastante para chamar essa criatura? – Celaena apontou para as pernas de Verin. – Aqueles cortes ao redor dos tornozelos são precisos. Os tendões dele foram cortados por uma faca, para evitar que corresse. – Ela se aproximou do corpo, com o cuidado de não borrar as marcas de Wyrd desenhadas no chão ao levantar a mão fria e rígida de Verin. – Olhe para as unhas dele. – Celaena engoliu em seco. – As pontas estão rachadas e quebradas. – A assassina usou a própria unha para raspar a terra sob as unhas dele e a espalhou na palma da mão. – Está vendo? – Celaena esticou a mão para que Chaol observasse. – Poeira e pedaços de pedra. – Ela afastou o braço de Verin e revelou linhas fracas na pedra sob o corpo. – Marcas de unhas. Ele estava desesperado para fugir, para se arrastar pelas pontas das unhas, se necessário. Estava vivo durante todo o tempo em que a coisa afiou as unhas na pedra enquanto o mestre observava.

– Então, o que isso quer dizer?

Celaena deu um sorriso sombrio para Chaol.

– Significa que você está em apuros.

E, quando o rosto de Chaol ficou pálido, Celaena percebeu, de súbito, que talvez o assassino dos campeões e a misteriosa força do mal de Elena fossem a mesma coisa.

Sentada à mesa de jantar, Celaena folheava o livro.

Nada, nada, nada. Ela procurou página após página por qualquer sinal das duas marcas de Wyrd que tinham sido desenhadas ao lado do corpo de Verin. Tinha de haver uma conexão.

A assassina parou quando um mapa de Erilea surgiu. Mapas sempre a interessaram; havia algo atraente em saber a localização exata de alguém em relação a outra pessoa no mundo. A jovem tracejou gentilmente com o dedo a costa leste. Celaena começou ao sul – em Banjali, capital de Eyllwe, então subiu, virando e serpenteando, até Forte da Fenda. Seu dedo, então viajou por Meah, depois para o norte e para o continente, em Orynth, depois de volta ao mar, para a costa de Sorian, e, finalmente, até a pontinha do continente, em direção ao mar do Norte além dele.

Celaena encarou Orynth, aquela cidade de iluminação e aprendizado, a pérola de Erilea e a capital de Terrasen. Sua terra natal. Celaena fechou o livro bruscamente.

Ao olhar ao redor do quarto, a assassina emitiu um longo suspiro. Quando conseguiu dormir, seus sonhos foram assombrados por batalhas antigas, por espadas com olhos, por marcas de Wyrd que giravam sobre sua cabeça e a ofuscavam com as cores fortes. Celaena conseguia ver as armaduras brilhantes dos feéricos e de guerreiros mortais, ouvir o choque entre escudos e o grunhido de feras cruéis, conseguia cheirar o sangue e os cadáveres em putrefação ao seu redor. A carnificina a seguia de perto. A Assassina de Adarlan estremeceu.

– Ah, que bom. Esperava que ainda estivesse acordada – falou o príncipe herdeiro, e Celaena deu um salto do assento ao ver Dorian se aproximando. Ele parecia cansado e um pouco desleixado.

Ela abriu a boca, então balançou a cabeça.

– O que está fazendo aqui? É quase meia-noite e tenho uma prova amanhã. – Celaena não podia negar que tê-lo ali lhe dava um pouco de alívio: o assassino só parecia atacar campeões quando eles estavam sozinhos.

– Você passou de literatura para história? – Dorian avaliou os livros à mesa. – *Uma breve história da Erilea Moderna* – leu o príncipe. – *Símbolos e poder. A cultura e os costumes eyllwe.* – Dorian ergueu uma sobrancelha.

– Eu leio o que quero.

O príncipe sentou-se ao lado de Celaena, a perna dele roçando a dela.

– Existe uma conexão entre todos esses títulos?

– Não. – Não era inteiramente mentira, embora Celaena esperava que todos contivessem algo sobre marcas de Wyrd ou sobre o que significavam ao lado de um cadáver. – Presumo que saiba sobre a morte de Verin.

– É claro – respondeu Dorian, com uma expressão sombria no rosto bonito. Celaena estava bastante ciente de como a perna dele estava próxima, mas não conseguia se afastar.

– E não está nada preocupado por tantos campeões terem sido brutalmente assassinados nas mãos de alguma besta feroz?

Dorian se inclinou, os olhos fixos nos dela.

– Todos esses assassinatos ocorreram em corredores escuros e isolados. Você jamais está sem guardas, e seus aposentos são bem vigiados.

– Não estou preocupada por mim – disse Celaena, de súbito, recuando um pouco. O que não era completamente verdade. – Só acho que não cai bem para seu estimado pai que tudo isso aconteça.

– Quando foi a última vez que se preocupou com a reputação de meu "estimado" pai?

– Desde que me tornei a campeã do filho dele. Então talvez você deva destinar recursos adicionais para a solução desses assassinatos, antes que eu ganhe essa competição absurda simplesmente porque sou a única que sobrou viva.

– Mais alguma exigência? – perguntou ele, ainda próximo o bastante para que os lábios de Celaena tocassem os seus, caso o príncipe ousasse.

– Avisarei se pensar em algo. – Os olhos dos dois se encontraram. Um sorriso lento surgiu no rosto de Celaena. Que tipo de homem era o príncipe herdeiro? Embora não quisesse admitir, era bom ter alguém por perto, mesmo que ele fosse um Havilliard.

A assassina afastou as marcas de garras e os cadáveres sem cérebro dos pensamentos.

– Por que está tão desleixado? Kaltain colocou as garras em você?

– Kaltain? Felizmente, não nos últimos tempos. Mas que dia terrível foi este! Os filhotes são vira-latas e... – Dorian apoiou a cabeça nas mãos.

– Filhotes?

– Uma de minhas cadelas pariu uma ninhada de vira-latas. Antes, eram jovens demais para que soubéssemos. Mas agora... Bem, eu esperava que fossem de raça.

– Estamos falando de cachorros ou de mulheres?

– Qual você prefere? – Dorian deu um sorriso malicioso para Celaena.

– Ah, cale-se – ciciou ela, e o príncipe gargalhou.

– Por que, se posso perguntar, *você* está tão desleixada? – O sorriso de Dorian vacilou. – Chaol me contou que levou você para ver o corpo; espero que não tenha sido horrível demais.

– De modo algum. É que não tenho dormido bem.

– Nem eu – admitiu Dorian. Ele se endireitou. – Tocaria o piano para mim? – Celaena bateu com o pé no chão, imaginando como ele passara para um assunto tão diferente.

– É claro que não.

– Você tocou tão bem.

– Se eu soubesse que alguém estava me espiando, não teria tocado.

– Por que tocar é tão pessoal para você? – Dorian se recostou na cadeira.

– Não consigo ouvir ou tocar música sem... Deixe para lá.

– Não, diga-me o que iria dizer.

– Nada interessante – falou ela, e empilhou os livros.

– Isso revira suas lembranças?

Celaena olhou para o príncipe em busca de algum sinal de deboche.

– Às vezes.

– Lembranças de seus pais? – Dorian esticou o braço para ajudá-la a empilhar o restante dos livros.

Celaena se levantou de súbito.

– Não faça perguntas tão bobas.

– Sinto muito se me intrometi.

Ela não respondeu. A porta da mente de Celaena, que era sempre mantida fechada, tinha sido entreaberta pela pergunta, e agora ela tentava freneticamente fechá-la. Ao ver o rosto de Dorian, ao vê-lo tão próximo... A porta se fechou e Celaena virou a chave.

– É só que... – disse ele, ignorante à batalha que acabara de ocorrer. – É só que não sei nada sobre você.

– Sou uma assassina. – O coração de Celaena se acalmou. – É tudo o que há para saber.

– Sim – respondeu o príncipe, com um suspiro. – Mas por que é tão errado eu querer saber mais? Tipo como você se tornou uma assassina e como eram as coisas para você antes disso.

– Não é interessante.

– Eu não acharia chato. – Celaena não disse nada. – Por favor? Uma pergunta, e prometo, nada muito sensível.

A boca de Celaena se contorceu para o lado, e ela olhou para a mesa. Que mal havia em uma pergunta? Poderia escolher não responder.

– Muito bem.

Dorian sorriu.

– Preciso de um momento para pensar em uma boa. – Ela revirou os olhos, mas se sentou. Depois de alguns segundos, ele perguntou: – Por que gosta tanto de música?

Celaena fez uma careta.

– Você disse nada muito sensível!

– Essa é muito indiscreta? Como é diferente de perguntar por que gosta de ler? –

– Não, não. Pode ser essa pergunta. – Celaena soltou o ar com força e encarou a mesa. – Eu gosto de música – respondeu ela, devagar – porque quando a ouço, eu... eu me perco dentro de mim mesma se é que faz sentido. Eu me torno vazia e cheia ao mesmo tempo e consigo sentir a terra inteira se agitar ao meu redor. Quando toco, não sou... pelo menos uma vez, não estou destruindo. Estou criando. – Celaena mordeu o lábio. – Eu queria ser curandeira. Quando eu era... Antes de essa se tornar minha profissão, quando eu era quase nova demais para me lembrar, eu queria ser curandeira. – Ela deu de ombros. – A música me lembra dessa sensação. – A jovem deu um risinho contido. – Jamais contei isso a ninguém – admitiu Celaena, então viu o sorriso de Dorian. – Não deboche de mim.

O príncipe balançou a cabeça e retirou o sorriso dos lábios.

– Não estou debochando... estou só...

– Desacostumado a ouvir as pessoas falarem com o coração?

– Bem, sim.

Celaena deu um sorriso suave.

– Agora é minha vez. Existem limitações?

– Não. – Dorian levou as mãos à nuca. – Não sou nem de longe tão reservado quanto você.

Celaena fez uma careta ao pensar na pergunta.

– Por que ainda não é casado?

– Casado? Tenho 19 anos!

– Sim, mas é o príncipe herdeiro.

Ele cruzou os braços. Celaena tentou não reparar na definição muscular que surgiu logo abaixo do tecido da camisa de Dorian.

– Faça outra pergunta.

– Quero ouvir sua resposta, deve ser interessante se está tão fervorosamente reticente.

O príncipe olhou pela janela e para a neve que caía do lado de fora.

– Não sou casado – disse Dorian, baixinho – porque não suporto a ideia de me casar com uma mulher inferior a mim em mente e espírito. Seria a morte da minha alma.

– O casamento é um contrato legal, não uma coisa sagrada. Como príncipe herdeiro, deveria ter renunciado a essas ideias vãs. E se fosse obrigado a se casar por uma aliança? Começaria uma guerra devido a seus ideais românticos?

– Não é assim.

– Ah? Seu pai não ordenaria que você se casasse com alguma princesa para fortalecer o império?

– Meu pai tem um exército para fazer isso por ele.

– Você poderia facilmente amar outra mulher. O casamento não significa que você não pode amar outras pessoas.

Os olhos cor de safira de Dorian brilharam.

– Você se casa com a pessoa que ama, e não com outra – disse ele, e Celaena gargalhou. – Você está debochando de *mim*! Está rindo na minha cara!

– Você merece que riam de você por pensamentos tão tolos! Falei por minha alma, você fala por egoísmo somente.

– Você é surpreendentemente crítica.

– Por que ter uma cabeça se não a usa para criticar?

– Qual é o propósito de ter um coração se não o usa para poupar os outros das críticas duras de sua cabeça?

– Ah, bem falado, Vossa Alteza! – Dorian a encarou emburrado. – Vamos lá. Não o machuquei tão severamente.

– Você tentou arruinar meus sonhos e meus ideais. Já aturo bastante de minha mãe. Você só está sendo cruel.

– Estou sendo prática. Há uma diferença. E você é o príncipe herdeiro de Adarlan. Está em uma posição em que é possível mudar Erilea para melhor. Poderia ajudar a criar um mundo onde o *amor verdadeiro* não é necessário para criar um final feliz.

– E que tipo de mundo eu precisaria criar para que isso acontecesse?

– Um mundo no qual os homens governam a si mesmos.

– Você fala de anarquia e traição.

– Eu *não* falo de anarquia. Chame-me de traidora se quiser, já fui condenada por ser assassina.

Dorian se aproximou de Celaena e roçou os dedos nos dela, calejados, quentes e ásperos.

– Não consegue resistir à oportunidade de retrucar tudo o que digo, não é? – Celaena se sentiu inquieta, mas, ao mesmo tempo, incrivelmente inerte. Algo foi reavivado e então posto para dormir com o olhar de Dorian. –

Seus olhos são muito estranhos – disse o príncipe. – Jamais vi outros com um aro dourado tão brilhante.

– Se está tentando me cortejar com elogios, creio que não vai funcionar.

– Eu estava apenas observando; não tenho intenções. – Dorian olhou para própria mão, que ainda tocava a de Celaena. – Onde conseguiu esse anel?

Celaena fechou a mão em punho e puxou-a para si. A ametista no anel brilhava ao fogo da lareira.

– Foi um presente.

– De quem?

– Isso não é da sua conta.

Dorian deu de ombros, mas Celaena sabia que não deveria contar quem lhe dera o anel de verdade – ou melhor, sabia que *Chaol* não iria querer que Dorian soubesse.

– Eu gostaria de saber quem está dando *anéis* para minha campeã.

O modo como o colarinho do casaco repousou sobre o peito de Dorian fez com que Celaena fosse incapaz de se sentar quieta. Ela queria tocá-lo, queria tracejar a linha entre a pele do príncipe e a costura dourada do tecido.

– Bilhar? – perguntou Celaena, ficando de pé. – Eu preciso de outra aula. – A jovem não esperou pela resposta de Dorian conforme caminhou na direção da sala de jogos. Queria muito ficar perto dele e aquecer a pele sob o hálito de Dorian. Gostava disso. Pior, Celaena percebeu que gostava *dele*.

***

Chaol observava Perrington à mesa, no salão de jantar. Quando comentara com o duque sobre a morte de Verin, Perrington não pareceu incomodado. Chaol olhou ao redor do salão cavernoso; na verdade, a maioria dos patrocinadores dos campeões se comportava como sempre. Babacas. Se Celaena estivesse mesmo certa sobre aquilo, então o responsável por matar os campeões poderia estar entre eles. Mas qual dos membros do conselho do rei poderia estar tão desesperado para ganhar a ponto de fazer tal coisa? Chaol esticou as pernas sob a mesa e voltou a atenção para Perrington.

O capitão vira como o duque usara o tamanho e o título para conquistar aliados no conselho do rei e evitar que adversários o desafiassem. Mas não eram as artimanhas de Perrington que capturavam o interesse do capitão da guarda naquela noite. Na verdade, eram os momentos entre os sorrisos e as risadas, quando uma sombra passava pelo rosto do duque. Não era uma expressão de raiva ou de desgosto, mas uma sombra que lhe ofuscava os olhos. Era tão estranho que, quando Chaol a vira pela primeira vez, decidira estender o jantar apenas para ver se aconteceria de novo.

Alguns momento depois, aconteceu. Os olhos de Perrington ficaram obscurecidos e o rosto dele empalideceu, como se visse tudo no mundo como era de verdade e não encontrasse alegria ou diversão nele. Chaol recostou-se na cadeira e bebeu água.

Ele sabia pouco sobre o duque e jamais confiara nele completamente. Nem Dorian – principalmente não depois da conversa sobre usar Nehemia como refém para fazer com que os rebeldes de Eyllwe colaborassem. Mas o duque era o conselheiro de maior confiança do rei – e não oferecera motivos para desconfiança a não ser por uma crença feroz no direito de Adarlan de conquistar.

Kaltain Rompier estava sentada a algumas cadeiras de distância. As sobrancelhas de Chaol se ergueram levemente. Os olhos da jovem estavam sobre Perrington também – cheios não do desejo de uma amada, mas de contemplação fria. Chaol se espreguiçou de novo e ergueu os braços sobre a cabeça. Onde estava Dorian? O príncipe não aparecera para jantar, também não estava nos canis com a cadela e os filhotes. O olhar do capitão se voltou para o duque. Ali estava – por um momento!

Os olhos de Perrington recaíram sobre o anel preto na mão esquerda do duque e obscureceram, como se as pupilas tivessem se expandido para abrigar o todo de cada olho. Então, sumiu – os olhos voltaram ao normal. Chaol olhou para Kaltain. Será que a jovem havia notado a mudança estranha?

Não – o rosto dela permanecia o mesmo. Não havia espanto, nenhuma surpresa. O olhar de Kaltain permaneceu vago, como se estivesse mais interessada em como o casaco de Perrington poderia combinar com seu vestido. Chaol se espreguiçou e se levantou, terminando de comer a maçã conforme caminhava para fora do salão de jantar. Por mais que fosse estranho, ele tinha muito com que se preocupar. O duque era ambicioso, mas certamente não era uma ameaça para o castelo ou para seus habitantes. Mas, mesmo enquanto o capitão da guarda voltava para seus aposentos, ele não conseguia afastar a sensação de que o duque Perrington o estivera observando também.

❧ 31 ❧

Alguém estava ao pé da cama.

Celaena percebera a presença muito antes de abrir os olhos e enfiou a mão discretamente sob o travesseiro, alcançando a faca que improvisara com grampos, lã e sabão.

– Isso não será necessário – disse uma mulher, e Celaena ergueu-se rapidamente ao reconhecer a voz de Elena. – E seria, no todo, ineficaz.

Celaena sentiu o sangue congelar ao ver o espectro cintilante da primeira rainha de Adarlan. Elena apareceu completamente formada, mas as extremidades do corpo brilhavam como se feitas por estrelas. O cabelo longo e prateado caía em volta do belo rosto. Quando Celaena largou a faca patética, a rainha sorriu.

– Olá, criança – disse ela.

– O que você quer? – exigiu Celaena, em voz baixa.

Será que estava sonhando ou será que os guardas a escutavam? Ela tensionou os músculos, preparando as pernas para saltar da cama, talvez na direção da varanda, pois Elena estava entre ela e a porta.

– Apenas lembrar-lhe que *precisa* ganhar essa competição.

– É o que planejo fazer. – Para *isso* fora acordada? – E não por sua causa – completou Celaena, friamente. – Pela minha liberdade. Você tem algo relevante a dizer ou está aqui só para incomodar? Quem sabe não possa me *contar* mais sobre essa criatura maléfica que está caçando os campeões um por um?

Elena suspirou, olhando para o teto.

– Sei tanto quanto você. – Ao ver que o franzido na testa de Celaena não se desfez, Elena continuou: – Você não confia em mim ainda. Entendo. Mas, acredite ou não, estamos do mesmo lado. – Ela fixou os olhos na assassina, imobilizando-a com a intensidade do olhar. – Eu vim para avisá-la: fique atenta ao seu lado direito.

– Como assim? – Celaena inclinou a cabeça. – O que isso quer dizer?

– Olhe para a direita. Lá encontrará as respostas.

Celaena olhou para a direita, mas só viu a tapeçaria que encobria a tumba real. Abriu a boca para responder, mas ao olhar de volta para Elena, notou que a rainha já se fora.

***

Durante a prova no dia seguinte, Celaena observava a pequena mesa à frente e os cálices sobre ela. Samhuinn fora há mais de duas semanas, e, apesar de Celaena ter passado em mais uma prova – lançamento de facas, para seu alívio –, mais um campeão fora encontrado morto havia dois dias. Seria um eufemismo dizer que Celaena não estava dormindo bem ultimamente. Quando não estava procurando alguma indicação do significado das marcas de Wyrd gravadas ao redor dos corpos, passava a maior parte da noite acordada, atenta às janelas e às portas, esperando ouvir garras arranhando a pedra. Os guardas do lado de fora do quarto não eram de grande ajuda; se a criatura era capaz de sulcar mármore, podia derrotar uns poucos homens.

Brullo se postava na parte da frente do salão de luta, com as mãos juntas atrás das costas, olhando atentamente para os treze competidores restantes que se posicionavam diante de treze mesas individuais. Ele olhou rapidamente para o relógio. Celaena também olhou. Tinha mais cinco minutos – cinco minutos nos quais não só teria de identificar os venenos distribuídos em sete cálices, mas reorganizá-los na ordem crescente, de mais inofensivo para mais perigoso.

Mas o verdadeiro teste viria no final dos cinco minutos, quando teriam de beber do cálice que acreditavam ser o mais inofensivo. Se errassem a resposta... Mesmo com os antídotos à mão, seria um tanto desagradável. Celaena girou o pescoço, relaxando os músculos, e ergueu um dos cálices ao nariz, inspirando o aroma. Doce – doce demais. Mexeu levemente o vinho de sobremesa que usaram para disfarçar a doçura, mas no cálice de bronze era difícil identificar a cor. A assassina mergulhou um dedo no copo, estudando o líquido roxo que escorria pela unha. Beladona, certamente.

Ela olhou para os outros cálices que já identificara. Cicuta. Sanguinária. Acônito. Oleandro. Celaena os colocou em ordem, deixando a beladona antes do cálice que continha uma dose fatal de oleandro. Restavam três minutos.

A jovem pegou o penúltimo cálice e tentou sentir o cheiro. Tentou de novo. Não tinha cheiro de nada.

Celaena afastou o rosto e inspirou ar puro, tentando limpar as narinas. As pessoas às vezes perdem o olfato depois de muito tempo experimentando perfumes diferentes. Era por isso que os perfumistas mantinham sempre por perto algo que ajudasse a afastar o cheiro. Ela cheirou o cálice mais uma vez e mergulhou o dedo no líquido. Tinha cheiro de água e parecia água...

Talvez *fosse* só água. Celaena colocou o líquido no lugar e pegou o último cálice. Mas ao sentir o cheiro, não percebeu nada de diferente no vinho. Parecia normal. Ela mordeu o lábio e olhou para o relógio. Restavam dois minutos.

Os outros campeões já estavam resmungando palavrões. Quem apresentasse a ordem mais equivocada seria mandado para casa.

Celaena cheirou o cálice de água novamente, tentando se lembrar dos venenos inodoros. Nenhum deles poderia ser combinado com água sem tingi-la. Ela pegou o cálice de vinho, mexendo levemente o líquido. Vinho podia esconder uma variedade enorme de venenos – mas qual era aquele?

Na mesa à esquerda, Nox passava as mãos no cabelo. Tinha três cálices à frente, os outros quatro enfileirados atrás. Restavam noventa segundos.

Venenos, venenos, venenos. A boca de Celaena secou. Se perdesse, será que Elena a assombraria por vingança?

Celaena olhou para a direita e percebeu que Pelor, o jovem assassino magro e desengonçado, fixara o olhar nela. Diante dele restavam os mesmos dois cálices nos quais a jovem empacara, e ela o viu colocar o cálice de água no final da fila – o mais venenoso – e o vinho na outra ponta.

Os olhos do rapaz se voltaram para os dela, e com o queixo Pelor fez um aceno quase indetectável. O jovem colocou as mãos no bolso, sinalizando que terminara. Celaena voltou-se para os próprios cálices antes que Brullo a surpreendesse.

Venenos. Era o que dissera Pelor na primeira prova. Ele era treinado em venenos.

Celaena voltou a olhar de soslaio para o assassino. Ele estava à direita.

Olhe para a direita. Lá encontrará as respostas.

A assassina sentiu um arrepio na espinha. Elena contara a verdade.

Pelor olhou para o relógio, assistindo passarem os últimos segundos para o fim da prova. Mas por que ajudá-la?

Celaena mudou o copo de água para o final da fila e colocou o copo de vinho em primeiro lugar.

Talvez porque, além dela, o candidato que Cain mais gostava de atormentar era Pelor. Porque, durante o tempo passado em Endovier, os aliados que fizera não eram os queridinhos dos capatazes, mas os mais odiados por eles. Os excluídos protegiam uns aos outros. Nenhum dos outros campeões fizera questão de prestar qualquer atenção a Pelor – até Brullo aparentemente esquecera a afirmação de Pelor naquele primeiro dia. Se soubesse, nunca teria permitido que fizessem a prova tão abertamente.

– Acabou o tempo. Tomem suas decisões – disse Brullo, e Celaena olhou para sua fila de cálices por mais um momento. Na parte lateral do salão estavam Dorian e Chaol assistindo de braços cruzados. Será que notaram a ajuda de Pelor?

Nox soltou um monte de palavrões e enfileirou apressadamente os últimos copos, assim como muitos outros competidores. Havia antídotos à mão para os erros de avaliação – e quando Brullo começou a passear por entre as mesas, ordenando que bebessem, distribuiu profusamente os antídotos. A maioria presumira que o vinho puro era uma armadilha e o colocou no final da fila. Até Nox acabou engolindo um frasco de antídoto, pois colocara o acônito em primeiro lugar.

E Cain, para a alegria de Celaena, ficou com o rosto inchado e roxo depois de consumir beladona. Enquanto o competidor engolia o antídoto, Celaena desejou que tivessem acabado todos os antídotos de Brullo. Até agora ninguém ganhara a prova. Um campeão bebeu a água e caiu no chão antes que Brullo pudesse entregar-lhe o antídoto. Era sanguinária, um terrível e doloroso veneno. Até um pequeno gole causaria desorientação e alucinações extremamente vívidas. Felizmente, o mestre de armas forçou o campeão a engolir o antídoto, embora o homem tenha precisado ir às pressas para a enfermaria do castelo.

234

Finalmente, Brullo parou em frente à mesa de Celaena para avaliar seus cálices. Sua expressão não revelou nada.

– Vamos, então – disse o mestre de armas.

Celaena olhou brevemente para Pelor, cujos olhos castanhos brilharam quando ela ergueu o copo e tomou um gole.

Nada. Nenhum gosto estranho, nenhuma sensação imediata. Alguns venenos demoravam para fazer efeito, mas...

Brullo apresentou-lhe o punho fechado, e ela sentiu o estômago embrulhar. Será que ele estava segurando o antídoto?

Mas seus dedos se separaram, e ele apenas deu um tapa nas costas da assassina.

– Acertou. É só vinho – disse Brullo, e os campeões murmuraram às costas do mestre de armas.

Ele se aproximou de Pelor – o último campeão –, e o jovem bebeu o copo de vinho. Brullo sorriu para ele, agarrando-lhe o ombro.

– Mais um vencedor.

O aplauso dos patrocinadores e treinadores soou pelo salão, e Celaena lançou a Pelor um sorriso de gratidão. Ele sorriu de volta, ficando vermelho do pescoço ao cabelo acobreado.

Sim, trapaceara um pouquinho, mas o importante é que ganhara. Não era tão ruim dividir uma vitória com um aliado. E Elena estava, sim, protegendo-a – mas isso não mudava nada. Mesmo que agora as exigências de Elena e o caminho de Celaena se cruzassem, ela não se tornaria campeã do rei só para servir aos propósitos obscuros de um fantasma qualquer – propósitos que Elena se recusara duas vezes a revelar.

Mesmo que Elena tivesse lhe dito como ganhar a prova.

235

ᵊᴷ 32 ᴷᵊ

Celaena e Nehemia resolveram encurtar a aula e fazer um passeio pelos salões espaçosos do castelo, com os guardas seguindo-as a alguns passos de distância. Qualquer que fosse a opinião de Nehemia sobre o grupo de guardas que acompanhavam Celaena por toda parte, a princesa não dizia nada. Apesar de faltar apenas um mês para o Yule – e o duelo final cinco dias depois – toda noite, uma hora antes do jantar, Celaena e a princesa dividiam igualmente o tempo entre eyllwe e a língua comum. Celaena fazia Nehemia ler os livros da biblioteca e depois a forçava a copiar letra após letra até que ficassem perfeitas.

A fluência da princesa na língua geral melhorara muito desde que começaram a ter aulas, embora as jovens ainda usassem eyllwe para conversar. Talvez por conforto e facilidade, talvez pelo mero prazer de ver as sobrancelhas erguidas e bocas abertas dos outros quando as entreouviam ou talvez para manter a privacidade – qualquer que fosse o motivo, a assassina preferia eyllwe. Pelo menos aprendera *alguma coisa* em Endovier.

– Você está bem quieta hoje – disse Nehemia. – Alguma coisa a aborrece?

Celaena deu um leve sorriso. Sim, algo a *aborrecia*. Dormira tão mal na noite anterior que acabou desejando que amanhecesse mais rápido. Mais um campeão estava morto. Além do mais, havia a questão das ordens de Elena.

– Fiquei lendo até tarde. Só isso.

As duas entraram em uma parte do castelo que Celaena nunca vira antes.

– Sinto que você está muito preocupada – disse Nehemia, de repente. – E acho que há muito que você se recusa a dizer. Você nunca dá voz aos seus problemas, mas seus olhos os entregam. – Será que Celaena era tão transparente? – Nós somos amigas – disse Nehemia, gentilmente. – Estarei aqui quando precisar de mim.

Celaena sentiu a garganta apertar e colocou uma das mãos no ombro de Nehemia.

– Há muito tempo ninguém me chama de amiga – contou a assassina. – Eu… – Uma sombra pairou sobre suas memórias. – Há partes de mim que eu… – Ela escutou, então, o som que assombrava seus sonhos. A marcha trovejante dos cascos dos cavalos. Celaena balançou a cabeça, e o som silenciou. – Obrigada, Nehemia – disse ela, sinceramente. – Você é uma verdadeira amiga.

O coração da assassina estava dolorido e trêmulo, e o pesar se desvaneceu. Nehemia de repente deixou escapar um grunhido de insatisfação.

– A rainha me pediu para ver a apresentação de uma das peças favoritas dela hoje à noite. Quer vir comigo? Eu bem preciso de uma tradutora.

Celaena franziu a testa.

– Infelizmente eu…

– Você não pode ir. – A voz de Nehemia demonstrava irritação, e Celaena lançou um olhar arrependido para a amiga.

– Há certas coisas que eu… – começou ela, mas a princesa balançou a cabeça.

– Todas temos nossos segredos. Mas realmente estou curiosa para saber por que você está sempre sob observação daquele capitão e por que é trancada no quarto todas as noites. Se eu fosse tola, diria que têm medo de você.

A assassina sorriu.

– Os homens são sempre tolos com essas questões. – Celaena pensou no que a princesa dissera, e a preocupação voltou a embrulhar seu estômago. – Então, você tem realmente um bom relacionamento com a rainha de Adarlan? Você não pareceu… se esforçar muito para isso no início.

A princesa fez que sim com a cabeça e ergueu o queixo.

– Você sabe que a situação entre os nossos países não é amigável no momento. Embora eu tenha sido um pouco fria com Georgina no começo, percebi depois que seria melhor para Eyllwe se eu fizesse algum esforço. Converso regularmente com ela há algumas semanas e espero fazê-la tomar consciência de como podemos melhorar nossas relações diplomáticas. Acho que o fato de ter sido convidada para o evento esta noite é um sinal de que estou fazendo algum progresso. – E, lembrou-se Celaena, através de Georgina, Nehemia poderia também ter acesso ao rei de Adarlan.

Celaena mordeu o lábio, mas então sorriu.

– Seus pais devem estar felizes. – As duas dobraram uma esquina, e o latir dos cachorros lhes chegou aos ouvidos. – Onde *estamos*?

– São os canis. – Nehemia sorriu. – O príncipe me mostrou os filhotinhos ontem. Embora ache que estava só tentando arrumar uma desculpa para escapar um pouco da mãe.

Já era ruim o bastante caminharem juntas sem Chaol, mas entrar nos canis...

– Temos permissão para vir aqui?

Nehemia se empertigou.

– Sou a princesa de Eyllwe – disse ela. – Posso ir aonde quiser.

Celaena seguiu a princesa por uma grande porta de madeira. Encolhendo o nariz ao sentir o cheiro, a assassina passou por jaulas e baias cheias de cachorros de várias raças diferentes.

Alguns eram tão grandes que chegavam até a cintura, outros tinham pernas do comprimento da mão de Celaena e corpos do tamanho de um braço esticado. As raças eram todas fascinantes e belas, mas os lustrosos cães de caça a maravilhavam. Os ventres arqueados para dentro, as longas pernas magras, tão graciosas quanto velozes; eles não latiam como os outros cachorros; sentavam-se totalmente quietos e a observavam com olhos pretos e sábios.

– São todos cães de caça? – perguntou Celaena, mas Nehemia desaparecera. Ainda conseguia escutar a voz da princesa, intercalada a outra. Então percebeu a mão esticada acima do portão, chamando-a para dentro. A assassina correu até lá e olhou para baixo.

Dorian Havilliard sorriu para ela enquanto Nehemia se sentava.

– Ah, olá, Lady Lillian – falou ele, cheio de charme, e colocou no chão um filhote castanho-dourado. – Não esperava ver *você* por aqui. Mas, bem, com a paixão de Nehemia pela caça, não é de surpreender que ela tenha finalmente lhe arrastado pra cá.

Celaena olhou para os quatro cachorros.

– Esses são os vira-latas?

Dorian pegou um deles e fez carinho em sua cabeça.

– Uma pena, não? Ainda não consigo resistir ao charme deles.

Cuidadosamente, vendo Nehemia rir enquanto dois cachorros saltavam sobre a princesa, enterrando-a em lambidas e rabos abanando, a assassina abriu o portão do estábulo e entrou discretamente.

Nehemia apontou para um canto.

– Aquele cachorro está doente? – perguntou ela. Havia um quinto filhote, um pouco maior que os outros, de pelagem sedosa prateada e dourada que cintilava nas sombras. Ele abriu os olhos escuros, como se soubesse que falavam dele, e os encarou. Era um belo animal, e Celaena teria dito que era de raça se não soubesse a verdade.

– Não está doente – disse Dorian. – Está indisposta. Não chega perto de ninguém, seja humano, seja cão.

– Com bons motivos – completou Celaena, passando por cima das pernas do príncipe herdeiro e se aproximando do filhote. – Por que haveria de tocar alguém como você?

– Se não obedecer aos humanos, teremos de matá-la – declarou Dorian casualmente, e uma faísca se acendeu em Celaena.

– Matá-la? *Matá-la*? Por quê? O que ela fez a você?

– Não daria um bom animal doméstico, a futura função de todos estes animais.

– Então você a mataria só por não gostar do seu temperamento? Ela não consegue deixar de ser assim. – Celaena olhou para os lados. – Onde está a mãe dela? Talvez ela esteja com saudades.

– A mãe só vem vê-los quando vai alimentá-los ou para algumas horas de socialização. Eu crio esses cachorros para correr e caçar, não para ficarem se aninhando no colo da mãe.

– Mas é cruel afastá-la da mãe. – A assassina pegou a filhote no colo e apoiou-a no peito. – Não vou deixar que a machuquem.

– Se o espírito dela é estranho – avisou Nehemia –, ela se tornará um fardo.

– Um fardo para quem?

– Não precisa se aborrecer – disse Dorian. – Muitos cachorros são sacrificados todos os dias sem sentirem dor alguma. Não vejo porque *você* teria uma objeção a isso.

– Bom, não mate esta! – exclamou Celaena. – Deixe-me ficar com ela, nem que seja só para que você não a mate.

Dorian a observou.

– Se vai ficar tão aborrecida, não mando matar. Vou arranjar uma casa para ela e até pedirei sua aprovação antes de tomar uma decisão.

– Faria mesmo isso?

– O que é a vida de um cachorro para mim? Se é do seu agrado, então eu o farei.

O rosto de Celaena ardeu enquanto o príncipe se levantou e se aproximou dela.

– Você... você promete?

Dorian colocou uma das mãos sobre o coração.

– Juro pela minha coroa que a filhote viverá.

A assassina se deu conta, de repente, do quão perto estavam de se tocar.

– Obrigada.

Nehemia os observava sentada no chão, com as sobrancelhas erguidas, até que um integrante da sua guarda pessoal apareceu no portão.

– Está na hora de ir embora, princesa – disse ele, em eyllwe. – Precisa se vestir para encontrar a rainha. – A princesa se levantou, deixando para trás os filhotes agitados.

– Caminhará comigo? – perguntou Nehemia a Celaena na língua geral.

Celaena assentiu e abriu o portão. Trancando-o, ela olhou de volta para o príncipe herdeiro.

– E então? Não vem conosco?

Dorian afundou na baia, e os filhotes imediatamente saltaram para cima dele.

– Talvez nos encontremos hoje à noite.

– Só se você tiver sorte – brincou Celaena, e foi embora. A assassina riu consigo mesma enquanto caminhavam pelo castelo. Nehemia voltou-se para ela.

– Você gosta dele?

Celaena fez uma careta.

– Claro que não. Por que gostaria?

– Vocês conversam com facilidade. Parece que têm… uma conexão.

– Uma conexão? – Celaena quase engasgou com a palavra. – Eu só gosto de provocar o príncipe.

– Não é crime considerá-lo bonito. Eu admito tê-lo julgado mal; achei que fosse um babaca egoísta e pomposo, mas ele não é tão ruim.

– Ele é um Havilliard.

– Minha mãe era filha de um líder que tentou tomar o poder de meu avô.

– Só nos provocamos. Não é nada.

– Ele parece muito interessado em você.

Celaena virou bruscamente a cabeça, olhos cheios de uma fúria que há muito esquecera, que fazia sua barriga se contorcer dolorosamente.

– Eu prefiro arrancar meu coração a amar um Havilliard – rosnou ela.

As duas terminaram a caminhada em silêncio e, quando se separaram, Celaena desejou a Nehemia uma noite agradável e partiu rapidamente para sua parte do castelo.

Os poucos guardas que a seguiam permaneceram a uma distância respeitosa – uma distância que crescia a cada dia. Por ordens de Chaol? Já era noite e o céu ainda tinha um tom azul-escuro que manchava a neve empilhada nos beirais das janelas. Celaena poderia facilmente sair do castelo, pegar suprimentos no Forte da Fenda e embarcar em um navio para o sul assim que amanhecesse.

Ela se deteve a uma janela, inclinando-se para perto do vidro. Os guardas pararam, também, e não disseram nada enquanto a esperavam. O frio de fora se infiltrava, beijando a face da assassina. Será que esperavam que ela fosse para o sul? Talvez o norte fosse uma escolha menos previsível; ninguém ousaria ir para o norte no inverno, a não ser que quisesse morrer.

Alguma coisa se mexeu no reflexo do vidro. Celaena se virou bruscamente e encarou o homem que se postava às suas costas.

Mas Cain não deu o sorriso debochado com o qual ela já se acostumara. Ele estava ofegante, a boca abrindo e fechando como a de um peixe fora da água. Os olhos pretos do competidor estavam arregalados, e uma das mãos cobria seu enorme pescoço. Celaena esperava que estivesse sufocando.

– Algum problema? – perguntou ela, docemente, encostando-se na parede.

Ele olhou de um lado para o outro, encarou os guardas, a janela, então seus olhos pousaram nela. Cain apertou mais a garganta, como se estivesse tentando segurar as palavras que ameaçavam escapar; o anel de ébano em seu dedo brilhou fracamente. Embora fosse impossível, ele parecia ter ganhado mais uns quatro quilos de músculo nos últimos dias. De fato, todas as vezes que Celaena o via, Cain parecia maior.

Ela franziu as sobrancelhas e descruzou os braços.

– Cain – disse Celaena, mas o homem saiu correndo pelo corredor como um coelho selvagem, mais rápido do que deveria ser possível. Cain olhou para trás algumas vezes; não para ela, nem para os guardas confusos que cochichavam entre si, mas para algo mais além.

Celaena esperou até que os sons dos passos apressados do campeão desaparecessem, então voltou correndo para o quarto. Mandou mensagens para Nox e Pelor, sem explicar o porquê, mas pedindo que ficassem em seus aposentos naquela noite e não abrissem a porta para ninguém.

⤌ 33 ⤍

Ao sair do quarto, Kaltain beliscou as bochechas. As aias borrifaram-lhe perfume, e a jovem tomou um gole de água com açúcar antes de colocar a mão na porta. Estava fumando cachimbo quando o duque Perrington fora anunciado. Kaltain correra até o armário e mudara de roupa, esperando que o cheiro não perdurasse. Se ele descobrisse sobre o ópio, ela poderia usar como desculpa as dores de cabeça que andava tendo ultimamente. Kaltain passou pelo quarto, atravessou o foyer e então chegou à sala de visitas.

Como de costume, ele parecia pronto para a batalha.

— Vossa Alteza — disse ela, e fez uma reverência. O mundo estava nebuloso e Kaltain sentia o corpo pesado. Perrington beijou-lhe a mão quando ela a estendeu, e o toque dos lábios do duque pareceu úmido e frio. Seus olhares se encontraram quando ele ergueu o rosto, e Kaltain sentiu como se parte do mundo tivesse desabado. Até onde iria para assegurar a posição ao lado de Dorian?

— Espero não estar incomodando — disse ele, soltando a mão da jovem. As paredes do quarto surgiram, então o chão e o teto, e Kaltain teve a sensação de estar presa numa caixa, uma bela caixa cheia de tapeçarias e almofadas.

— Estava só cochilando, milorde — respondeu ela, sentando-se. Perrington fungou, e a jovem teria ficado muito nervosa se não fosse a droga que se alastrava em sua mente. — A que devo o prazer desta visita inesperada?

– Queria saber como você estava. Não a vi no jantar. – Perrington cruzou os braços, que pareciam ser capazes de esmagar o crânio de Kaltain.

– Eu estava indisposta. – Ela resistiu à tentação de descansar a cabeça pesada no sofá.

O duque disse alguma coisa, mas os ouvidos da jovem já não escutavam. A pele dele pareceu endurecer e congelar, e seus olhos se tornaram impiedosas esferas de mármore. Até o cabelo ralo estava congelado como pedra. Kaltain observou, boquiaberta, a boca branca do duque se mexendo, expondo uma garganta esculpida em mármore.

– Desculpe-me. Não estou me sentindo bem.

– Quer que eu traga um copo de água? – O duque se levantou. – Ou devo ir embora?

– Não! – disse Kaltain, quase gritando. Seu coração palpitou. – Quero dizer... estou bem o suficiente para desfrutar da sua companhia, mas por favor, perdoe minha distração.

– Não diria que é distraída, Lady Kaltain – falou o duque, enquanto se sentava. – É uma das moças mais espertas que conheço. Sua Alteza me disse a mesma coisa ontem.

A coluna de Kaltain se endireitou imediatamente. Viu o rosto de Dorian e a coroa que descansava sobre sua cabeça.

– O príncipe disse isso... a meu respeito?

O duque colocou uma das mãos no joelho da jovem, acariciando-o com o dedão.

– É claro. Mas Lady Lillian o interrompeu antes que pudesse dizer mais.

Kaltain virou a cabeça.

– Por que ela estava com ele?

– Não sei. Mas queria que não estivessem juntos.

Kaltain precisava fazer alguma coisa para impedir aquilo. A moça agia rápido – rápido demais para os artifícios de Kaltain. Lillian capturara Dorian em sua armadilha, e agora Kaltain teria de libertá-lo. Perrington conseguiria fazê-lo. Poderia fazer com que Lillian desaparecesse e nunca mais fosse encontrada. Mas não – Lillian era uma dama, e um homem com tanta honra quanto Perrington nunca atacaria alguém de sangue nobre. Ou será que atacaria? Esqueletos dançavam ao redor da mente de Kaltain. E se ele acreditasse que Lillian não era uma dama...? A dor de cabeça voltou com a força de uma explosão, deixando-a sem ar.

– Tive a mesma reação – disse ela, esfregando a testa. – É difícil acreditar que alguém com a má reputação de Lady Lillian seja capaz de conquistar o coração do príncipe. – Talvez as dores de cabeça parassem quando estivesse ao lado de Dorian. – Talvez fosse bom alguém falar com Sua Alteza.

– Má reputação?

– Ouvi dizer que seu passado não é tão... puro quanto deveria ser.

– O que você ouviu? – Perrington exigiu saber.

Kaltain começou a brincar com a joia pendurada na pulseira.

– Não soube dos detalhes, mas alguns nobres não acreditam que ela mereça ser companheira de nenhum membro da corte. Seria bom se soubéssemos mais sobre ela, não acha? É nosso dever como servos da coroa proteger nosso príncipe de tais elementos.

– É verdade – respondeu o duque, em voz baixa.

Algo estranho e selvagem gritou dentro de Kaltain, sobrepondo-se à dor de cabeça, e as imagens de tulipas e de jaulas desapareceram de sua mente.

Ela deveria fazer o que era necessário para salvar a coroa – e seu futuro.

⚬

Celaena ergueu os olhos do antigo livro de teorias sobre marcas de Wyrd quando ouviu a porta abrir, rangendo alto o bastante para acordar os mortos. Seu coração palpitou, e ela se esforçou para agir com naturalidade. Mas não era Dorian Havilliard que entrara, nem alguma criatura feroz.

A porta se abriu completamente, e Nehemia, com um belo vestido de fios dourados, apareceu diante dela. A princesa não olhou para Celaena e não se mexeu, ficou parada na soleira da porta. Os olhos fitavam o chão, e rios de kohl escorriam por seu rosto.

– Nehemia? – chamou Celaena, levantando-se. – O que aconteceu na peça?

Os ombros de Nehemia tremiam. Devagar, a princesa levantou a cabeça, expondo os olhos avermelhados.

– Eu... eu não sabia aonde ir – disse ela, em eyllwe.

Celaena sentiu dificuldade em respirar.

– O que houve? – perguntou.

Foi quando a assassina notou o pedaço de papel nas mãos trêmulas de Nehemia.

– Foram todos massacrados – sussurrou ela, com os olhos arregalados, e sacudiu a cabeça como se negasse as próprias palavras.

Celaena congelou.

– Quem?

Nehemia soluçou desesperadamente, e Celaena sentiu na pele a agonia daquele som.

– Uma tropa do exército de Adarlan capturou quinhentos rebeldes de Eyllwe que se escondiam na fronteira entre a floresta Carvalhal e o pântano de Pedra. – Lágrimas escorriam pelas faces de Nehemia, molhando o vestido branco. Ela amassou o papel em uma das mãos. – Segundo meu pai, a intenção era levá-los a Calaculla como prisioneiros de guerra. Mas alguns dos rebeldes tentaram escapar durante a jornada e... – Nehemia ficou ofegante, tentando expulsar as palavras presas na garganta. – E, como punição, os soldados mataram todos, até as crianças.

O jantar de Celaena lhe subiu à garganta. Quinhentas pessoas... massacradas.

Ela se deu conta dos guardas pessoais de Nehemia de pé à porta, com os olhos brilhantes. Quantos desses rebeldes eram pessoas que eles conheciam – que Nehemia ajudara e protegera de alguma forma?

– Para que ser princesa de Eyllwe se não posso ajudar meu povo? – perguntou Nehemia. – Como posso me chamar de princesa deles quando sei que estão sofrendo tais injustiças?

– Sinto muito – sussurrou Celaena. Como se essas palavras quebrassem o feitiço que segurava a princesa no lugar, Nehemia correu para abraçá-la. Suas joias de ouro pressionaram-se contra a pele de Celaena. Nehemia soluçava. Incapaz de falar, a assassina só a abraçou, pelo tempo que levasse até que a dor da amiga se abrandasse.

❧ 34 ☙

Celaena estava sentada à janela do quarto, vendo a neve dançar no ar noturno. Nehemia há muito retornara a seus aposentos, lágrimas secas e ombros empertigados novamente. O relógio bateu onze da noite, e Celaena se espreguiçou, interrompendo o movimento ao sentir dor na região do estômago. Ela se curvou, concentrando-se na respiração, e esperou que as cólicas passassem. Já estava assim havia mais de uma hora. Celaena puxou o cobertor e o apertou em volta do corpo, sentindo que o calor da lareira não chegava direito onde ela estava na janela. Felizmente, Philippa entrou no quarto, trazendo chá.

– Aqui, menina – disse ela. – Isto vai ajudar. – A criada pôs o chá na mesa ao lado da assassina e repousou a mão na poltrona. – Uma tristeza o que houve com os rebeldes de Eyllwe – comentou ela, baixo o suficiente para que ninguém mais pudesse ouvir. – Nem consigo imaginar o que a princesa está passando. – Celaena sentiu a raiva morder junto com a dor no estômago. – Mas ela tem sorte por ter uma amiga como você.

Celaena tocou a mão de Philippa.

– Obrigada. – A assassina pegou a xícara, que estava quente demais, e quase a deixou cair no colo.

– Cuidado – recomendou Philippa, rindo. – Não sabia que assassinas podiam ser desastradas. Se precisar de alguma coisa, é só me chamar. Tenho muita experiência com cólicas.

Philippa acariciou os cabelos de Celaena e saiu. A assassina teria agradecido outra vez, mas outra onda de cólica tomou conta dela, e Celaena se curvou enquanto a porta se fechava.

O peso recuperado nos últimos três meses e meio permitiu que seu ciclo menstrual retornasse depois que a temporada de quase inanição em Endovier o havia interrompido. Celaena gemeu. Como ela conseguiria treinar assim? O duelo aconteceria dali a quatro semanas.

Os flocos de neve cintilavam do outro lado dos painéis de vidro da janela, rodopiando e ondulando ao cair no chão, uma valsa além da compreensão humana.

Como Elena esperava que a jovem derrotasse algum mal no castelo, quando havia tanto mal lá fora? O que era aquilo se comparado ao que estava acontecendo em outros reinos? Locais tão próximos quanto Endovier e Calaculla? A porta do quarto se abriu, e alguém se aproximou.

– Eu soube de Nehemia. – Era Chaol.

– O que você... não é muito tarde pra estar aqui? – perguntou Celaena, cobrindo-se mais com os lençóis.

– Eu... Você está doente?

– Estou indisposta.

– Por causa do que houve com os rebeldes?

Será que ele não percebia? Celaena fez uma careta.

– Não. Eu *realmente* não estou me sentindo bem.

– Eu também fiquei enojado com isso – murmurou Chaol, encarando o assoalho. – Essa história toda. E depois de ver Endovier... – Ele esfregou o rosto, como se conseguisse apagar as lembranças. – Quinhentas pessoas – sussurrou o capitão. Espantada com o que Chaol admitia, Celaena só conseguia observar.

– Escute – começou ele, andando pelo quarto. – Eu sei que às vezes não trato você direito e sei que você reclama disso com Dorian, mas... – Chaol se voltou para a jovem. – Foi bom você ter feito amizade com a princesa, e aprecio sua honestidade e amizade incondicional para com ela. Eu sei que há boatos sobre a conexão de Nehemia com os rebeldes em Eyllwe, mas... mas gosto de pensar que, se meu país fosse conquistado, eu também não pararia por nada até devolver a liberdade do meu povo.

Celaena teria respondido algo, não fosse pela forte dor que sentia na base da espinha e pelos movimentos nauseantes do estômago.

– Talvez... – começou ele, olhando pela janela. – Talvez eu estivesse errado. – O mundo começou a girar e a se inclinar, e Celaena fechou os olhos. Ela sempre tivera cólicas terríveis, geralmente acompanhadas de enjoo. Mas não iria vomitar. Agora não.

– Chaol... – começou Celaena, e levou a mão à boca enquanto a náusea ficava mais forte e tomava conta dela.

– O que acontece é que me orgulho muito do meu trabalho – continuou ele.

– Chaol – repetiu Celaena. Ah, ela ia vomitar.

– E você é a Assassina de Adarlan. Mas eu estava me perguntando se... se você não gostaria de...

– Chaol – avisou ela. Quando o capitão se virou, Celaena vomitou no chão.

Ele fez um som de repulsa e pulou para trás. Lágrimas assomaram nos olhos da assassina conforme o gosto amargo tomava conta de sua boca. Ela ficou curvada sobre os joelhos enquanto saliva e bile pingavam no chão.

– Você está... por Wyrd, você está doente mesmo, não é? – Ele chamou uma serviçal e ajudou Celaena a se levantar da poltrona. O mundo estava mais claro. O que ele estava perguntando? – Venha. Vou colocá-la na cama.

– Não estou doente *assim* – gemeu Celaena. Chaol sentou-a na cama, removendo o cobertor. A serviçal entrou, fez uma careta ao ver a sujeira no chão e chamou ajuda.

– Então como?

– Eu, hã... – Celaena sentia o rosto quente a ponto de derreter. *Ah, seu babaca!* – Meu ciclo menstrual finalmente voltou.

O rosto de Chaol ficou igual ao dela, e o capitão se afastou, passando a mão pelo cabelo castanho.

– Eu, se... Então vou me retirar – gaguejou ele, e se curvou para sair. Celaena ergueu a sobrancelha e, apesar da dor, sorriu enquanto Chaol saía da sala o mais rápido que os pés conseguiam carregá-lo sem correr, tropeçando de leve no umbral da porta ao sair.

Celaena olhou para as criadas limpando o chão.

– Eu sinto muito... – começou ela, mas as moças a tranquilizaram com gestos. Envergonhada e dolorida, a assassina subiu mais na cama e se aninhou entre os lençóis, esperando que o sono não demorasse.

Mas o sono não vinha, e, algum tempo depois, a porta se abriu novamente, e alguém riu.

– Encontrei Chaol e ele me falou do seu "problema". Eu imaginava que um homem na profissão dele não seria tão fresco para esses assuntos, especialmente depois de ter examinado tantos cadáveres.

Celaena abriu um olho e franziu o cenho enquanto Dorian sentava na cama.

– Estou num estado deplorável de agonia absoluta e não posso ser incomodada.

– Não pode ser tão ruim... – respondeu o príncipe, e pegou um deque de cartas do colete. – Quer jogar?

– Eu já disse que não estou bem.

– Você parece bem pra mim. – Ele embaralhou o deque com habilidade. – Só uma partida.

– Você não paga pessoas para entreterem você?

Dorian sorriu, cortando o deque.

– Você devia ficar honrada com minha companhia.

– Eu ficaria honrada se você *saísse*.

– Para alguém que depende da minha boa vontade, você é bem ousada.

– Ousada? Eu nem comecei ainda. – Deitada de lado, Celaena encostou os joelhos no peito.

Ele riu e guardou o deque de cartas.

– Seu novo companheiro canino está indo bem, se quer saber.

Celaena gemeu no travesseiro.

– Vá embora. Estou com vontade de morrer.

– Belas donzelas não deveriam morrer sozinhas – respondeu o príncipe, e pousou a mão sobre a dela. – Você quer que eu leia para você nos seus últimos instantes? Que história prefere?

Celaena puxou a mão de volta rapidamente.

– Que tal a história do príncipe tolo que não deixa a assassina em paz?

– Ah! Eu *adoro* essa! E tem um final feliz ótimo, também. Ora, a assassina só estava fingindo estar doente para conseguir a atenção do príncipe! Quem é que podia ter imaginado? Que garota esperta. E a cena no quarto é *tão* bela... vale a pena ler, eles não param de trocar gracejos!

– Fora! Fora! Fora! Deixe-me em paz, vá cortejar outra pessoa! – Celaena pegou um livro e o arremessou na direção do príncipe. Ele o apanhou antes que acertasse seu nariz, e os olhos dela se arregalaram. – Eu não quis... isso não foi um ataque! Foi só brincadeira... eu não quis machucá-lo de verdade, Vossa Alteza – disse ela, atrapalhadamente.

– Sim, eu esperaria que a Assassina de Adarlan fosse me atacar de um modo mais *digno*. Pelo menos com uma espada ou uma faca e de preferência não pelas costas.

Celaena apertou a barriga e se curvou. Às vezes odiava ser mulher.

– É "Dorian", aliás. Não "Vossa Alteza".

– Está bem.

– Diga.

– Diga o quê?

– Diga meu nome. Diga, "está bem, Dorian".

Ela revirou os olhos.

– Se é do agrado de Vossa Reverendíssima Magnanimidade, eu o chamarei pelo primeiro nome.

– "Reverendíssima Magnanimidade"? Acho que gostei disso. – O vulto de um sorriso apareceu no rosto dela, e Dorian olhou para o livro. – Esse não é um dos livros que *eu* enviei para você! Eu nem *tenho* livros assim!

Ela riu fracamente e pegou o chá que a serva havia levado.

– É claro que não, *Dorian*. Eu pedi a uma aia que me trouxesse essa cópia hoje.

– *Paixões ao pôr do sol* – leu o príncipe, e abriu o livro em uma página aleatória. – "Suas mãos acariciaram gentilmente a pele macia dos sei..." – Os olhos dele se arregalaram. – Por Wyrd! Você lê mesmo essa porcaria? O que aconteceu com *Símbolos e poder* e *A cultura e os costumes de Eyllwe*?

Celaena terminou de beber, e o chá de gengibre acalmou seu estômago.

– Você pode pegar emprestado quando eu terminar. Se você ler, sua experiência literária estará completa. E – acrescentou ela, com um sorriso malicioso – talvez você encontre nele algumas ideias de coisas para fazer com suas amigas.

Dorian bufou, irritado.

– Eu *não* vou ler isso.

Celaena tomou o livro das mãos dele e recostou-se.

– É, acho que você é igual a Chaol, então.

– Chaol? – perguntou ele, caindo na armadilha. – Você pediu a *Chaol* para ler isto?

– Ele se recusou, é claro – mentiu a jovem. – Disse que não era certo ler coisas assim se fosse eu quem emprestasse.

Dorian tomou o livro das mãos de Celaena.

– Dê-me isso, mulher-demônio. Não vou permitir que *você* nos faça competir um com o outro.

O príncipe olhou mais uma vez para o romance, depois virou-o para esconder o título. Ela sorriu e voltou a observar a neve que caía. Estava bastante frio agora e nem o fogo conseguia aquecer as rajadas de vento que sopravam pelas frestas das portas da sacada. Celaena sentiu que Dorian a observava... e não da maneira cautelosa como Chaol fazia às vezes. Em vez disso, Dorian parecia olhar para ela por simplesmente gostar de fazê-lo.

E Celaena gostava de observá-lo também.

***

Dorian não percebeu que estava fascinado por ela até Celaena se empertigar e perguntar:

– O que você está olhando?

– Você é linda – respondeu Dorian, sem pensar.

– Não seja estúpido.

– Eu a ofendi? – O sangue bombeava em suas veias em um ritmo estranho.

– Não – respondeu ela, e olhou rapidamente na direção da janela. Dorian viu as bochechas da assassina ficando mais e mais coradas. Era a primeira vez, a não ser por Kaltain, que ele conhecia uma mulher bonita por tanto tempo sem cortejá-la. E o príncipe já não podia negar que ardia para conhecer o gosto dos lábios de Celaena, o cheiro de sua pele nua ou como ela reagiria ao toque dos seus dedos pelo corpo.

A semana que precedia o Yule era uma época de relaxamento, de celebrar os prazeres da carne que aquecem as noites de inverno. As mulheres deixavam os cabelos soltos; algumas nem usavam espartilho. Era um feriado para se banquetear com os frutos da colheita e da carne. Naturalmente, Dorian ansiava por essa época todos os anos. Mas agora...

Agora ele tinha uma sensação pesada no estômago. Como poderia celebrar com as notícias recentes do que os soldados de seu pai tinham feito com os rebeldes de Eyllwe? Não tinham poupado uma única vida. Quinhentas pessoas – todas mortas. Como poderia encarar Nehemia novamente? E como poderia um dia comandar um país cujos soldados tinham sido treinados para ter tão pouca compaixão pela vida humana?

Dorian sentiu a boca seca. Celaena era de Terrasen – outro país conquistado, a primeira conquista de seu pai. Era um milagre que Celaena sequer reconhecesse a existência do príncipe – ou talvez ela tivesse passado tanto tempo em Adarlan que já não se importava mais. Mas Dorian não acreditava nisso, não quando a jovem tinha três cicatrizes gigantes nas costas para lembrá-la para sempre da brutalidade do rei.

– Algum problema? – perguntou Celaena. Com cuidado, mas também com curiosidade. Como se se importasse. Dorian suspirou profundamente e foi até a janela, incapaz de encará-la. O vidro estava frio ao toque, e ele ficou vendo os flocos de neve caírem no chão.

– Você deve me odiar – murmurou o príncipe. – E à corte também, por nossa frivolidade e frieza, quando tantas coisas horríveis estão acontecendo fora da cidade. Eu soube dos rebeldes chacinados e... estou envergonhado – confessou ele, encostando a cabeça contra a janela. Dorian ouviu quando Celaena se levantou da cama e desabou na poltrona. As palavras saíam em torrente, uma depois da outra, e ele não conseguia parar. – Eu sei por que é tão fácil para você matar meu povo. E eu não a culpo por isso.

– Dorian – falou Celaena, gentilmente.

O mundo lá fora estava escuro.

– Eu sei que você jamais me dirá – continuou ele, expressando o que queria dizer há muito tempo. – Mas sei que algo horrível aconteceu quando você era jovem, algo que talvez meu pai tenha feito. Você tem direito de odiar Adarlan por tomar o controle de Terrasen... por ter tomado todos os outros países e o país de sua amiga.

O príncipe engoliu em seco, sentindo os olhos ardendo.

– Você não vai acreditar em mim. Mas... eu não quero fazer parte disso. Não posso me chamar de homem quando permito que meu pai encoraje atrocidades imperdoáveis como essa. Mas mesmo se eu pedisse clemência para os reinos conquistados, ele não me escutaria. Não neste mundo. Eu só escolhi você para ser minha campeã porque sabia que isso irritaria meu pai.

– Celaena balançou a cabeça, mas Dorian continuou: – Se eu tivesse me recusado a patrocinar um campeão, meu pai teria visto isso como uma afronta, e eu ainda não sou homem o suficiente para enfrentá-lo abertamente. Assim, escolhi a Assassina de Adarlan para ser minha campeã, porque a escolha de um campeão era a única escolha que eu tinha.

Sim, agora tudo fazia sentido.

– A vida não devia ser assim – disse ele, e os olhos dos dois se encontraram quando Dorian fez um amplo gesto para o quarto. – E... o mundo não devia ser assim.

A assassina ficou quieta, ouvindo as batidas do próprio coração. Então falou:

– Eu não odeio você – disse Celaena, e sua voz era pouco mais que um sussurro. O príncipe desabou na cadeira à frente dela e apoiou a cabeça na mão. Ele parecia bastante solitário. – E não acho que você seja como eles. Eu... sinto muito se magoei você. Falo de brincadeira a maior parte do tempo.

– Me magoar? – exclamou Dorian. – *Você* não me magoou! Você só... só deixou as coisas um pouco mais divertidas.

Celaena inclinou a cabeça.

– Só um pouco?

– Um pouco mais que isso, talvez. – Dorian esticou as pernas. – Ah, se você pudesse ir ao baile de Yule comigo. Agradeça por não poder ir.

– Por que eu não posso ir? E o que é o baile de Yule?

Dorian grunhiu, envergonhado.

– Não é nada demais. Só um baile de máscaras que acontece na época de Yule. E eu acho que você sabe muito bem por que não pode ir.

– Você e Chaol realmente adoram arruinar minhas chances de diversão, não é? Eu *gosto* de festas.

– Quando você for a campeã, poderá ir a quantos bailes quiser.

Celaena fez uma careta. Dorian queria dizer que, se pudesse, a teria convidado; que queria passar mais tempo junto dela, que pensava em Celaena quando estavam separados; mas ele sabia que a assassina riria disso.

O relógio bateu meia-noite.

– É melhor eu ir – disse ele, espreguiçando-se. – Tenho um dia repleto de reuniões amanhã e acho que o duque Perrington não vai gostar se eu estiver caindo de sono.

Celaena deu um risinho.

– Apresente meus cumprimentos ao duque. – De modo algum esquecera a maneira como o duque a tratara no primeiro dia em Endovier. Dorian também não. E imaginar o duque tratando-a daquele jeito outra vez o fazia arder de fúria.

Sem pensar, ele se inclinou e beijou o rosto da assassina. Celaena retesou o corpo quando os lábios do príncipe tocaram-lhe a pele, e embora o beijo tivesse sido breve, Dorian inspirou o cheiro de Celaena. Afastar-se foi surpreendentemente difícil.

– Fique bem, Celaena – disse ele.

– Boa noite, Dorian.

Ao sair, ele se perguntou por que a jovem parecera tão triste de repente e por que pronunciara seu nome não com ternura, mas com resignação.

Celaena observava o luar, que se irradiava pelo teto. Um baile de máscaras durante o Yule! Mesmo sendo a corte mais corrupta e ostensiva de Erilea, parecia muito romântico. E, é claro, ela não podia ir. Celaena suspirou profundamente e apoiou a cabeça nas mãos. Seria isso que Chaol quisera perguntar antes de ela vomitar? Um convite de verdade para o baile?

A assassina balançou a cabeça. Não. A última coisa que ele faria seria convidá-la para um baile real. Além disso, os dois tinham coisas mais importantes com que se preocupar. Como quem estaria por trás da morte dos campeões. Talvez Celaena devesse ter avisado ao príncipe sobre o estranho comportamento de Cain mais cedo naquela tarde.

Celaena fechou os olhos e sorriu. Não conseguia pensar em um presente de Yule melhor que encontrar Cain morto na manhã seguinte. Mas à medida que o relógio batia as horas, Celaena manteve-se alerta – esperando, perguntando-se sobre a real natureza daquilo que espreitava no castelo e sem conseguir parar de pensar nos quinhentos rebeldes de Eyllwe mortos, enterrados em alguma cova rasa.

⚛ 35 ⚛

Na noite seguinte, Chaol Westfall estava no segundo andar do castelo, olhando para o pátio. Abaixo dele, dois vultos prosseguiam lentamente pelas sebes. O manto branco de Celaena tornava fácil identificá-la, e Dorian sempre podia ser notado pelo círculo de espaço vazio ao seu redor.

O capitão deveria estar lá embaixo, logo atrás deles, observando-os, para impedir que a assassina capturasse o príncipe e o usasse para fugir. A lógica e os anos de treinamento gritavam para que Chaol se juntasse aos dois, mesmo com os seis guardas que já os seguiam de perto. Celaena era astuta, cruel e enganadora.

Mas Westfall não conseguia mover os pés.

A cada dia, sentia as barreiras derretendo. Ele as *deixava* derreter. Por causa da risada sincera de Celaena, porque ele um dia a surpreendera dormindo com o rosto em cima de um livro, porque sabia que ela venceria.

Celaena era uma criminosa – um prodígio na arte de matar, uma rainha do submundo – e ainda assim... era apenas uma menina, enviada a Endovier com 17 anos.

Chaol se sentia enojado cada vez que pensava nisso. O capitão treinava com a Guarda Real desde os 17 anos, mas morava ali, tinha um teto sobre a cabeça, boa comida e amigos.

Dorian ainda cortejava Rosamund naquela idade e não se importava com mais nada.

Mas Celaena – aos *17* – fora enviada a um campo da morte. E sobrevivera.

Chaol não sabia se *ele* sobreviveria a Endovier; quanto mais nos meses de inverno. Nunca fora chicoteado nem observara impotente enquanto alguém morria. Jamais passara frio ou fome.

Celaena sorriu em reação a algo que Dorian disse. Ela sobrevivera a Endovier e ainda conseguia rir.

Embora Chaol se sentisse aterrorizado ao vê-la lá embaixo, à distância de um palmo da garganta indefesa de Dorian, o que mais amedrontava o capitão era o fato de confiar nela. E ele não sabia o que isso dizia sobre si mesmo.

Celaena caminhava entre as sebes, sem poder controlar o sorriso em seu rosto. Os dois caminhavam juntos, mas não perto o suficiente para se tocar. Dorian fora até ela pouco depois do jantar e a convidara a um passeio. De fato, o príncipe aparecera tão rapidamente depois de os serviçais terem limpado a mesa que Celaena quase pensou que ele estivera esperando do lado de fora o tempo todo.

Claro que era somente por causa do frio que a assassina queria andar de braços dados com Dorian para se aquecer. O manto branco forrado de pele mal impedia que o ar gélido a congelasse. Celaena nem imaginava como Nehemia reagiria a temperaturas como aquela. Mas depois que soube do destino daqueles rebeldes, a princesa passava a maior parte do tempo em seus aposentos e recusara repetidamente os convites de Celaena para passearem.

Tinham se passado três semanas desde o último encontro de Celaena com Elena, e a jovem não a vira ou ouvira, apesar das três provas que fizera; a mais empolgante delas tinha sido uma corrida de obstáculos, prova na qual Celaena passou com apenas alguns arranhões e ferimentos leves. Infelizmente, Pelor não se saíra tão bem e finalmente fora mandado para casa. Mas o jovem dera sorte: três outros competidores tinham morrido. Todos encontrados em corredores esquecidos; todos mutilados até ficarem irreconhecíveis. Mesmo Celaena passara a se sobressaltar com qualquer ruído estranho.

Agora só havia seis deles: Cain, Cova, Nox, um soldado e Renault, um mercenário cruel que substituíra Verin como braço direito de Cain. Previsivelmente, a atividade preferida de Renault era provocar Celaena.

A jovem afastou a mente dos assassinatos quando ela e o príncipe passaram por uma fonte e Celaena percebeu que Dorian a admirava pelo canto do olho. Claro que Celaena não pensara em Dorian ao escolher o belo vestido lilás que usava, nem ao se certificar de que os cabelos estivessem cuidadosamente feitos, nem ao escolher luvas brancas impecáveis.

– E o que fazemos agora? – perguntou Dorian. – Nós já demos duas voltas pelo jardim.

– Você não tem deveres principescos para cumprir? – Celaena se encolheu quando uma rajada de vento gélido arrancou seu capuz e congelou suas orelhas. Ao colocar o capuz no lugar, ela notou que Dorian estava encarando sua garganta. – O que foi? – perguntou a jovem, cobrindo-se com o manto.

– Você sempre usa esse colar – comentou Dorian. – É outro presente?

Embora Celaena estivesse de luvas, ele olhou para a mão dela – onde ficava o anel de ametista – e o brilho fugiu de seus olhos.

– Não. – Celaena cobriu o amuleto com a mão. – Encontrei na minha caixa de joias e achei bonito, seu homem insuportavelmente territorial.

– Parece bem antigo. Andou roubando o cofre real? – O príncipe piscou, mas Celaena não sentiu que era um gesto acolhedor.

– Não – repetiu ela, ríspida. Mesmo que um colar não fosse protegê-la do assassino e mesmo que Elena tivesse algum objetivo sombrio, Celaena não queria tirar o colar. O pequeno objeto a confortava de alguma forma nas longas horas em que ficava acordada encarando a porta do quarto.

Dorian continuou observando a mão da assassina até que Celaena a retirou da garganta. Ele estudou o colar.

– Quando eu era criança, costumava ler histórias sobre o nascimento de Adarlan; Gavin era o meu herói. Eu devo ter lido todas as lendas sobre a guerra contra Erawan.

Como ele pode ser tão inteligente? Não pode ter descoberto assim tão rápido. Celaena fez o melhor para parecer inocentemente interessada.

– E...?

– Elena, primeira rainha de Adarlan, tinha um amuleto mágico. Na batalha contra o Senhor das Trevas, Gavin e Elena se viram indefesos contra ele. O Senhor das Trevas estava prestes a matar a princesa quando um espírito apareceu e deu a ela o colar. Depois que Elena o colocou, Erawan não pôde machucá-la. A rainha viu o Senhor das Trevas como ele realmente era e o chamou pelo nome verdadeiro. Isso o surpreendeu tanto que Erawan se distraiu, e Gavin o matou. – Dorian olhou para o chão. – O colar era chamado de Olho de Elena; está perdido há séculos.

Como era estranho ouvir Dorian, filho do homem que banira e proscrevera todos os vestígios de magia, falando sobre amuletos poderosos. Mesmo assim, Celaena sorriu da melhor forma que pôde.

– E você acha que esta bijuteria é o Olho? Eu achava que o amuleto já teria virado pó a esta altura.

– Acho que não – objetou Dorian, esfregando vigorosamente os braços para se aquecer. – Mas já vi algumas ilustrações do Olho, e seu colar se parece com elas. Talvez seja uma réplica.

– Talvez. – Celaena logo encontrou outro assunto. – Quando seu irmão chega?

Dorian olhou para o céu.

– Tenho sorte. Nós recebemos uma carta esta manhã dizendo que a neve nas montanhas impede que Hollin volte pra casa. Ele ficará preso na escola até depois da primavera e está extremamente irritado com isso.

– Pobrezinha da sua mãe – disse Celaena, com um meio sorriso.

– Ela deve enviar servos para entregar os presentes de Yule do garoto, independentemente da tempestade.

Celaena não o ouviu e, embora ainda tenham conversado por mais uma hora enquanto andavam pelos jardins, a assassina não conseguia acalmar o coração. Elena deveria saber que alguém reconheceria o amuleto – e se fosse o verdadeiro... O rei poderia matar Celaena imediatamente não só por usar uma relíquia de família, mas por ser uma relíquia poderosa.

Mais uma vez a assassina se perguntou quais seriam as motivações de Elena.

Celaena olhou do livro para a tapeçaria na parede. O baú com gavetas continuava onde ela o enfiara, em frente à passagem. A jovem balançou a cabeça e voltou ao livro. Embora passasse os olhos pelas linhas, sequer registrava o que lia.

O que Elena queria com ela? Rainhas mortas geralmente não retornavam para dar ordens aos vivos. Celaena apertou o livro. E não era como se a assassina não estivesse cumprindo o comando de Elena para que vencesse – ela teria lutado com a mesma dedicação para se tornar a campeã do rei de qualquer modo. E quanto a encontrar e derrotar o mal no castelo... bem, essa história parecia ter algo a ver com o assassinato dos campeões, como Celaena poderia *não* tentar descobrir quem era o responsável?

Uma porta se fechou em algum lugar dos seus aposentos, e Celaena saltou, fazendo o livro voar. A jovem agarrou o castiçal de bronze ao lado da cama e se preparou para pular do colchão, mas então apoiou o objeto de novo quando o assobio de Philippa atravessou as portas do quarto. Celaena gemeu ao sair da cama quente para buscar o livro.

Ele caíra embaixo da cama; Celaena se ajoelhou no assoalho frio e esticou-se para alcançá-lo. A jovem não conseguia sentir o livro em parte alguma, então decidiu pegar a vela. Celaena viu o livro imediatamente, encostado contra a parede, mas quando seus dedos tatearam pela capa, a luz da vela destacou uma linha branca no assoalho sob a cama.

Celaena puxou o livro para si e se levantou, espantada. Suas mãos tremiam enquanto empurrava a cama, os pés da jovem deslizando no assoalho semicongelado. A cama se moveu lentamente, mas por fim ela a empurrou o suficiente para ver o que havia sido rabiscado no assoalho.

Tudo dentro de Celaena se tornou gelo.

Marcas de Wyrd.

Dezenas de marcas de Wyrd tinham sido desenhadas no chão com giz, formando uma espiral gigante com uma grande marca no centro. Celaena cambaleou para trás e se chocou contra a penteadeira.

O que era aquilo? A assassina passou a mão trêmula pelo cabelo, olhando para a marca no centro.

Tinha visto aquela marca. Tinha sido gravada de cada lado do corpo de Verin.

Ao sentir o estômago se revirar, Celaena correu até a mesa de cabeceira e pegou a jarra de água. Sem pensar, ela jogou a água nas marcas, depois correu até o quarto de banho para pegar mais. Quando a água soltou o giz, a assassina pegou uma toalha e esfregou o chão até suas costas doerem e suas mãos e pernas estarem quase congeladas.

Somente então Celaena vestiu calças e uma túnica e saiu do quarto.

Por sorte, os guardas não disseram nada quando a jovem pediu para ser escoltada até a biblioteca no meio da noite. Eles permaneceram no salão principal enquanto Celaena percorria as prateleiras, em direção à alcova mofada e esquecida onde encontrara a maior parte dos livros sobre marcas de Wyrd. A assassina não conseguia andar rápido o bastante e olhava continuamente por cima do ombro.

Seria ela a próxima? O que aquilo significava? Celaena esfregava os dedos. Quando virou em um canto, a cerca de dez prateleiras da alcova, Celaena estacou de súbito.

Nehemia, sentada em uma pequena escrivaninha, olhava para ela de olhos arregalados.

Celaena pôs a mão sobre o peito, que batia acelerado.

– Droga! – esbravejou ela. – Você me assustou!

Nehemia sorriu, mas não completamente. Celaena inclinou a cabeça ao se aproximar da mesa.

– O que você está fazendo aqui? – perguntou Nehemia, em eyllwe.

– Não consegui dormir.

Celaena olhou para o livro da princesa. Não era o que usavam nas aulas. Não, era um livro velho e grosso, cheio de densas linhas de texto.

– O que você está lendo?

Nehemia fechou o livro e se levantou.

– Nada.

Celaena observou o rosto da princesa; os lábios dela estavam contraídos, e Nehemia ergueu o queixo.

– Não achei que você já conseguia ler textos desse nível.

Nehemia guardou o livro na dobra do braço.

– Então você é igual a todos os tolos ignorantes deste castelo, Lillian – replicou ela, com pronúncia perfeita na língua comum. Sem dar chance de resposta, a princesa se afastou.

Celaena observou enquanto Nehemia se afastava. Não fazia sentido. Ela não sabia ler livros avançados assim, ainda tropeçava nas linhas de texto mais simples. E Nehemia nunca falara com aquele sotaque impecável, e...

Nas sombras atrás da escrivaninha, um pedaço de papel caíra entre a madeira e a parede de pedra. Celaena pegou o papel amassado e o abriu.

No instante seguinte se voltou na direção em que Nehemia desaparecera. Sentindo a garganta apertada, Celaena meteu o pedaço de papel no bolso e voltou às pressas para o salão principal, sentindo a marca de Wyrd desenhada no papel queimando um buraco em sua roupa.

Celaena desceu pela escadaria, então seguiu por um corredor com paredes forradas de livros.

Não, Nehemia não podia tê-la manipulado daquela forma... Nehemia não mentiria dia após dia sobre o quão pouco sabia. Fora Nehemia quem lhe informara que os rabiscos no jardim eram marcas de Wyrd. A princesa sabia o que era aquilo e *avisara* Celaena para ficar longe das marcas de Wyrd repetidas vezes. Porque Nehemia era sua amiga, porque Nehemia chorara quando seu povo fora massacrado, porque a princesa procurara *Celaena* em busca de conforto.

Mas Nehemia vinha de um reino conquistado. E o rei de Adarlan arrancara a coroa da cabeça de seu pai e tomara seu título. E o povo de Eyllwe estava sendo sequestrado na calada da noite para ser vendido como escravizado, assim como os rebeldes que, diziam os boatos, Nehemia apoiava tão tenazmente. E quinhentos cidadãos de Eyllwe tinham sido chacinados nos últimos tempos.

Os olhos de Celaena ardiam enquanto a assassina observava os guardas matando tempo nas poltronas do salão principal.

Nehemia tinha todos os motivos para enganá-los, para tramar contra eles. Para sabotar a competição estúpida e deixar todos em pânico. Quem melhor para alvejar que os criminosos abrigados no castelo? Ninguém sentiria falta deles, mas o medo vazaria para dentro das paredes.

Mas por que Nehemia tramaria contra *ela*?

⚜ 36 ⚜

Há dias sem ver Nehemia, Celaena manteve silêncio sobre o incidente, não contou nada para Chaol, Dorian ou qualquer pessoa que a visitou em seus aposentos. Não podia confrontar Nehemia, não sem provas mais concretas, ou colocaria tudo a perder. Então, Celaena passou seu tempo livre pesquisando sobre as marcas de Wyrd, desesperada para decifrá-las, para encontrar os símbolos, para descobrir o significado de tudo aquilo e de que forma se conectava ao assassino e à fera. Apesar da preocupação, outra prova transcorreu sem nenhum incidente ou constrangimento – embora o mesmo não pudesse ser dito pelo soldado enviado para casa –, e Celaena continuou o intenso treinamento com Chaol e os outros campeões. Restavam cinco deles agora. A prova final seria em três dias, e o duelo, dois dias depois.

Celaena acordou na manhã de Yule e apreciou o silêncio.

Havia algo inerentemente pacífico naquele dia, apesar do encontro sombrio com Nehemia. Naquele momento o castelo todo estava tão quieto que era possível ouvir a neve caindo. O gelo cobria as vidraças das janelas como renda, o fogo já crepitava na lareira, e sombras de flocos de neve flutuavam pelo chão. A manhã de inverno estava tão tranquila e agradável quanto Celaena poderia imaginar. Não iria estragá-la pensando em Nehemia, no duelo ou no baile daquela noite, ao qual não poderia ir. Não, era manhã de Yule, e ela estava feliz.

Não parecia um feriado no qual se celebravam as trevas que originaram a luz da primavera, nem no qual se celebrava o nascimento do primogênito da Deusa. Era somente um dia em que as pessoas se mostravam mais cordiais, prestavam mais atenção em um pedinte na rua, lembravam que o amor era algo vivo. Celaena sorriu e rolou na cama. Mas alguma coisa a atrapalhou. Uma coisa amassada e dura, contra seu rosto, e com um cheiro inconfundível de...

– Doce!

Um grande saco de papel estava sobre o travesseiro e dentro dele Celaena achou todo tipo de guloseimas. Não havia nenhum bilhete, nem mesmo um nome na embalagem. Com os ombros encolhidos e os olhos brilhando, Celaena encheu a mão de confeitos. Ah, como *amava* doces!

A assassina emitiu uma risada de êxtase e levou os doces à boca. Um a um, ela provou toda a variedade, fechando os olhos e respirando bem fundo enquanto saboreava todos os sabores e texturas.

Quando finalmente parou de mastigar, seu maxilar doía. Ela esvaziou o conteúdo do saco sobre a cama, ignorou os montinhos de açúcar que se formavam e examinou o mar de delícias à frente.

Todos os favoritos estavam lá: balas de gelatina cobertas de chocolate; barras de chocolate com amêndoas; balas em formato de frutas; duras balas açucaradas, em formato de gemas; pé de moleque; barras de doce de leite; bombons de glacê; alcaçuz e, o mais importante, chocolate! Celaena colocou uma trufa de avelã na boca.

– Alguém – disse a jovem, enquanto mastigava – está sendo *muito* bom comigo.

Celaena parou para verificar a sacola de novo. Quem a teria mandado? Talvez Dorian. Com certeza não tinha sido nem Nehemia nem Chaol. Nem as Fadas do Gelo, que naquela época entregavam os presentes para as crianças boas. Elas haviam parado de visitar Celaena depois que a jovem derramou pela primeira vez o sangue de outro ser humano. Talvez Nox. Ele gostava dela o suficiente.

– *Srta. Celaena!* – exclamou Philippa da soleira da porta, boquiaberta.

– Feliz Yule, Philippa – disse Celaena. – Aceita um doce?

Philippa entrou no quarto, indo em direção à assassina.

– Feliz Yule mesmo! Veja só essa cama! Que bagunça!

Celaena se encolheu.

– Seus dentes estão *vermelhos*! – gritou Philippa. A criada pegou o espelho de mão que Celaena deixava ao lado da cama e o segurou para que a assassina se visse.

Não havia dúvidas de que seus dentes estavam tingidos de carmim. Celaena passou a língua por eles, depois tentou tirar as manchas com o dedo, mas elas permaneceram.

– Malditos sugadores de açúcar!

– Sim – retrucou Philippa. – E sua boca está toda suja de *chocolate*. Nem meu neto come doce assim!

Celaena riu.

– Você tem um neto?

– Tenho, e ele consegue comer sem lambuzar de comida a cama, os dentes e o *rosto*!

Celaena esticou as cobertas e espalhou açúcar pelo ar.

– Pegue um doce, Philippa.

– São sete da manhã. – Philippa varreu o açúcar para a mão em forma de concha. – Você vai passar mal.

– Mal? Quem passa mal por causa de doce? – Celaena fez uma careta e mostrou os dentes carmesim.

– Você está parecendo um demônio – disse Philippa. – Só não abra a boca e ninguém vai perceber.

– Nós duas sabemos que isso não é possível.

Para a surpresa de Celaena, Philippa riu.

– Feliz Yule, Celaena.

Ouvir Philippa chamá-la pelo nome lhe causou um inesperado prazer.

– Venha – falou a criada. – Vamos vestir você, a cerimônia começa às nove. – Philippa se dirigiu para o armário enquanto Celaena a observava. O coração da assassina estava tão grande e vermelho quanto seus dentes. Havia bondade nas pessoas, lá no fundo, sempre havia um fiapo de bondade. *Tinha* de haver.

Um pouco depois, Celaena apareceu em um solene vestido verde, considerado por Philippa a única roupa apropriada para ir ao templo. Os dentes da jovem ainda estavam vermelhos, claro, e ela se sentiu enjoada quando olhou para o saco de doces. Mas Celaena logo se esqueceu da náusea quando viu Dorian Havilliard sentado à mesa de seu quarto com as pernas cruzadas. Ele usava um lindo paletó branco e dourado.

– Você é meu presente ou tem alguma coisa nessa cesta aos seus pés? – perguntou Celaena.

– Se você quiser me desembrulhar – disse ele, e levantou a cesta de vime até a mesa –, ainda temos uma hora até a cerimônia no templo.

Celaena riu.

– Feliz Yule, Dorian.

– Para você também. Posso ver que eu... Seus dentes estão vermelhos?

Celaena fechou a boca com força e balançou a cabeça negando violentamente.

Dorian apertou o nariz da jovem, e por mais que ela tentasse soltar os dedos dele, não conseguiu. Por fim, Celaena abriu a boca, e o príncipe caiu na gargalhada.

– Você andou comendo doces, não foi?

– Foi você quem os mandou? – indagou Celaena, mantendo a boca o mais fechada possível.

– Claro. – Ele pegou o saco marrom na mesa. – Qual o seu... – Dorian parou enquanto pesava o saco nas mãos. – Eu não dei a você mais de um quilo de doce?

Celaena sorriu com timidez.

– Você comeu metade do saco!

– Era para guardar?

– Eu gostaria de provar algum!

– Você não me avisou.

– Porque não achei que você fosse devorar tudo antes do café da manhã!

Celaena arrancou o saco das mãos dele e o colocou na mesa.

– Bem, isso só mostra sua falta de discernimento, não é mesmo?

Dorian ia começar a responder, mas o saco de doces tombou, espalhando seu conteúdo sobre a mesa. Celaena se virou a tempo de ver um delicado focinho dourado saindo da cesta e farejando os doces.

– O que é isso? – perguntou ela, prontamente.

Dorian sorriu.

– Um presente de Yule pra você.

A assassina abriu a tampa da cesta. O focinho voltou para dentro instantaneamente, e Celaena viu a desajeitada filhote de penugem dourada tremendo em um canto, com um laço vermelho em volta do pescoço.

– Ah, *filhotinha* – cantarolou ela, acariciando a cachorrinha, que tremia. Olhando para Dorian por cima do ombro, Celaena sussurrou: – O que você fez, seu palhaço?

O príncipe levantou os braços.

– É um *presente*! Quase perdi o braço, e outras partes mais importantes, tentando colocar esse laço, e depois ela veio uivando até aqui!

Celaena olhou com pena para a cadela, que lambia o açúcar de seus dedos.

– O que eu vou fazer com ela? Você não conseguiu encontrar um dono, então resolveu dá-la para mim?

– Não! – disse Dorian. – Bem, sim. Mas ela não parecia tão assustada quando você estava por perto e me lembrei de como meus cães a seguiram quando saímos de Endovier. Talvez ela confie em você o suficiente para se acostumar com os humanos. Algumas pessoas têm esse dom. – Celaena levantou uma sobrancelha enquanto Dorian caminhava de um lado para o outro. – É um péssimo presente, eu sei. Deveria ter dado algo melhor.

A cadela espiava Celaena. Seus olhos eram de um marrom-dourado, como caramelo derretido. Ela parecia estar esperando por um golpe. Era tão bonita, e as grandes patas indicavam que algum dia poderia ser grande e veloz. Um pequeno sorriso se formou nos lábios de Celaena. A cadelinha abanou o rabo uma vez, e outra mais.

– Ela é sua – disse Dorian – se você quiser.

– O que farei com ela se for mandada de volta para Endovier?

– Deixe que eu me preocupe com isso.

Celaena afagou as orelhas do bicho, macias como veludo, então se aventurou a coçar o queixo da cadela, que abanou o rabo com afinco. Sim, havia vida ali.

– Então, você não quer ficar com ela? – murmurou Dorian.

– Claro que quero – disse Celaena, então percebeu no que aquilo implicaria. – Mas quero que seja treinada. Não quero que saia fazendo xixi em tudo ou mastigando móveis, sapatos e livros. E quero que ela se sente quando eu mandar, e deite, e role, e todas as outras coisas que cachorros fazem.

E quero que corra, corra com os outros cachorros quando eles estiverem treinando. Quero que ela faça bom uso dessas longas patas.

Dorian cruzou os braços enquanto Celaena pegava a cadelinha.

– É uma lista de exigências bem longa. Talvez eu devesse ter dado joias.

– Quando eu estiver treinando – a jovem beijou a cabeça macia do bichinho, que aninhou o focinho gelado no pescoço de Celaena –, quero ela nos canis, treinando também. À tarde, quando eu voltar, podem trazê-la para mim. Cuidarei dela durante a noite.

Celaena ergueu a cadela na altura dos olhos, e as patinhas do filhote balançaram no ar.

– Se estragar meus sapatos, vou transformar você em um par de pantufas. Entendeu?

A cadela a olhava com a testa enrugada erguida, e Celaena sorriu e colocou-a no chão. O bichinho começou a farejar em volta, mantendo distância de Dorian, e logo desapareceu debaixo da cama. A assassina levantou a barra da colcha para espiar. Ainda bem que as marcas de Wyrd tinham sido completamente removidas. A cadela continuou a exploração, cheirando todos os cantos.

– Tenho de pensar em um nome pra você – avisou Celaena para o filhote, então se levantou. – Obrigada – falou a assassina para Dorian. – É um presente encantador.

O príncipe era gentil, estranhamente gentil para alguém de sua criação. Dorian tinha um coração, percebeu Celaena, e uma consciência. Era diferente dos outros. Tímida, quase desajeitada, a assassina caminhou até o príncipe herdeiro e lhe deu um beijo na bochecha. A pele dele era surpreendentemente quente, e Celaena se perguntou se o beijara da maneira correta quando se afastou e encontrou os olhos dele, brilhantes e arregalados. Tinha sido atrapalhada? O beijo fora muito molhado? Seus lábios estariam grudentos por causa dos doces? Celaena torcia para que Dorian não limpasse a bochecha.

– Desculpe-me, não tenho um presente pra você – disse ela.

– Eu... hã, não esperava que você tivesse. – O príncipe corou intensamente e olhou para o relógio. – Preciso ir. Nos veremos na cerimônia, ou talvez de noite, depois do baile? Vou tentar escapar o mais cedo possível. Se bem que, sem você lá, Nehemia deve fazer o mesmo, então não será indelicado se eu sair também.

Celaena nunca imaginou que Dorian pudesse *tagarelar* daquela forma.

– Divirta-se – disse ela, enquanto o príncipe dava um passo para trás e quase batia na mesa.

– Vejo você à noite, então – disse ele. – Depois do baile.

Celaena escondeu o sorriso com a mão. Será que o beijo o tinha deixado tão desorientado?

– Tchau, Celaena. – Dorian olhou para trás quando chegou à porta. Ela sorriu, mostrando os dentes vermelhos, e ele riu antes de se curvar e desaparecer. Sozinha no quarto, Celaena já ia conferir o que a nova companhia estava aprontando quando se deu conta:

Nehemia estaria no baile.

Era um pensamento simples, a princípio, mas então pensamentos piores se seguiram. Celaena começou a andar em círculos. Se Nehemia realmente estivesse por trás dos assassinatos dos campeões – e pior, possuísse um animal selvagem sob seu comando para destruí-los – e se tivesse acabado de saber sobre o massacre do próprio povo... Então que oportunidade melhor para punir Adarlan do que o baile, onde tantos nobres estariam celebrando despreocupados?

Aquilo era irracional, Celaena sabia. Mas e se... e se Nehemia soltasse qualquer que fosse a criatura que controlava no baile? Tudo bem, Celaena não se importaria se Kaltain e Perrington tivessem mortes terríveis, mas Dorian estaria lá. E Chaol.

Ela caminhou pelo quarto, torcendo as mãos. Não podia alertar Chaol porque, se estivesse errada, arruinaria não só a amizade dela com Nehemia como também os esforços diplomáticos da princesa. Mas não podia não fazer *nada*.

Ah, Celaena não deveria nem pensar nisso. Mas vira amigos fazerem coisas terríveis antes e tinha se tornado mais seguro esperar sempre pelo pior. Testemunhara em primeira mão como a sede por vingança podia dominar alguém. Talvez Nehemia não fizesse nada, talvez Celaena estivesse sendo apenas obsessiva e ridícula. Mas se algo acontecesse naquela noite...

A assassina abriu as portas do armário, inspecionando os vestidos brilhantes pendurados ao longo das paredes. Chaol ficaria furioso se Celaena se infiltrasse no baile, mas poderia lidar com isso. Mesmo que o capitão decidisse jogá-la na masmorra por um tempo, ela também conseguiria lidar com isso.

Porque, de alguma forma, só de pensar que ele poderia se ferir – ou pior – ela se sentia disposta a arriscar quase tudo.

━━◦◦◦━━

– Você não vai sorrir nem no Yule? – perguntou ela a Chaol, enquanto saíam do castelo e se dirigiam ao templo de vidro, no centro do jardim leste.

– Se meus dentes estivessem da cor dos seus, eu não estaria rindo de forma alguma – disse ele. – Contente-se com uma eventual careta. – Celaena mostrou os dentes para Chaol, então fechou a boca quando vários membros da corte passaram, seguidos por seus criados. – Estou surpreso por você não estar reclamando mais.

– Reclamando de quê?

Por que Chaol não brincava com ela como Dorian? Talvez ele não a achasse atraente de verdade. Essa possibilidade a magoou mais do que Celaena gostaria.

– De não ir ao baile desta noite. – Chaol a olhou de soslaio.

Não poderia saber o que Celaena estava tramando. Philippa tinha prometido manter segredo e não fazer perguntas quando Celaena lhe pediu que arranjasse um vestido e uma máscara que combinassem.

– Bem, parece que você ainda não confia em mim o suficiente. – Ela queria soar petulante, mas não conseguiu controlar o tom de voz. Não tinha tempo a perder com alguém que visivelmente não tinha nenhum interesse nela além daquela ridícula competição.

Chaol bufou, mas um esboço de sorriso apareceu em seus lábios. Pelo menos o príncipe herdeiro nunca a fazia se sentir estúpida ou mimada. Chaol só sabia provocar Celaena... apesar de o capitão ter seu lado bom também. E ela não tinha a menor ideia de quando tinha parado de detestá-lo tanto.

Ainda assim, Celaena sabia que Chaol não ficaria nada feliz quando a visse no baile naquela noite. Com ou sem máscara, Chaol saberia que era ela. Celaena só esperava que a punição não fosse muito severa.

⊰ 37 ⊱

Sentada em um banco nos fundos do enorme templo, Celaena mantinha a boca fechada com tanta força que doía. Seus dentes ainda estavam vermelhos, e ela não queria que ninguém notasse.

O templo era lindo, construído inteiramente de vidro. O piso de calcário era tudo o que restava da construção original em pedra, que o rei de Adarlan destruíra quando resolveu substituí-la pela estrutura de vidro. Duas fileiras de cerca de cem bancos de jacarandá se estendiam abaixo do teto de vidro abobadado, que deixava passar tanta luz que velas não eram necessárias durante o dia. A neve se acumulava no telhado translúcido, formando padrões de raios de sol por toda sua extensão. As paredes também eram de vidro e os vitrais acima do altar pareciam flutuar no ar.

Celaena se levantou para espiar por entre as cabeças dos que estavam sentados a sua frente. Dorian e a rainha estavam no primeiro banco, com uma fileira de guardas logo atrás. O duque e Kaltain se encontravam do outro lado da nave, na frente de Nehemia e vários outros que Celaena não reconhecia. Ela não viu Nox, ou nenhum dos outros campeões, nem Cain. Eles permitiram que ela participasse *daquilo*, mas não do baile?

– *Sente-se*! – rosnou Chaol, puxando o vestido verde de Celaena. A jovem fez uma careta e caiu de volta no banco estofado. Várias pessoas a encaravam. Elas usavam vestidos e paletós tão refinados que Celaena se perguntou se o baile não havia sido adiantado para a hora do almoço.

A suma sacerdotisa subiu no altar de pedra e levantou as mãos sobre a cabeça. Feitas de um tecido leve, as dobras da túnica azul-escura se espalhavam ao seu redor; os longos cabelos brancos da mulher estavam soltos. Uma estrela de oito pontas estava tatuada na sua testa, em um azul que combinava com a roupa, as linhas finas se estendiam até a borda do cabelo.

– Sejam todos bem-vindos, e que as bênçãos da Deusa e de todos os seus deuses recaiam sobre vocês. – A voz da mulher ecoou pela câmara, chegando até os que estavam no fundo.

Celaena segurou um bocejo. Ela respeitava os deuses, se é que eles existiam, e quando era conveniente pedia pela ajuda deles, mas cerimônias religiosas eram... *brutais*.

Fazia muitos anos que a assassina não participava de nada daquele tipo, e quando a suma sacerdotisa abaixou os braços e encarou a multidão, Celaena se remexeu no banco. Primeiro viriam as preces habituais, depois as orações de Yule, então o sermão, seguido das canções, e só então a procissão dos deuses.

– Vocês já começou a se contorcer – ciciou Chaol.

– Que horas são? – sussurrou Celaena, e ele beliscou o braço dela.

– Hoje – começou a sacerdotisa – é o dia em que celebramos o fim e o princípio do grande ciclo. O dia em que a Grande Deusa deu à luz seu primogênito, Lumas, Senhor dos Deuses. O nascimento de Lumas trouxe o amor para Erilea e baniu o caos originado dos portais de Wyrd.

Os olhos de Celaena pesavam. Ela se levantara tão cedo e dormira tão pouco depois do encontro com Nehemia... Incapaz de resistir, Celaena caiu na terra do sono.

– Acorde – rosnou Chaol no ouvido dela. – Agora.

Celaena se sentou sobressaltada, o mundo estava brilhante e enevoado. Vários nobres inferiores de sua fileira riam em silêncio. Ela lançou um olhar de desculpas para Chaol e se virou para o altar. A suma sacerdotisa tinha terminado o sermão, e as canções de Yule já haviam acabado. Celaena só precisava aguentar a procissão dos deuses e estaria livre.

– Por quanto tempo eu dormi? – sussurrou ela. Chaol não respondeu. – Por quanto tempo eu dormi? – perguntou ela de novo, então percebeu um rubor nas bochechas dele. – Você caiu no sono também?

– Até você começar a babar no meu ombro.

– Um jovem tão certinho – brincou Celaena, e Chaol cutucou a perna dela.

– Preste atenção.

Um coro de sacerdotisas desceu da tribuna. Celaena bocejou, mas acenou com a cabeça junto ao resto da congregação enquanto o coro dava suas bênçãos. Um órgão soou, e todos se levantaram para assistir à procissão dos deuses desfilar pela nave.

O tamborilar dos passos encheu o templo, e a congregação se levantou. As crianças, com os olhos vendados, não passavam dos 10 anos e, apesar de parecerem um tanto bobas fantasiadas de deuses, também tinham algo de encantador. Todo ano, nove crianças eram escolhidas. Se uma delas parasse diante de você, você receberia as bênçãos dos deuses e o pequeno presente que a criança carregava como símbolo da graça do deus.

Farnor, deus da guerra, parou na fileira da frente, perto de Dorian, mas se encaminhou para a direita, do outro lado da nave, e deu a miniatura da espada de prata para o duque Perrington. *Previsível.*

Vestido com asas brilhantes, Lumas, deus do amor, passou direto por Celaena, que cruzou os braços.

Que tradição estúpida.

Deanna, deusa da caça e das donzelas, se aproximou. Celaena mudava o peso do corpo de um pé para o outro, desejando que não tivesse exigido que Chaol lhe desse o lugar da ponta. Para seu medo e espanto, a garota parou na sua frente e retirou a venda.

Era uma gracinha: tinha cabelo loiro cacheado e olhos castanhos raiados de verde. A menina sorriu para Celaena e esticou a mão para tocar a testa da assassina. As costas de Celaena começaram a suar quando ela sentiu as centenas de olhos sobre si.

– Que Deanna, a caçadora e protetora dos jovens, a abençoe e proteja este ano. Eu lhe concedo este arco dourado como símbolo do poder e das boas graças dela. – A garota fez uma reverência enquanto oferecia o pequeno arco. Chaol cutucou as costas de Celaena, que pegou o presente. – Bênçãos de Yule para você – disse a menina, e Celaena balançou a cabeça agradecendo. Ela apertou o arco enquanto a criança se afastava. Não podia ser usado, claro. Mas era feito de ouro maciço.

Deve valer uma boa grana.

Com um dar de ombros, Celaena entregou o arco para Chaol.

– Acho que não permitirão que eu fique com isto – disse ela, sentando-se com o resto da multidão.

Chaol colocou o arco de volta no colo de Celaena.

– Eu não testaria os deuses. – A assassina o encarou por um momento. Ele parecia diferente? Algo mudara no rosto de Chaol. Celaena lhe deu uma cotovelada e sorriu.

274

⚜ 38 ⚜

Metros de seda, nuvens de pó de arroz, escovas, pentes, pérolas e diamantes brilhavam diante dos olhos de Celaena. Enquanto Philippa arrumava, impecavelmente, o último fio de cabelo da jovem em volta de seu rosto, prendia a máscara sobre seus olhos e nariz e colocava uma pequena tiara de cristais em sua cabeça, foi impossível para a menina não se sentir como uma princesa.

Philippa se ajoelhou para polir o cristal da sandália prateada.

– Se eu fosse tola, me acharia a própria fada madrinha. Parece m... – Philippa se segurou antes que dissesse a palavra que o rei de Adarlan havia banido tão veementemente. – Quase não a reconheço!

– Ótimo – disse Celaena. Aquele seria o primeiro baile que iria sem a missão de matar alguém. Na verdade, ela estaria lá mais para se certificar de que Nehemia não faria mal a si mesma ou à corte. Mas... um baile era um baile. Talvez, com sorte, conseguisse dançar um pouco.

– Tem certeza de que é uma boa ideia? – perguntou Philippa, baixinho, ao se levantar. – O capitão Westfall não vai gostar nada disso.

Celaena lançou um olhar severo para a criada.

– Já disse para não fazer perguntas.

Philippa bufou.

– Só não conte a eles que *eu* ajudei quando a arrastarem de volta para os seus aposentos.

Controlando a irritação, Celaena se virou para o espelho com Philippa inquieta atrás de si. Admirando o próprio reflexo, a assassina se perguntou se estava enxergando direito.

– Este é o vestido mais bonito que já usei – admitiu ela, com os olhos iluminados.

Não era totalmente branco, mas acinzentado, a saia ampla e o corpete eram bordados com milhares de minúsculos cristais, que lembravam a Celaena a superfície do mar. Os fios de seda do corpete formavam desenhos de rosas, em um trabalho digno de um mestre pintor. A gola de pele de arminho delineava o pescoço da jovem e formava mangas que cobriam apenas seus ombros. Pequenas gotas de diamantes pendiam de suas orelhas e seu cabelo fora cacheado e preso no alto da cabeça, fios de pérola entrelaçados nele. A máscara de seda cinza fora bem amarrada ao rosto de Celaena. O objeto não retratava nenhum personagem, mas os espirais de cristais e pérolas tinham sido bordados por mãos habilidosas.

– Você conseguiria a mão de um rei, bonita desse jeito – disse Philippa. – Mas talvez a do príncipe herdeiro já sirva.

– Como você achou um vestido deste em Erilea? – murmurou Celaena.

– Sem perguntas – debochou a senhora.

Celaena riu.

– Justo. – A assassina se perguntou por que seu coração parecia não caber no peito e por que não conseguia se equilibrar nos sapatos. Precisava se lembrar do motivo de estar fazendo aquilo. Tinha de manter o foco.

O relógio marcou nove da noite, e Philippa olhou para a porta, dando a Celaena a oportunidade de esconder sua pequena faca no vestido sem que a criada notasse.

– Como você pretende se infiltrar no baile? Não acho que os guardas deixarão que simplesmente saia daqui.

Celaena lançou um olhar astuto para Philippa.

– Nós duas vamos fingir que eu fui convidada pelo príncipe herdeiro, e agora *você* vai começar um alvoroço tão grande por conta do meu atraso que eles não vão nem pensar em barrar minha saída.

Philippa se abanou, o rosto corando. Celaena pegou a mão da criada.

– Eu prometo que, se arrumar problema, jurarei até meu último suspiro que você foi enganada e que não sabia de nada.

– Mas *vai* arrumar algum problema?

Celaena deu um sorriso vitorioso.

– Não. Só estou farta de ser deixada de fora enquanto eles dão festas grandiosas. – O que não era de todo mentira.

– Que os deuses me ajudem – murmurou Philippa, e respirou fundo. – Vá! – gritou de repente, levando Celaena até a porta. – Vá, você vai se atrasar! – A criada estava um pouco escandalosa demais para ser totalmente convincente, mas... Philippa escancarou a porta para o corredor. – O príncipe herdeiro não gostará nada se você se atrasar!

Celaena estacou na soleira, cumprimentando os cinco guardas a postos do lado de fora, então se voltou para Philippa:

– Obrigada.

– Chega de enrolar! – choramingou a criada, e quase derrubou Celaena quando a empurrou porta afora e a fechou em sua cara.

Celaena se virou para os guardas.

– Você está bonita – elogiou um deles, Ress, timidamente.

– Vai ao baile? – Outro sorriu.

– Guarde uma dança para mim, está bem? – acrescentou um terceiro. Nenhum deles perguntou mais nada.

Celaena sorriu e aceitou o braço estendido de Ress. Ela tentou não rir quando o guarda estufou o peito. Mas, ao se aproximar do grande salão e começar a ouvir o som da valsa, Celaena sentiu um frio no estômago. Não podia se esquecer de por que estava ali. Já desempenhara esse papel no passado, mas para matar um estranho, não para confrontar uma amiga.

As portas de vidro vermelho e dourado apareceram, e Celaena notou os arranjos de flores e as velas que enfeitavam o corredor. Seria mais fácil entrar por alguma porta lateral e se manter despercebida, mas ela não tivera tempo para explorar os túneis secretos e achar outra saída de seu quarto, e com certeza não seria possível procurar uma entrada diferente para o baile agora sem levantar suspeitas. Ress parou e fez uma reverência.

– Aqui nos despedimos – declarou ele, o mais sério que pôde, apesar de continuar olhando para o baile que acontecia ao pé da escada. – Tenha uma ótima noite, Srta. Sardothien.

– Obrigada, Ress. – Celaena sentiu um ímpeto de vomitar e voltar correndo para seus aposentos. Mas em vez disso acenou um adeus com graciosidade. Tudo o que tinha de fazer era descer as escadas e convencer Chaol a deixá-la ficar. Então poderia vigiar Nehemia a noite toda.

Os sapatos de Celaena pareciam frágeis, e a jovem deu alguns passos para trás, ignorando os guardas da porta conforme levantava o pé bem alto e abaixava de novo, testando a firmeza do calçado. Quando já estava segura de que nem um pulo no ar poderia quebrar o salto, ela se aproximou do alto da escada.

Presa ao corpete, a faca espetava a pele de Celaena. A assassina rezou para a Deusa, para todos os deuses que conhecia, para Wyrd, para quem quer que fosse o responsável por sua sorte, para que não precisasse usá-la.

Celaena aprumou os ombros e foi em frente.

❧

O que *ela* estava fazendo ali?

Dorian quase deixou o drinque cair quando viu Celaena Sardothien no topo da escada. Mesmo com a máscara, ele a reconheceu. A assassina podia ter seus defeitos, mas nunca fazia nada de má vontade e tinha se superado naquele vestido. Mas o que ela estava fazendo *ali*?

O príncipe não sabia dizer se aquilo era sonho ou realidade, até que algumas cabeças, seguidas de várias, se viraram para olhá-la. Apesar da valsa que estava tocando, aqueles que não dançavam ficaram quietos enquanto a misteriosa mascarada levantava a saia e descia um degrau, depois outro. O vestido dela era feito de estrelas tiradas do céu, e os espirais da máscara cinza brilhavam.

– Quem é *essa*? – murmurou um jovem da corte ao lado de Dorian.

Celaena não olhava para ninguém em particular enquanto descia, e até mesmo a rainha de Adarlan parou para assistir àquela chegada tardia. No assento ao lado, Nehemia também se levantou. Celaena tinha perdido a cabeça?

Vá até ela. Pegue sua mão. Mas os pés do príncipe não se moviam, Dorian não conseguiu fazer nada, a não ser observá-la. A pele dele corou por trás da pequena máscara preta. Ele não sabia por quê, mas vê-la fazia com que se sentisse um homem. Celaena parecia saída de um sonho, um sonho em que Dorian não era um jovem príncipe mimado, mas um rei. Ela chegou ao fim da escada, e Dorian deu um passo à frente.

Mas alguém chegou antes, e Dorian cerrou os dentes com força suficiente a ponto de doer quando Celaena sorriu e se curvou para Chaol.

O capitão da guarda, que não havia se preocupado em usar máscara, lhe estendeu a mão. Os olhos brilhantes de Celaena só viam Chaol, e os dedos longos e brancos da assassina flutuaram no ar ao encontro dos dele. A multidão começou a tagarelar enquanto os dois se afastavam das escadas e desapareciam entre os convidados. Qualquer que fosse a conversa que teriam, não seria agradável. Era melhor que Dorian se mantivesse distante.

– Por favor – disse outro jovem –, não me diga que Chaol, de repente, tem uma mulher.

– O capitão Westfall? – falou o que já tinha se pronunciado antes. – Por que uma coisa linda daquelas iria se casar com um guarda? – Lembrando de quem estava ao seu lado, o rapaz olhou para Dorian, que ainda observava a escada com os olhos arregalados. – Quem é ela, Vossa Alteza? Você a conhece?

– Não, não conheço – sussurrou Dorian, e se afastou.

～

A valsa tocava tão alto que era difícil para Celaena ouvir os próprios pensamentos enquanto Chaol a puxava para um canto escuro. Como era de se esperar, ele estava sem máscara – seria tolo demais para o capitão. Por causa disso, a fúria em seu rosto era visível demais.

– Então – esbravejou ele, segurando o pulso de Celaena com força –, quer me contar de onde você tirou que esta era uma boa ideia?

Celaena tentou livrar o braço, mas Chaol não deixou. Do outro lado do salão, Nehemia, sentada ao lado da rainha, de vez em quando olhava na direção da assassina. Estaria nervosa ou apenas surpresa em vê-la?

– Relaxe – ciciou Celaena para o capitão da guarda. – Só queria me divertir um pouco.

– Divertir-se? Entrar de penetra em um baile real é sua ideia de *diversão*?

Discutir não adiantaria; a assassina conseguia ver que a raiva do capitão se devia mais pela vergonha, pelo fato de ela ter conseguido escapar do quarto. Mas, em vez disso, Celaena fez um biquinho que pedia clemência.

– Estava me sentindo solitária.

Chaol engasgou.

– Você não consegue passar uma noite sozinha?

Celaena se desvencilhou da mão dele.

– Nox está aqui, e ele é um ladrão! Como pode deixá-lo vir, com todas essas joias dando sopa, e eu não? Como posso ser a campeã do rei se você não *confia* em mim? – Na verdade, essa era uma pergunta cuja resposta Celaena realmente gostaria de saber.

Chaol levou a mão ao rosto e soltou um longo, longo suspiro. Celaena tentou não sorrir, havia vencido.

– Se você der um passo fora da linha...

Celaena riu de satisfação.

– Considere seu presente de Yule para mim.

Chaol lançou um olhar severo para a assassina, mas relaxou os ombros.

– Por favor, não faça com que eu me arrependa disso.

Celaena deu um tapinha no queixo do capitão enquanto saía dali.

– Eu sabia que tinha um motivo para gostar de você.

Chaol não disse nada, mas a seguiu de volta à multidão. Celaena já fora a bailes de máscaras antes, mas ainda havia algo de enervante em não poder ver o rosto de quem estava a sua volta. A maioria da corte, inclusive Dorian, usava máscaras de tamanhos, formatos e cores diferentes, algumas mais simples, outras, elaboradas e em formato de animais. Nehemia permanecia ao lado da rainha, usando uma máscara dourada e turquesa com estampa de lótus. As duas pareciam entretidas em uma conversa educada, e os guardas de Nehemia postavam-se ao lado da tribuna, parecendo entediados.

Chaol se manteve por perto quando Celaena achou um lugar vazio na multidão para ficar. Era um local estratégico. Ela podia ver tudo dali, a tribuna, a escadaria principal, a pista de dança...

Dorian dançava com uma mulher de pele marrom, baixinha, de seios escandalosamente grandes, para os quais o príncipe olhava de vez quando, sem tentar disfarçar. Não tinha notado a chegada de Celaena? Até Perrington havia percebido quando Chaol a arrastou para aquele canto. Ainda bem que o capitão a tirou de lá antes que Celaena tivesse de falar com ele.

Do outro lado do salão, ela cruzou o olhar com o de Nox. Ele flertava com uma jovem que usava uma máscara de pomba e levantou a taça na direção de Celaena em um cumprimento, antes de se voltar para a garota. Tinha escolhido uma máscara azul que cobria apenas os olhos.

– Tente não se divertir demais – aconselhou Chaol, ao lado dela, cruzando os braços.

Escondendo a careta, Celaena também cruzou os braços e começou a vigília.

⚊

Uma hora depois, a assassina já se maldizia por ser tão tola. Nehemia não saíra do lado da rainha e não olhara mais em sua direção. Como pudera pensar que Nehemia – logo Nehemia! – seria capaz atacar alguém?

O rosto de Celaena queimava de vergonha por trás da máscara. Não merecia ser chamada de amiga. As mortes dos campeões, os misteriosos poderes do mal e aquela competição ridícula mexeram com sua cabeça.

Acariciando a gola de arminho do vestido, Celaena franziu a testa de leve. Chaol continuava a seu lado, calado. Apesar de tê-la deixado ficar, a jovem duvidava que o capitão esqueceria aquilo tão cedo. Ou que os guardas não receberiam a maior bronca de suas vidas mais tarde.

Celaena se empertigou quando, de repente, Nehemia se levantou do lado da rainha, chamando a atenção de seus guardas. A princesa fez uma reverência, sua máscara brilhando sob a luz dos candelabros, e desceu da tribuna.

Celaena sentiu cada batida do coração martelando nas veias enquanto Nehemia atravessava a multidão, seguida por seus guardas, até que parou na sua frente.

– Você está linda, Lillian – elogiou Nehemia na língua comum, com o sotaque mais carregado do que nunca. Foi como um tapa na cara. A fluência tinha sido perfeita naquela noite na biblioteca. Seria um aviso para Celaena não comentar nada?

– Você também – devolveu Celaena, com firmeza. – Está gostando do baile?

A princesa brincou com uma dobra do vestido, de um sofisticado tecido azul, que provavelmente tinha sido presente da rainha de Adarlan.

– Estou, mas não me sinto bem. Vou voltar para meu quarto.

Celaena acenou com firmeza.

– Espero que melhore. – Foi tudo o que conseguiu dizer. Nehemia a encarou por um longo momento com os olhos brilhando, aparentemente de dor, então saiu. Celaena observou enquanto a princesa subia as escadas e não desviou olhar até que Nehemia tivesse partido.

Chaol pigarreou.

– Quer me contar o que acabou de acontecer aqui?

– Não é da sua conta – respondeu Celaena.

Ainda podia acontecer alguma coisa, mesmo sem Nehemia ali, ainda podia acontecer alguma coisa. Mas não. Nehemia não retribuiria dor com mais dor. Era bondosa demais para isso. Celaena engoliu em seco. A faca improvisada pesava em seu corpete como chumbo.

Mesmo que Nehemia não fosse machucar ninguém naquela noite, isso não provava sua inocência.

– Qual é o problema? – insistiu Chaol.

Celaena se forçou a deixar a preocupação e a vergonha de lado e empinou o nariz. Sem Nehemia ali, ainda teria de se manter alerta, mas talvez pudesse tentar se divertir um pouco também.

– Com você olhando feio para todo mundo, ninguém vai me tirar para dançar.

Chaol levantou as sobrancelhas escuras.

– Não estou olhando feio pra ninguém. – Mesmo enquanto o capitão dizia isso, Celaena o flagrou fazendo careta para um membro da corte que a encarava demoradamente enquanto passava.

– Pare! – sibilou ela. – Ninguém vai me tirar pra dançar se continuar com isso!

O capitão lhe lançou um olhar irritado e se afastou. Celaena o seguiu até a borda da pista de dança.

– Aqui – disse ele, parando na beira do mar de vestidos rodopiantes. – Se alguém quiser tirar você para dançar, vai estar bem visível.

Daquele lugar ainda era possível evitar que alguma fera atacasse a multidão. Mas Chaol não precisava saber. Celaena olhou para ele.

– Quer dançar comigo?

Chaol riu.

– Com você? Não.

Celaena olhou para o chão de mármore, com o peito apertado.

– Não precisa ser tão cruel.

– Cruel? Celaena, Perrington está logo ali. Tenho certeza de que ele não está nem um pouco feliz com sua presença, então eu não arriscaria chamar a atenção dele mais do que o necessário.

– Covarde.

Os olhos de Chaol se suavizaram.

– Se ele não estivesse aqui, eu dançaria com você.

– Você sabe que posso dar um jeito nisso.

O capitão balançou negativamente a cabeça enquanto ajustava a lapela da túnica preta. Nesse momento, Dorian passou dançando com a mulher. Nem mesmo olhou para Celaena.

– De qualquer forma – acrescentou Chaol, apontando com o queixo para o príncipe –, acho que você tem pretendentes mais atraentes disputando sua atenção. Sou uma companhia entediante.

– Não me incomodo de ficar aqui com você.

– Tenho certeza que não – disse o capitão, sarcasticamente, embora a tivesse encarado de volta.

– É sério. Por que *você* não está dançando com ninguém? Não tem nenhuma dama que o agrade aqui?

– Sou o capitão da guarda. Isso não faz de mim exatamente um bom partido. – Havia algum pesar nos olhos de Chaol, ainda que bem escondido.

– Por acaso perdeu o juízo? Você é melhor do que qualquer um aqui. E é... você é muito bonito – disse Celaena, e pegou a mão dele.

Havia beleza no rosto de Chaol, e força, honra e lealdade. A assassina parou de ouvir a multidão ao redor, sua boca secou enquanto o encarava. Como podia ter levado tanto tempo para perceber?

– Você acha? – perguntou ele, um momento depois, olhando para as mãos entrelaçadas dos dois.

– Ora, se eu não...

– Por que vocês não estão dançando?

Chaol soltou a mão de Celaena. A jovem se afastou do capitão com dificuldade.

– E com quem dançaria, Vossa Alteza?

Dorian estava incrivelmente bonito na túnica acobreada. Poderiam até dizer que combinava com o vestido dela.

– Você está radiante – disse o príncipe. – Assim como você, Chaol. – Dorian piscou para o amigo. Então o olhar de Dorian encontrou o de Celaena, e o sangue dela se transformou em estrelas cadentes. – Bem, preciso passar um sermão sobre o quão estúpido foi entrar de penetra no baile ou, em vez disso, posso convidá-la para dançar?

– Não acho que seja uma boa ideia – interveio Chaol.

– Por quê? – perguntaram os dois juntos.

Dorian se aproximou um pouco mais de Celaena. Mesmo que continuasse envergonhada por ter julgado Nehemia capaz de coisas tão terríveis, saber que Dorian e Chaol estavam a salvo fazia o sofrimento valer a pena.

– Porque chamará muita atenção, por isso. – Celaena revirou os olhos, e Chaol a encarou. – Preciso lembrá-la de quem você é?

– Não. Você faz isso todo dia – devolveu Celaena. Os olhos castanhos do capitão ficaram sombrios. De que adiantava ser gentil com ela se, no minuto seguinte, a insultaria?

Dorian colocou a mão no ombro de Celaena e deu um sorriso encantador para o capitão.

– Relaxe, Chaol – disse o príncipe, então colocou a outra mão nas costas de Celaena, e seus dedos roçaram a pele nua da jovem. – Tire a noite de folga – completou ele, olhando por cima do ombro, mas sem animação no tom de voz.

– Vou pegar uma bebida – murmurou Chaol, e se afastou.

Celaena olhou para o capitão por um momento. Seria um milagre se ele a considerasse uma amiga. Dorian acariciou as costas da assassina, e Celaena olhou para ele. O coração da jovem disparou, e Chaol sumiu de seus pensamentos, como o orvalho em uma manhã ensolarada. Celaena se sentiu mal por esquecê-lo, mas... mas... Ah, ela queria Dorian, não tinha como negar. *Queria* ele.

– Você está linda – falou Dorian, baixinho, e percorreu o corpo de Celaena com os olhos de um modo que fez as orelhas da jovem queimarem. – Não consegui tirar os olhos de você.

– Ah, é? Achei que você nem tinha reparado em mim.

– Chaol foi mais rápido quando você chegou. Além disso, tive de tomar coragem pra me aproximar – brincou ele. – Você é muito intimidadora. Principalmente de máscara.

– E acho que o fato de ter uma fila de moças esperando para dançar com você não ajudou muito.

– Estou aqui agora, não estou?

Com o coração apertado, Celaena percebeu que aquela não era a resposta que esperava. O que ela *queria* dele?

Dorian estendeu a mão e inclinou a cabeça.

– Dança comigo?

Tinha música tocando? Celaena se esquecera. O mundo tinha encolhido, derretido no brilho dourado das velas. Mas ali estavam os pés dela, e o braço, e o pescoço, e a boca. Celaena sorriu e pegou a mão de Dorian, ainda de olho no que acontecia no baile ao redor dos dois.

⊰ 39 ⊱

Ele estava perdido, perdido em um mundo com o qual sempre sonhou. O corpo dela era quente sob suas mãos, os dedos, macios em volta dos dele. Dorian rodopiava Celaena e a conduzia pela pista, valsando o mais suavemente que podia. Ela não errou um único passo nem pareceu se importar com as mulheres furiosas que os observavam enquanto dançavam música após música, sem trocar de par.

Claro que não era educado para um príncipe dançar apenas com uma dama, porém, ele não conseguia focar em mais nada além do par e da música que os embalava.

– Você definitivamente tem bastante energia – comentou Celaena. Quando tinham falado pela última vez? Poderia ter sido há dez minutos ou há uma hora. As máscaras em volta deles se misturavam em um único borrão.

– Enquanto alguns pais punem os filhos com surras, os meus também me castigavam com aulas de dança.

– Então você deve ter sido um menino bem levado. – Ela olhava em volta do salão, como se procurasse por alguma coisa ou alguém.

– Seus elogios estão muito amáveis esta noite. – Dorian a girou. A saia do vestido de Celaena brilhou sob o candelabro.

– É Yule – disse Celaena. – Todos são gentis durante o Yule. – Uma faísca de algo que Dorian poderia jurar ser dor apareceu no olhar dela, mas antes que o príncipe pudesse ter certeza, havia desaparecido.

Dorian abraçou-a pela cintura, seus pés se movendo no ritmo da valsa.

– E como vai seu presente?

– Ah, ela se escondeu debaixo da minha cama e depois na sala de jantar, onde a deixei.

– Você trancou sua cadela na sala de jantar?

– Deveria tê-la deixado no meu quarto para arruinar os tapetes? Ou na sala de jogos para roer as peças de xadrez e se engasgar?

– Você poderia deixá-la no canil, o lugar dos cachorros.

– No Yule? Nem pensaria em largá-la naquele lugar horroroso outra vez.

Dorian sentiu uma vontade repentina de beijá-la, forte, na boca. Mas aquilo, o que sentia, jamais poderia ser real. Porque, assim que o baile terminasse, Celaena voltaria a ser uma assassina, e ele ainda seria um príncipe. Dorian engoliu em seco. Naquela noite, porém...

O príncipe puxou Celaena para perto. Os outros eram apenas sombras nas paredes.

⚬

De cara amarrada, Chaol observava o amigo valsar com a assassina. Ele não teria dançado com Celaena de qualquer forma. E ficou feliz por não ter tido coragem para convidá-la, depois de ver a cor no rosto do duque Perrington quando notou o par.

Otho, um membro da corte, parou a seu lado.

– Pensei que ela estivesse com você.

– Quem? Lady Lillian?

– Então é esse o nome dela! Nunca a vi na corte antes. É recém-chegada?

– Sim – respondeu Chaol.

No dia seguinte, teria uma conversinha com os guardas de Celaena por terem deixado que a assassina saísse. Esperava que até lá estivesse menos inclinado a chocar as cabeças deles umas contra as outras.

– Como vai, capitão Westfall? – perguntou Otho, dando um tapinha um pouco forte demais nas costas de Chaol. Seu hálito cheirava a vinho. – Você nunca mais jantou conosco.

– Parei de jantar à sua mesa há três anos, Otho.

– Pois deveria voltar, sentimos falta das suas conversas.

Aquilo era mentira. Otho só queria informações sobre a jovem estrangeira. A reputação dele com as mulheres era famosa no castelo, tão famosa que tinha de abordar as damas assim que chegavam à corte ou ir até Forte da Fenda em busca de um tipo diferente de mulher.

Chaol observou Dorian inclinar Celaena, e o jeito como os lábios dela se abriram em um sorriso e os olhos brilharam quando o príncipe herdeiro falou alguma coisa. Mesmo com a máscara, Chaol percebia a felicidade estampada no rosto dela.

— *Ele* está com ela? – perguntou Otho.

— Lady Lillian não é de ninguém a não ser de si mesma.

— Então ela não está com ele?

— Não.

Otho deu de ombros.

— Isso é estranho.

— Por quê? – Chaol sentia uma necessidade repentina de estrangulá-lo.

— Porque parece que ele está apaixonado por ela – concluiu o homem, e se afastou.

A vista de Chaol embaçou por um instante. Então Celaena gargalhou e Dorian continuou admirando-a. O príncipe não desviara o olhar uma vez sequer. A expressão de Dorian transbordava... alguma coisa. Êxtase? Esperança? Os ombros dele estavam retos, as costas eretas. Ele parecia um homem. Um rei.

Era impossível que tal coisa tivesse acontecido; quando poderia ter acontecido? Otho era um bêbado mulherengo. O que sabia sobre o amor?

Com rapidez e destreza, Dorian girou Celaena, que caiu em seus braços, exibindo alegria ao estremecer os ombros. Mas *ela* não estava apaixonada por *ele*, não tinha sido isso que Otho dissera. Chaol não vira nenhum apego da parte dela. E Celaena não seria estúpida a esse ponto. Dorian era o tolo, Dorian, que teria o coração partido se, de fato, a amasse.

Incapaz de olhar para o amigo, o capitão da guarda deixou o baile.

Furiosa e agoniada, Kaltain observava Lillian Gordaina e o príncipe herdeiro de Adarlan dançarem e dançarem e dançarem. Mesmo com uma máscara menos reveladora, ela reconheceria aquela pretensiosa. Que espécie de pessoa veste cinza em um baile? Kaltain admirou o próprio vestido e sorriu. Com tons vivos de azul, esmeralda e marrom-claro, seu vestido e a máscara de pavão combinando tinham custado o preço de uma pequena casa. Presente de Perrington, claro, junto com as joias que enfeitavam seu pescoço e seus braços. Definitivamente não tinham nada a ver com aquela bagunça sem graça que a vadia golpista usava.

Perrington acariciou seu braço, e Kaltain se virou pra ele com os cílios tremulantes.

– Você está lindo esta noite, meu querido – disse a jovem, arrumando uma corrente dourada na túnica vermelha do duque.

O rosto dele rapidamente ficou no mesmo tom da roupa. Kaltain se perguntava se conseguiria suportar a repulsa de beijá-lo. Ela poderia continuar recusando, como havia feito durante o último mês; mas quando Perrington estava bêbado daquele jeito...

A moça precisava pensar em uma saída assim que possível. Mas não estava mais próxima de Dorian do que no início do outono e, com certeza, não faria nenhum progresso com Lillian em seu caminho.

Um precipício se abriu diante de Kaltain. Sua cabeça latejou por um instante. Não existia outra opção. Lillian deveria ser eliminada.

Quando o relógio marcou três da manhã e a maioria dos convidados, incluindo a rainha e Chaol, já haviam se retirado, Celaena finalmente resolveu que já podia ir também. Então saiu de fininho quando Dorian foi buscar uma bebida e encontrou Ress esperando para escoltá-la de volta. Os corredores do castelo estavam silenciosos no caminho para o quarto, os dois usaram as passagens dos criados que estavam vazias para evitar que os curiosos membros da corte soubessem mais sobre Celaena. Mesmo indo ao baile pelos motivos errados, a jovem *tinha* se divertido um pouco dançando com Dorian. Mais que um pouco, na verdade. Ela sorriu consigo mesma, limpando as unhas enquanto entrava com Ress no corredor que levava a seus aposentos. A excitação de ter Dorian olhando apenas para ela, conversando apenas com ela, tratando-a como se fosse igual a ele e mais, ainda não passara. Talvez o plano não tivesse fracassado totalmente no fim das contas.

Ress pigarreou, e Celaena olhou para a frente e viu Dorian parado do lado de fora dos aposentos dela, conversando com os guardas. O príncipe não podia ter ficado muito mais tempo no baile se chegara ali antes dela. Mesmo com o coração disparado, Celaena conseguiu dar um sorriso tímido quando Dorian fez uma reverência, abriu a porta, e eles entraram. Que Ress e os guardas pensassem o que quisessem.

Celaena soltou a máscara do rosto, jogando-a em uma mesa no centro do saguão, e suspirou quando o ar fresco lhe acariciou o rosto.

– Sim? – perguntou ela, encostando na parede ao lado da porta do quarto.

Dorian se aproximou devagar, ficando a apenas um palmo de distância.

– Você foi embora sem se despedir – disse ele, e esticou o braço contra a parede ao lado da cabeça de Celaena. A assassina ergueu os olhos e observou o detalhe em preto da manga da roupa de Dorian que pendia logo abaixo dos cabelos dela.

– Estou impressionada por ter conseguido chegar aqui tão rápido, e sem um bando de damas em seu encalço. Talvez deva tentar a carreira de assassino.

O príncipe tirou o cabelo de Celaena do rosto.

– Não estou interessado em damas da corte – disse Dorian, direto, e a beijou.

A boca dele era quente, os lábios, macios, e Celaena perdeu a noção de tempo e de espaço enquanto o beijava de volta, devagar. Dorian se afastou por um segundo, encarou Celaena no momento em que os olhos da jovem se abriam, então a beijou de novo. Dessa vez foi diferente, mais profundo, cheio de desejo.

Os braços de Celaena estavam pesados e leves ao mesmo tempo, e o aposento girava e girava. Ela não conseguia parar. Gostava daquilo, gostava de ser beijada por ele, do cheiro dele e do gosto e do toque dele.

Dorian envolveu a cintura da jovem com os braços e a abraçou forte enquanto a beijava. Celaena pôs uma das mãos no ombro do príncipe, os dedos dela apertando os músculos da parte de trás. Como as coisas estavam diferentes desde que tinham se visto pela primeira vez em Endovier!

Os olhos de Celaena se abriram. Endovier. Por que estava beijando o príncipe herdeiro de Adarlan? A assassina soltou os dedos, e seu braço deslizou para o lado do corpo.

Dorian descolou a boca da dela e sorriu. Era contagiante. Dorian se inclinou para a frente mais uma vez, mas Celaena colocou dois dedos sobre os lábios do príncipe, delicadamente.

– Tenho de ir para a cama – disse ela. Ele levantou as sobrancelhas. – Sozinha – completou. Dorian tirou os dedos de Celaena da boca e tentou beijá-la novamente, mas a jovem escapou, deslizando com facilidade por debaixo do braço dele e segurando a maçaneta. Celaena abriu a porta do quarto e entrou tão rápido que Dorian não conseguiu detê-la. A assassina espiou o saguão, o príncipe continuava sorrindo. – Boa noite.

Dorian se recostou na porta, aproximando o rosto do dela.

– Boa noite – sussurrou, e Celaena não o impediu quando ele a beijou de novo. Dorian interrompeu o beijo antes que Celaena estivesse pronta, e ela quase caiu quando o príncipe se afastou da porta e riu com delicadeza.

– Boa noite – repetiu ela, corando. Então ele se foi.

Celaena foi até a varanda e escancarou as portas, sendo envolta pelo ar gelado. Ela colocou as mãos no quadril e olhou para as estrelas, sentindo o coração crescer, crescer e crescer.

Dorian voltou devagar para seus aposentos, o coração batia forte. Ainda sentia os lábios de Celaena nos seus, sentia o perfume do cabelo dela e via o dourado de seus olhos brilhando sob a luz dos candelabros.

Que se danassem as consequências. Ele acharia um meio de aquilo dar certo; encontraria um modo de ficar com ela. Precisava encontrar.

Tinha pulado do penhasco. Só restava torcer pela rede de segurança.

No jardim, o capitão da guarda olhava para o balcão da jovem, que valsava sozinha, perdida em meio a sonhos. Mas ele sabia que Celaena não pensava nele.

Ela parou e olhou para cima. Mesmo longe, Chaol podia ver as bochechas coradas da moça. Celaena parecia jovem, não, renovada. Chaol sentiu um aperto no peito.

Ainda assim ele continuou olhando, até que ela suspirou e entrou. Celaena não se incomodou em olhar para baixo.

⊰ 40 ⊱

Celaena gemeu quando uma coisa gelada e úmida roçou sua bochecha e lambeu seu rosto. A assassina abriu os olhos e viu a cadelinha encarando-a com o rabo balançando. Ajeitando-se na cama, ela se encolheu diante da luz do sol. Não pretendera dormir tanto. Teriam uma prova em dois dias, e Celaena precisava treinar. Era a última prova antes do duelo final, a prova que definiria os quatro finalistas.

Celaena esfregou o olho e coçou atrás das orelhas da cadela.

– Você fez xixi em algum lugar e está querendo me contar?

– Ah, não – disse alguém, quando a porta do quarto se abriu. Dorian. – Eu a levei para fora com os outros cachorros quando amanheceu.

A assassina deu um sorriso fraco quando ele se aproximou.

– Não está um pouco cedo para visitas?

– Cedo? – Dorian riu e se sentou na cama. Celaena se afastou um pouco. – É quase uma da tarde! Philippa disse que você dormiu pesado a manhã toda.

Uma da tarde! Dormira tanto assim? E as aulas com Chaol? Celaena coçou o nariz e puxou a cadelinha para o colo. Pelo menos nada acontecera na noite anterior; se outro ataque tivesse ocorrido, ela saberia. A assassina quase suspirou de alívio, ainda que a culpa pelo que tinha feito, a pouca fé depositada em Nehemia, ainda a deixasse péssima.

– Já deu um nome para ela? – perguntou Dorian, casual, calmo, contido. Será que o príncipe agia daquele jeito para se exibir ou o beijo não fora tão importante para ele?

– Não – respondeu Celaena, mantendo a expressão neutra, apesar de querer gritar diante daquela situação constrangedora. – Não consigo pensar em nada apropriado.

– Que tal – disse Dorian, passando a mão no queixo – Dourad… inha?

– É o nome mais estúpido que já ouvi.

– E você consegue pensar em um melhor?

Celaena pegou uma das pernas da cadela, examinou as patas macias, então apertou a almofada da pata com o polegar.

– Ligeirinha. – Era um nome perfeito. Na verdade, parecia que o nome sempre estivera ali, e Celaena finalmente fora capaz de perceber. – Sim, é isso, Ligeirinha.

– Tem algum significado? – perguntou o príncipe, e a cadela levantou a cabeça para olhá-lo.

– Vai ter quando ela deixar seus *cães de raça* comendo poeira. – Celaena segurou o animal nos braços e beijou-lhe a cabeça. A jovem balançou os braços para cima e para baixo, e Ligeirinha olhou a assassina nos olhos, com a testa enrugada. A cadela era absurdamente macia e fofa.

Dorian deu uma risadinha.

– Veremos.

Celaena pousou a cadela na cama. Ligeirinha prontamente se enfiou embaixo das cobertas e desapareceu.

– Dormiu bem? – perguntou ele.

– Dormi. Mas pelo visto você não, para ter acordado tão cedo.

– Olhe – começou Dorian, e Celaena teve vontade de se jogar da varanda –, ontem à noite… Desculpe-me se fui rápido demais com você. – Ele parou. – Celaena, você está fazendo uma careta.

Ela estava?

– Hã… Desculpa.

– Então aborreceu *mesmo* você.

– O quê?

– O beijo!

Celaena engasgou, então tossiu.

– Ah, aquilo não foi nada – falou ela, batendo no peito enquanto pigarreava. – Não me importei. Mas não odiei, se é o que você está pensando! – E, imediatamente, a jovem se arrependeu.

– Então você *gostou*. – Dorian exibiu um sorriso preguiçoso.

– Não! Ah, vá embora! – Celaena se jogou sobre os travesseiros e puxou o cobertor até a cabeça. Ia morrer de vergonha.

Ligeirinha lambeu seu rosto quando a assassina se escondeu na escuridão dos lençóis.

– Ah, por favor – protestou Dorian. – Parece até que você nunca foi beijada.

Celaena jogou as cobertas para o lado, e Ligeirinha ficou ainda mais escondida.

– Claro que já fui beijada – disparou ela, tentando não pensar em Sam e no que tinham vivido juntos. – Mas não por um principezinho almofadinha, pomposo e arrogante!

Dorian olhou para si mesmo.

– Almofadinha?

– Ah, cale a boca – esbravejou Celaena, e bateu em Dorian com um travesseiro. A jovem foi até o outro lado da cama e se levantou em direção à varanda.

Celaena sentiu que o príncipe a observava, olhava para suas costas e para as três cicatrizes que o decote da camisola deixava à mostra.

– Vai ficar aqui enquanto me troco? – Ela se virou para encará-lo. Dorian não a olhava do mesmo modo que na noite anterior. Havia certa cautela em seu olhar e algo inexplicavelmente triste. O sangue de Celaena pulsava forte nas veias. – Então?

– Suas cicatrizes são horríveis – falou ele, quase sussurrando.

Celaena colocou a mão no quadril e andou até o armário.

– Todos carregamos cicatrizes, Dorian. As minhas são apenas mais visíveis que as da maioria. Sente-se aí se quiser, mas vou me vestir. – A jovem saiu do aposento.

～～

Kaltain andava ao lado de duque Perrington, ao longo das intermináveis mesas da estufa do palácio. O enorme edifício de vidro era cheio de sombras e de luz, e a jovem se abanava conforme o calor fumegante a sufocava. O homem escolhia os lugares mais absurdos para uma caminhada. Kaltain se interessava tanto por plantas e flores quanto por uma poça de lama no canto da rua.

Perrington colheu um lírio, branco como a neve, e o entregou a ela, fazendo uma reverência com a cabeça.

– Para você.

Kaltain tentou não se encolher diante da visão daquela pele marcada e avermelhada e do bigode laranja. A ideia de ficar presa a *ele* a fez querer arrancar todas as plantas pela raiz e jogá-las na neve.

– Obrigada – agradeceu Kaltain, ronronando.

Mas Perrington a estudava atentamente.

– Você parece desanimada hoje, Lady Kaltain.

– Pareço? – A jovem inclinou a cabeça do jeito mais recatado possível. – Acho que o dia de hoje está esmaecido comparado à diversão que tive ontem no baile.

Os olhos pretos do duque se detiveram em Kaltain, e ele franziu o cenho enquanto a pegava pelo cotovelo e a impulsionava para a frente.

– Não precisa fingir comigo. Eu vi que você observava o príncipe herdeiro.

Kaltain nem se abalou, ergueu as sobrancelhas bem delineadas e o olhou de soslaio.

– Observava?

Perrington passou um dedo gorducho por uma samambaia. O anel preto em seu dedo brilhou, e a cabeça de Kaltain latejou de dor em resposta.

– Eu também o observei. A garota, para ser mais exato. Ela emana problemas, não é?

– Lady Lillian? – Naquele momento, Kaltain piscou, sem saber se já podia respirar aliviada. O duque não notara que ela *cobiçava* o príncipe, mas sim que percebera como Lillian e Dorian não se desgrudaram a noite toda.

– É como ela diz se chamar – murmurou Perrington.

– Esse não é o nome dela? – perguntou Kaltain, sem pensar.

O duque se voltou para a jovem com os olhos tão pretos quanto o anel dele.

– Você não acredita mesmo que aquela garota é uma dama legítima?

O coração de Kaltain se sobressaltou.

– E não é?

Então Perrington sorriu e finalmente lhe contou tudo.

Quando o duque acabou, Kaltain só conseguia encará-lo. Uma assassina. Lillian Gordaina era Celaena Sardothien, a assassina mais famosa do mundo. E fincara as garras no coração de Dorian. Se Kaltain queria a mão do príncipe, então teria de ser muito, muito esperta. Revelar a verdadeira identidade de Lillian poderia ser o suficiente. Mas também poderia não ser. Ela não podia correr o risco. A estufa estava silenciosa, como se prendesse a respiração.

– Como podemos permitir que isso continue? Como podemos deixar o príncipe se arriscar dessa forma?

A expressão de Perrington mudou por um momento para algo dolorido e feio, mas foi tão rápido que Kaltain quase não notou, distraída com o martelar na própria cabeça. Ela precisava do cachimbo, precisava se acalmar antes que tivesse um ataque.

– Não podemos – concordou ele.

– Mas como impediremos? Contando ao rei?

Perrington balançou a cabeça, pousando a mão na espada enquanto pensava por um momento. Kaltain examinou uma roseira e roçou a longa unha na curva de um espinho.

– Ela ainda precisa enfrentar os campeões que restam em um duelo – disse o duque, devagar. – E, no duelo, haverá um brinde em honra da Deusa e dos deuses. – Não era apenas o espartilho apertado que impedia Kaltain de respirar enquanto o duque continuava. – Eu ia pedir que você, como representante da Deusa, conduzisse o brinde. Talvez possa adicionar alguma coisa na bebida dela.

– Matá-la eu mesma? – Contratar alguém era uma coisa, mas usar as próprias mãos...

O duque ergueu as mãos.

– Não, não. Mas o rei concordou que medidas drásticas devem ser tomadas, de maneira que Dorian acredite que foi um... acidente. Se conseguirmos apenas colocar uma dose, não fatal, de sanguinária, só o suficiente para que ela perca o controle, será a vantagem de que Cain precisa.

– Ele não pode matá-la sozinho? Acidentes acontecem o tempo todo em duelos. – Kaltain sentiu uma rajada de dor aguda e intensa na cabeça, que ecoou por todo o corpo. Talvez drogá-la fosse mesmo mais fácil...

– Cain acha que sim, mas não quero arriscar. – Perrington agarrou as mãos da jovem. O anel dele parecia frio como gelo contra a pele de Kaltain, e a moça segurou o impulso de se livrar das garras do duque. – Você não quer ajudar Dorian? Quando ele estiver livre...

Será meu. Ele será meu, como deveria ser.

Mas matar para isso... *Ele será meu.*

– Então poderemos colocá-lo no caminho certo, não é? – terminou Perrington, com um sorriso largo, o qual fez com que os instintos de Kaltain gritassem para que fugisse dali sem olhar para trás.

Mas tudo que a mente da moça via eram uma coroa e um trono, e o príncipe que deveria se sentar a seu lado.

– Diga-me o que tenho de fazer – disse ela.

✃ 41 ✄

O relógio soou dez da noite, e Celaena, sentada a uma pequena escrivaninha no quarto, ergueu os olhos do livro. Ela deveria estar dormindo ou, ao menos, tentando. Ligeirinha, que cochilava em seu colo, bocejou, abrindo bem a boca. Celaena coçou atrás das orelhas da cadelinha e percorreu os dedos pela página do livro. As marcas de Wyrd fitavam-na, e as curvas e os ângulos intrincados falavam uma língua que a assassina sequer começara a decifrar. Quanto tempo Nehemia levara para aprendê-los? E, perguntou-se Celaena, sombriamente, como seu poder ainda funcionava, se a própria magia já não existia?

Ela não via Nehemia desde o baile na noite anterior. Não se atreveu a se aproximar da princesa ou a contar a Chaol sobre o que ficara sabendo. Nehemia não fora sincera quanto a suas habilidades linguísticas e ao que sabia a respeito das marcas de Wyrd, mas podia ter uma infinidade de razões para isso. Celaena errara ao ir ao baile na noite anterior e errara ao acreditar que Nehemia era capaz de coisas tão ruins. Nehemia estava do lado do bem. Celaena não seria um de seus alvos; não depois de as duas terem se tornado amigas. Elas *foram* amigas. Celaena engoliu o nó na garganta e virou a página. Seu coração parou.

Ali, olhando para ela, estavam os símbolos que vira perto dos corpos. E, na margem, escrito por alguém, séculos antes, estava a explicação: *Para sacrifícios ao ridderak: utilizando o sangue da vítima, demarque a área ao redor adequadamente. Quando a criatura tiver sido invocada, esses sinais guiarão a troca: pela carne do imolado, a besta lhe concederá a força da vítima.*

Celaena lutou para impedir que suas mãos tremessem enquanto virava as páginas, procurando por alguma informação a respeito dos sinais sob a cama. Como não encontrou nada no livro, ela voltou ao feitiço de invocação. Um ridderak – aquele era o nome da besta? O que seria ela? De onde seria invocada, senão...

Dos portais de Wyrd. Celaena apertou os olhos com a base das mãos. Alguém estava usando as marcas de Wyrd para abrir um portal e invocar essa criatura. Era impossível, porque a magia já não existia, mas os textos diziam que as marcas de Wyrd existiam *fora* da magia. E se seu poder ainda funcionasse? Mas... mas Nehemia? Como a amiga seria capaz de algo assim? Por que ela precisaria da força dos campeões? E como conseguia esconder tudo tão bem?

Mas Nehemia poderia facilmente ser uma atriz astuta. E, talvez, Celaena tivesse *desejado* uma amiga – alguém que fosse tão diferente e deslocado quanto ela. Talvez estivesse ávida demais, desesperada demais para enxergar qualquer coisa além do que queria ver. Celaena respirou para se acalmar. Nehemia amava Eyllwe – isso era certo –, e Celaena sabia que Nehemia faria de tudo para zelar pela segurança do próprio país. A menos que...

Um fluxo gelado correu pelas veias de Celaena. A menos que Nehemia estivesse prestes a dar início a algo maior – a menos que não quisesse se certificar de que o rei pouparia Eyllwe. A menos que desejasse aquilo que poucos ousariam sequer sussurrar: *rebelião*. E não apenas uma rebelião como a que já ocorria, com grupos rebeldes escondidos nas matas, mas no sentido de reinos inteiros se insurgindo contra Adarlan – como deveria ter sido desde o começo.

Mas por que matar os campeões? Por que não a realeza? O baile teria sido a ocasião perfeita para isso. Por que usar marcas de Wyrd? A assassina estivera nos aposentos de Nehemia; não havia sinais de uma besta demoníaca à espreita, tampouco algum lugar no castelo onde ela poderia...

Celaena ergueu os olhos do livro. Bloqueada pela enorme cômoda, a tapeçaria ainda ondulava à brisa fantasmagórica. Não havia lugar algum no castelo onde se pudesse invocar e esconder uma criatura como aquela, exceto nas câmaras e nos túneis, abandonados e intermináveis, que corriam por baixo dele.

– Não – disse ela, levantando-se tão rápido que Ligeirinha mal conseguiu pular para longe enquanto seu assento virava. Não, *não era* verdade. Porque era Nehemia. Porque... porque...

Celaena grunhiu ao empurrar a cômoda para o lado e retirar a tapeçaria da parede. Da mesma forma que ocorrera dois meses antes, uma brisa fria e úmida vazou pelas rachaduras, mas não cheirava a rosas. Todos os assassinatos haviam ocorrido a dois dias de uma prova. Isso significava que, naquela noite ou no dia seguinte, algo aconteceria. O ridderak, o que quer que fosse, atacaria novamente. E, a julgar pelas marcas que encontrara sob a cama... de forma alguma Celaena ficaria esperando a besta aparecer.

Após trancar uma Ligeirinha chorona fora do quarto, Celaena cobriu a passagem com a tapeçaria, usou um livro para escorar a porta e não ficar presa do lado de dentro e, pelo menos daquela vez, desejou ter uma arma além do castiçal que carregava e da faca improvisada no bolso.

Se Nehemia realmente tivesse mentido para ela daquela maneira, e se Nehemia estivesse assassinando os campeões, então Celaena tinha de ver por conta própria. Mesmo que apenas para que pudesse matá-la com as próprias mãos.

⊱⊰

Enquanto descia pela passagem, a respiração de Celaena se adensava no ar gelado. Água pingava em algum lugar, e a jovem olhava ansiosamente para o arco central enquanto se aproximava da encruzilhada. Dessa vez, não tinha intenção de fugir. Qual seria o propósito, estando tão perto da vitória? Se perdesse, poderia voltar para a passagem antes que tivessem a chance de mandá-la novamente a Endovier.

Celaena estudou as passagens da direita e da esquerda. A da esquerda levava apenas a um caminho sem saída. Mas a da direita... aquela era a passagem que a levara ao túmulo de Elena. Lá, Celaena vira incontáveis outras passagens levando a lugares desconhecidos.

A jovem se aproximou do arco e congelou ao ver os degraus que desciam em direção à escuridão sombria. A poeira secular fora remexida. Pegadas desciam e subiam pelo caminho.

Nehemia e sua criatura deviam ter passado por ali, poucos andares abaixo de todo mundo. Verin não morrera logo após provocar Celaena na frente de Nehemia? A assassina apertou o castiçal com mais força e sacou a faca improvisada do bolso.

Pé ante pé, ela começou a descer pela escadaria. Logo, não conseguia mais ver o patamar superior e o fundo não parecia se aproximar. Mas então, sussurros preencheram o corredor, rastejando pelas paredes. Celaena abrandou os passos e escondeu a vela conforme se aproximava. Não era a conversa fútil de servos, mas alguém falando rápido, quase como um cântico.

Não era Nehemia. Era um homem.

Um patamar se aproximou abaixo, abrindo-se em um aposento à esquerda. Uma luz esverdeada escoava de lá para as pedras na escadaria, a qual continuava além do patamar em direção à escuridão. Os pelos do braço de Celaena se eriçaram quando a voz se tornou mais nítida. Não falava nenhuma língua que a assassina reconhecesse; era gutural e áspera e arranhava os ouvidos da jovem, parecendo sugar o calor de seus ossos. O homem arquejava enquanto falava, como se as palavras lhe queimassem a garganta, até que ele arquejou e tomou fôlego.

O silêncio tomou conta de tudo. Depois de deixar a vela no chão, Celaena rastejou em direção ao patamar e espreitou o aposento. A porta de carvalho havia sido escancarada, e uma chave gigantesca jazia na fechadura enferrujada. Dentro da pequena câmara, ajoelhado diante de uma escuridão tão sombria que parecia prestes a devorar o mundo, estava Cain.

❄ 42 ❄

Cain.

Aquele que se tornara mais forte ao longo da competição. Celaena pensara que havia sido pelo treino, mas... era porque ele vinha usando as marcas de Wyrd e a besta que as marcas invocavam para roubar a força dos campeões mortos.

O competidor arrastou a mão no chão diante da escuridão, e luzes esverdeadas faiscaram por onde os dedos dele passavam, antes de serem sugadas pelo vazio como espectros ao vento. Uma das mãos de Cain sangrava.

Celaena não ousou respirar quando algo revolveu na escuridão. Ouviu-se uma garra arranhar a pedra e um silvo, como o de uma chama extinta. E, então, aproximando-se de Cain, apoiado em joelhos que dobravam para o lado errado – como as patas traseiras de um animal –, emergiu o ridderak.

Era algo oriundo dos pesadelos de um deus antigo. A pele cinzenta e sem pelos da besta parecia ter sido esticada pela cabeça disforme, que exibia a boca escancarada repleta de dentes pretos.

Dentes que haviam rasgado e devorado os órgãos internos de Verin e Xavier; dentes que se deliciaram com os cérebros deles. O corpo vagamente humano da criatura afundava sobre as ancas, arrastando longos braços pelo chão de pedra. As pedras guinchavam sob as garras da besta. Cain ergueu a cabeça e se levantou vagarosamente, enquanto a criatura se ajoelhava diante dele e abaixava os olhos escuros. Submissão.

Celaena só percebeu que estava tremendo quando fez menção de se afastar, de fugir para longe o mais rápido que pudesse. Elena estava certa: aquilo era, pura e simplesmente, algo maligno. O amuleto pulsou em seu pescoço, como se urgisse para que ela corresse. Com a boca seca e o sangue latejando nas veias, Celaena recuou.

Cain se virou para olhar para ela, a cabeça do ridderak se ergueu, e as narinas fissiformes do monstro fungaram duas vezes. A assassina ficou imóvel, mas uma forte rajada de vento a empurrou por trás, forçando-a, cambaleante, para o interior do aposento.

– Não era para ser você esta noite – disse Cain, mas os olhos de Celaena se detiveram na besta, que começou a arfar. – Mas esta oportunidade é boa demais para ser desperdiçada.

– Cain – foi tudo o que Celaena conseguiu dizer.

Os olhos do ridderak... ela jamais vira algo assim. Não havia nada dentro deles além de fome – uma fome atemporal e interminável. A criatura não era do mundo de Celaena. As marcas de Wyrd funcionavam. Os portais eram reais. Celaena sacou a faca improvisada do bolso. Era ridiculamente pequena; como grampos de cabelo poderiam fazer algum estrago no couro daquela criatura?

Cain se moveu com tanta rapidez que, em um piscar de olhos, estava atrás dela e a faca de Celaena, de alguma forma, na mão dele. Ninguém – ninguém humano – era capaz de se mover tão rapidamente; era como se ele fosse composto apenas de sombras e vento.

– Uma pena – sussurrou Cain da soleira, enquanto guardava a faca de Celaena no bolso. A assassina olhou para a criatura, para o competidor e depois de volta para a criatura. – Eu nunca vou ficar sabendo como é que você veio parar aqui embaixo. – Os dedos de Cain envolveram a maçaneta. – Não que eu me importe. Adeus, Celaena. – A porta se fechou com um estrondo.

A luz esverdeada ainda vazava das marcas no chão – marcas que Cain gravara com o próprio sangue –, iluminando a criatura, que fitava Celaena com aqueles olhos implacáveis e famintos.

– Cain – sussurrou ela, recuando em direção à porta e se atrapalhando com a maçaneta. Celaena girou e puxou o objeto. A porta estava trancada. Não havia nada no aposento além de pedra e de poeira. Como deixara que ele a desarmasse tão facilmente? – Cain. – A porta não abria. – Cain! – gritou a jovem e esmurrou tanto a porta que se machucou.

O ridderak se movia para a frente e para trás, apoiado sobre os quatro longos membros aracnídeos, farejando-a, e Celaena parou. Por que ele não atacava imediatamente? A criatura farejou novamente e raspou o chão com as garras de uma das mãos, o golpe foi forte o bastante para arrancar um pedaço de pedra.

O monstro a queria viva. Cain incapacitara Verin enquanto invocava a criatura. O ridderak gostava de sangue quente; encontraria a maneira mais fácil de imobilizar Celaena e então...

Ela não conseguia respirar. Não daquele jeito. Não naquela câmara, onde ninguém a encontraria, onde Chaol nunca ficaria sabendo por que Celaena desapareceu e a amaldiçoaria para sempre, onde nunca teria a chance de dizer a Nehemia que estava errada. E Elena – Elena disse que alguém queria que ela fosse ao túmulo para ver... para ver o quê?

Foi então que Celaena soube.

A resposta estava do lado direito – a passagem da direita, a que levava ao túmulo, alguns metros abaixo.

A criatura afundou novamente sobre as ancas, prestes a dar o bote, e, naquele momento, Celaena pensou no plano mais imprudente e corajoso que já havia concebido. Ela deixou a capa cair no chão.

Com um rugido que balançou todo o castelo, o ridderak correu até a assassina.

Celaena permaneceu diante da porta, observando-o galopar até ela, enquanto faíscas voavam das garras da besta à medida que riscavam a pedra. A três metros de distância, ele se lançou na direção das pernas de Celaena.

Mas a assassina já estava correndo; correndo na direção daqueles dentes pretos e pútridos. O ridderak pulou para atacar Celaena, e ela se arremessou por cima da criatura, que rosnava ferozmente. Um estrondo retumbante ecoou pela câmara quando o ridderak destruiu a porta de madeira. Celaena nem conseguia imaginar o que a fera teria feito em suas pernas. A assassina não teve tempo para pensar. Assim que voltou ao chão, virou-se e correu para a porta, onde a criatura tentava se livrar da pilha de madeira.

Celaena se lançou pela soleira e virou à esquerda, descendo pela escadaria. Jamais conseguiria chegar viva a seus aposentos, mas, se fosse rápida, talvez conseguisse chegar ao túmulo.

O ridderak rugiu novamente, e a escadaria estremeceu. Celaena não ousou olhar para trás; concentrou-se nos próprios pés, em não cair conforme corria escada abaixo e em alcançar a plataforma inferior, iluminada pela luz da lua que escapava do túmulo.

Celaena atingiu o patamar, correu até a porta do túmulo e rezou para deuses cujos nomes esquecera, mas esperando que eles ainda não tivessem esquecido dela.

Alguém queria que eu viesse aqui no dia de Samhuinn. Alguém sabia que isso aconteceria. Elena queria que eu visse isso... para que eu sobrevivesse.

A criatura chegou ao patamar inferior e correu em direção a Celaena, chegando tão perto que a assassina pôde sentir o cheiro do hálito fétido da besta. A porta do túmulo estava escancarada. Como se alguém estivesse esperando.

Por favor... por favor...

Segurando-se na soleira, Celaena se impulsionou para dentro. A assassina ganhou segundos preciosos quando o ridderak derrapou, ultrapassando a entrada do túmulo. Mas ele não precisou de muito tempo para se recuperar e arrancou um pedaço da porta ao entrar.

As batidas dos pés de Celaena ecoaram pelo túmulo enquanto a jovem correu entre os sarcófagos em direção a Damaris, a espada do antigo rei.

Exposta no topo do pedestal, a lâmina brilhava à luz da lua – o metal ainda cintilava após milhares de anos.

A criatura rosnou, e Celaena ouviu a longa inspiração do monstro, junto com o raspar das garras no chão, quando o ridderak saltou na direção dela. A jovem alcançou a espada, e sua mão esquerda envolveu a empunhadura fria, girando-a no ar.

Celaena só teve tempo de ver os olhos da criatura e um borrão da pele do ridderak antes de cravar Damaris no rosto da besta.

Celaena sentiu uma dor lancinante quando, junto com a criatura, atingiu a parede e caiu no chão, esparramando o tesouro. Sangue escuro, com fedor de lixo, jorrou em seu corpo.

A assassina não se moveu; não ao fitar aqueles olhos pretos a poucos centímetros dos dela, não ao ver a mão direita presa entre aqueles dentes pretos e o próprio sangue escorrendo pelo queixo do ridderak. Celaena apenas arfava e tremia, sem tirar a mão esquerda do cabo da espada, mesmo depois que aqueles olhos famintos se tornaram apáticos e o corpo do ridderak cedeu sobre o dela.

Somente quando o amuleto pulsou mais uma vez, Celaena piscou. Tudo que se sucedeu àquilo foi uma série de passos, uma dança que tinha de executar perfeitamente para que não desmoronasse bem ali, naquele túmulo, e nunca mais se levantasse.

Primeiro, Celaena livrou a mão dos dentes da criatura. Isso ardeu impiedosamente. Um arco de perfurações em torno do polegar da assassina jorrava sangue. Celaena conseguiu ficar de pé, cambaleando, depois de tirar o ridderak de cima do próprio corpo. Ele era surpreendentemente leve – como se os ossos fossem ocos ou como se não houvesse nada dentro da criatura. Embora o mundo parecesse embaçado, a assassina arrancou Damaris do crânio do ridderak.

Usando a camisa para limpar a lâmina de Gavin, Celaena colocou a espada de volta no lugar. Era por isso que a haviam levado ao túmulo no Samhuinn, não era? Para que ela pudesse ver Damaris e ter um modo de se salvar?

Celaena deixou a criatura onde jazia, um amontoado inerte sobre uma pilha de joias. Quem quer que tivesse desejado salvá-la poderia arrumar aquela bagunça. A jovem já estava farta.

Ainda assim, Celaena fez uma pausa ao lado do sarcófago de Elena e contemplou o belo rosto gravado no mármore.

– Obrigada – disse ela, rouca. Com a visão embaçada, Celaena deixou a tumba e cambaleou escada acima, apertando a mão ensanguentada junto ao peito.

Quando chegou, finalmente, à segurança de seus aposentos, Celaena se dirigiu à porta do quarto, onde se recostou, ofegante, antes de destrancá-la. O ferimento ainda não coagulara, e sangue escorria pelo pulso da assassina. Ela o escutava pingar no chão. Deveria ir à sala de banho e lavar a mão. A palma parecia gelo. Ela deveria...

As pernas de Celaena cederam, e a jovem desmoronou. As pálpebras dela ficaram pesadas, e Celaena as fechou. Por que o coração batia tão devagar?

Ela abriu os olhos para ver a mão. A visão estava embaçada e ela só conseguia enxergar um borrão rosa e vermelho. A sensação gelada na mão havia espraiado para o braço e para as pernas.

A assassina escutou um barulho retumbante. Passos, seguidos por um gemido. Pelas pálpebras, Celaena pôde ver a luz escurecer no quarto.

Ouviu um grito – de mulher –, e mãos mornas pegaram seu rosto. Celaena estava tão gelada que essas mãos quase a queimaram. Será que alguém havia deixado a janela aberta?

– Lillian! – Era Nehemia. A princesa sacudiu os ombros de Celaena. – Lillian! O que aconteceu com você?

Celaena se lembrou pouco dos momentos que se seguiram. Braços fortes a ergueram e a levaram às pressas à sala de banho. Nehemia se esforçou para carregar Celaena até a banheira, onde a despiu. A mão de Celaena queimou ao tocar a água, e a assassina se debateu, mas a princesa a segurou com firmeza e disse palavras em uma língua que a assassina não compreendia. A luz no aposento pulsava, e a pele de Celaena formigava. A assassina viu os próprios braços cobertos por marcas de um turquesa brilhante – marcas de Wyrd. Nehemia a deteve na água, oscilando para a frente e para trás.

Celaena foi engolida pela escuridão.

⊰ 43 ⊱

Celaena abriu os olhos.

Estava aquecida e a luz da vela brilhava dourada. Podia sentir cheiro de flor de lótus e de noz-moscada. A jovem emitiu um pequeno ruído e piscou ao tentar se levantar da cama. O que havia acontecido? Só conseguia se lembrar de subir as escadas e de esconder a porta secreta atrás da tapeçaria...

Celaena se assustou e tocou a túnica. Ficou espantada ao perceber que fora transformada em uma camisola e maravilhada ao erguer a mão no ar. Estava curada – completamente curada. Os únicos resquícios dos ferimentos eram uma cicatriz em meia-lua entre o polegar e o indicador, além de pequenas marcas de mordida dos dentes inferiores do ridderak. Celaena passou um dedo pelas cicatrizes, brancas como giz, traçando a curva que formavam, e mexeu os dedos para se certificar de que nenhum nervo havia sido rompido.

Como era possível? Foi magia – alguém a curara. Celaena se ergueu e viu que não estava sozinha.

Nehemia estava sentada em uma cadeira próxima e olhava para ela. Os lábios da princesa não exibiam um sorriso, e Celaena ficou confusa ao perceber a desconfiança nos olhos da jovem. Ligeirinha estava deitada aos seus pés.

– O que aconteceu? – perguntou Celaena.

– Era isso que eu estava esperando para perguntar a você – disse a princesa, em eyllwe. Nehemia apontou para o corpo de Celaena. – Se eu não a tivesse encontrado, essa mordida a teria matado em poucos minutos.

Até mesmo o sangue que havia caído no chão fora limpo.

– Obrigada – disse a assassina, e se assustou ao olhar para o céu escuro pela janela. – Que dia é hoje? – Se, de alguma maneira, tivessem se passado dois dias e Celaena tivesse perdido a última prova...

– Só se passaram três horas.

Os ombros de Celaena cederam. Ela não a perdera. Ainda teria treino no dia seguinte, e, no dia após esse, seria a prova.

– Eu não entendo. Como...

– Isso não é importante – interrompeu Nehemia. – Eu quero saber onde você levou essa mordida. Havia sangue no seu quarto; mas nenhum sinal dele no corredor ou em qualquer outro lugar.

Celaena fechou e abriu a mão direita enquanto observava as cicatrizes se esticarem e se contraírem. A jovem chegara bem perto de morrer. Celaena direcionou os olhos para a princesa, depois de volta para a mão. Qualquer que fosse o envolvimento de Nehemia, não era com Cain.

– Eu não sou quem finjo ser – disse Celaena baixinho, incapaz de olhar a amiga nos olhos. – Lillian Gordaina não existe. – Nehemia ficou em silêncio. Celaena forçou-se a olhá-la nos olhos. Nehemia a salvara; como Celaena ousara acreditar que era a princesa quem controlava aquela criatura? A verdade era o mínimo que Celaena devia à amiga. – Meu nome é Celaena Sardothien.

Nehemia ficou boquiaberta. Ela meneou a cabeça vagarosamente.

– Mas eles mandaram você para Endovier. Era para você estar em Endovier com... – Os olhos de Nehemia se arregalaram. – Você fala o eyllwe dos camponeses; dos que foram escravizados em Endovier. Então foi assim que você aprendeu. – Ficou um pouco difícil para Celaena respirar. Os lábios de Nehemia tremiam. – Você foi... você foi para *Endovier*? Endovier é um campo de extermínio. Mas... por que você não me contou? Você não confia em mim?

– Claro que confio – disse Celaena. Principalmente agora, que a princesa provara, sem sombra de dúvidas, que não era responsável pelos assassinatos. – Eu recebi ordens do rei para não dizer uma palavra.

– Uma palavra sobre o quê? – perguntou Nehemia, com rispidez, tentando conter as lágrimas. – O *rei* sabe que você está aqui? Ele dá ordens a você?

– Estou aqui para satisfazer a vontade dele. – Celaena se ajeitou na cama, sentando-se mais ereta. – Estou aqui porque ele está organizando uma competição para decidir quem será o campeão do rei. E, quando eu ganhar, *se* eu ganhar, vou trabalhar para o rei por quatro anos como lacaia e assassina. Depois, serei libertada, e meu nome, limpo.

Nehemia simplesmente olhou para Celaena, amaldiçoando-a com um olhar vazio.

– Você acha que eu quero estar aqui? – gritou Celaena, embora gritar fizesse sua cabeça latejar. – Era isso ou Endovier! Eu não tive escolha. – A assassina levou a mão ao peito. – Antes de você me passar um sermão sobre moral ou antes que fuja e se esconda atrás dos seus guardas, saiba que não há um momento sequer em que eu não pense como será matar alguém por ele, pelo homem que destruiu *tudo* que eu amava!

A assassina não conseguia respirar rápido o suficiente, não com o abrir e fechar daquela porta dentro de sua mente e com as imagens que Celaena se obrigara a esquecer passando diante de seus olhos. A assassina fechou os olhos, desejando a escuridão. Nehemia permaneceu em silêncio. Ligeirinha ganiu. Na quietude, pessoas, lugares e palavras ecoavam em sua mente.

Em seguida, passos. Eles trouxeram Celaena de volta ao presente. O colchão gemeu e suspirou quando Nehemia se sentou. Um segundo peso, mais leve, uniu-se a ela – Ligeirinha.

Nehemia segurou a mão de Celaena com a sua, morna e seca. Celaena abriu os olhos, mas fitou a parede do outro lado do quarto.

Nehemia apertou a mão da assassina.

– Você é minha amiga mais querida, Celaena. Fiquei magoada, mais do que imaginei que ficaria, ao ver as coisas ficarem tão frias entre nós. Ao ver você olhar para mim com tanta desconfiança nos olhos. Nunca mais quero ver você me olhar daquele jeito. Quero dar a você o que dei apenas a poucos. – Os olhos pretos de Nehemia brilharam. – Nomes não são importantes. O que há dentro de você é que importa. Eu sei pelo que você passou em Endovier. Sei o que meu povo suporta lá dentro, dia após dia. Mas você não permitiu que as minas a endurecessem; você não deixou que elas manchassem sua alma com crueldade.

A princesa traçou uma marca na mão de Celaena, apertando os dedos contra a pele dela.

– Você possui muitos nomes, então também vou nomeá-la. – A mão de Nehemia se ergueu à testa de Celaena, e a princesa desenhou uma marca invisível. – Eu a nomeio Elentiya. – Nehemia beijou a sobrancelha da assassina. – Eu lhe atribuo este nome para usá-lo com honra, para usá-lo quando o fardo dos outros nomes se tornarem muito pesados. Eu a nomeio Elentiya, "Espírito Que Não Pôde Ser Quebrado".

Celaena ficou imóvel. Ela conseguia sentir o nome cair sobre si como um véu cintilante. Aquilo era amor incondicional. Amigos assim não existiam. Por que tivera a sorte de encontrar uma?

– Venha – disse Nehemia, com entusiasmo. – Conte-me como você se tornou a Assassina de Adarlan e como exatamente veio parar neste castelo... e quais são os detalhes dessa competição absurda. – Celaena sorriu discretamente enquanto Ligeirinha abanava o rabo e lambia o braço de Nehemia.

De alguma forma, a princesa salvara sua vida. As respostas sobre como isso acontecera viriam em outro momento. Então, Celaena falou.

⬲

Na manhã seguinte, Celaena caminhava ao lado de Chaol com os olhos fixos no chão de mármore do corredor. O sol refletia na neve do jardim, tornando a luz do salão quase ofuscante. Ela contara quase tudo a Nehemia. Havia certas coisas que nunca contaria a ninguém; tampouco mencionara Cain ou a criatura. Nehemia não voltou a perguntar o que mordera a mão de Celaena, mas ficou ao lado dela, aninhada na cama, enquanto conversavam noite adentro. Celaena, sem ter certeza se conseguiria dormir novamente agora que sabia do que Cain era capaz, ficou grata pela companhia. Ela puxou a capa para mais perto do corpo. A manhã estava excepcionalmente fria.

– Você está quieta hoje. – Chaol manteve o olhar à frente. – Você e Dorian brigaram?

Dorian. Ele fora visitá-la na noite anterior, mas Nehemia o dispensara antes que o príncipe pudesse entrar no quarto.

– Não. Não o vejo desde ontem de manhã. – Depois dos eventos da última noite, a manhã do dia anterior parecia ter sido uma semana atrás.

– Você gostou de dançar com ele no baile?

Será que as palavras de Chaol tinham sido um pouco ásperas? Celaena se voltou para ele ao virarem no corredor, indo em direção a uma sala de treinamento privativa.

– Você foi embora um pouco cedo. Eu achava que fosse querer me vigiar durante toda a noite.

– Você não precisa mais ser vigiada.

– Não precisava desde o início.

Chaol deu de ombros.

– Agora sei que não vai a lugar algum.

Do lado de fora, um vento vociferante impulsionou uma rajada de neve, criando uma onda cintilante no ar.

– Eu ainda posso voltar a Endovier.

– Não voltará.

– Como você sabe?

– Eu sei.

– Isso me dá muita confiança.

O capitão riu e prosseguiu em direção à sala de luta.

– Fico surpreso por sua cachorra não ter corrido atrás de você, considerando o quanto ela ficou ganindo agora há pouco.

– Se você tivesse um animal de estimação, não debocharia – disse Celaena, melancólica.

– Eu nunca tive um; nunca quis.

– Provavelmente, isso é uma bênção para qualquer cachorro que pudesse acabar tendo você como dono.

Chaol a acertou com o cotovelo. Celaena sorriu e retribuiu o golpe. Ela queria contar a ele sobre Cain. Quisera contar assim que o vira pela manhã à porta do quarto. Quisera contar tudo.

Mas Chaol não podia saber. Porque, como Celaena percebeu na noite anterior, se falasse com o capitão a respeito de Cain e da criatura que ele conjurara, Chaol pediria para ver os restos mortais da besta. E aquilo implicava levá-lo pela passagem secreta. Embora Chaol confiasse em Celaena o suficiente para deixá-la a sós com Dorian, saber que a assassina tinha acesso a uma rota de fuga não vigiada era um teste ao qual Celaena não estava disposta a submeter Chaol.

Além do mais, eu a matei. Acabou. O mal misterioso de Elena foi vencido. Agora, tenho apenas de derrotar Cain no duelo e ninguém precisará saber.

Chaol se deteve diante da porta sem identificação da sala de treino e virou-se para encará-la.

– Eu só vou perguntar uma vez e nunca mais – disse ele, fitando-a com tanta intensidade que Celaena cambaleou. – Você sabe no que está se metendo com Dorian?

Ela riu, emitindo um barulho áspero e estridente.

– Você está *me* dando conselhos amorosos? Pelo meu bem ou pelo de Dorian?

– Pelo bem de ambos.

– Eu não sabia que você ligava tanto para mim a ponto de se importar. Ou até mesmo de reparar.

Em favor de Chaol, ele não mordeu a isca. Em vez disso, simplesmente destrancou a porta.

– Lembre-se apenas de usar o cérebro, está bem? – disse o capitão por cima dos ombros ao adentrar a sala.

Uma hora depois, suando e ainda ofegante devido ao treino com espada, Celaena secou a sobrancelha na manga, e os dois seguiram em direção ao quarto dela.

– Outro dia, vi você lendo *Elric e Emide* – disse Chaol. – Eu achava que você odiava poesia.

– É diferente. – Celaena balançou os braços. – Poesia épica não é uma coisa chata; tampouco pretensiosa.

– Não? – Um sorriso torto se delineou no rosto dele. – Um poema sobre batalhas grandiosas e amores sem limites não é algo pretensioso? – Celaena deu um soquinho no ombro do capitão, brincando, e ele riu. Surpreendentemente encantada com a risada dele, Celaena gargalhou também. Mas então, os dois viraram uma esquina, guardas enchiam o salão, e Celaena o viu.

O rei de Adarlan.

⇥ 44 ⇤

O rei. O coração de Celaena soltou um guincho e se escondeu atrás da espinha. Cada uma das cicatrizes da mão da assassina latejou. O rei de Adarlan caminhou em direção a Celaena e Chaol, sua forma monstruosa preenchendo o corredor diminuto, e os olhos do rei e os de Celaena se encontraram. Ela ficou fria e quente ao mesmo tempo. Chaol se deteve e fez uma acentuada reverência.

Vagarosamente, desejando não ir parar na forca tão cedo, Celaena também se curvou. O rei a encarou com olhos de ferro. Os pelos dos braços dela se eriçaram. Celaena o sentia observá-la, procurando por alguma coisa dentro dela. O rei sabia que algo estava errado, que algo mudara no castelo – algo que tinha a ver com ela. Celaena e Chaol se ergueram e saíram do caminho.

A cabeça do rei girou para examinar a assassina ao prosseguir. Será que podia enxergar o que havia por dentro de Celaena? Saberia que Cain tinha a habilidade de abrir portais reais para outros mundos? Que, mesmo tendo banido a magia, as marcas de Wyrd ainda comandavam um poder que lhes era próprio? Um poder que o rei poderia dominar, caso aprendesse a invocar demônios como o ridderak...

Havia uma sombra nos olhos do rei que parecia fria e estrangeira, como os espaços entre as estrelas. Um homem seria capaz de destruir um mundo? Sua ambição o consumia tanto assim? Celaena conseguia escutar os ruídos de uma guerra. A cabeça do rei voltou-se para a frente.

Algo perigoso pairava ao redor dele. Era um ar mortal que Celaena sentira ao se deparar com o vazio escuro invocado por Cain. Era o fedor de outro mundo, de um mundo morto. Qual era o objetivo de Elena ao exigir que Celaena se aproximasse dele?

Celaena conseguiu andar, um passo de cada vez, afastando-se do rei. Os olhos dela estavam distantes, e, embora não olhasse para Chaol, sentiu o rosto ser estudado pelo capitão. Felizmente, ele não falou uma palavra se-quer. Era bom ter alguém que compreendesse.

Chaol tampouco falou quando Celaena se aproximou dele durante o restante da caminhada.

Chaol caminhava no próprio quarto. O tempo com Celaena havia termina-do até o treino com outros campeões naquela tarde. Após o almoço, o capi-tão voltou a seus aposentos para ler o relatório que detalhava a jornada do rei. E, nos últimos dez minutos, ele o havia lido três vezes. Chaol amassou o papel no punho. Por que o rei havia chegado sozinho? Ainda mais impor-tante: como todos que o acompanhavam haviam morrido? O motivo de sua partida era desconhecido. O rei mencionara as montanhas Canino Branco, mas... Por que estavam todos mortos?

O rei insinuara vagamente que havia algum tipo de problema relacio-nado a rebeldes envenenando seus depósitos de comida, mas os detalhes eram misteriosos o suficiente para sugerir que a verdade estava escondida em algum outro lugar. Talvez o rei não tivesse explicado completamente porque isso causaria uma comoção entre os súditos. Mas Chaol era o capi-tão da Guarda Real. Se o rei não confiava nele...

O relógio soou, e os ombros de Chaol se curvaram. Pobre Celaena. Será que sabia que ficava com a aparência de um animal acuado quando o rei surgia? O capitão quase tinha vontade de dar um tapinha nas costas da jo-vem. E o efeito do rei sobre a assassina durou por muito tempo após o en-contro; Celaena ficara distante durante o almoço.

A jovem tornara-se incrível – tão rápida que Chaol tinha dificuldades em acompanhá-la. Celaena podia escalar uma parede com facilidade e até mesmo fez uma demonstração ao subir até a varanda do quarto usando apenas as próprias mãos. Aquilo causava temor em Chaol, principalmente quando se lembrava de que a assassina tinha apenas dezoito anos. Ele se perguntou se ela fora assim antes de ir para Endovier. Celaena nunca hesitava quando lutava com Chaol, mas parecia afundar dentro de si mesma, para um lugar que ao mesmo tempo era calmo, tranquilo, colérico e ardente. A assassina era capaz de matar qualquer um, inclusive Cain, em questão de segundos.

Mas, se ela se tornasse a campeã, será que a deixariam solta em Erilea novamente? Chaol gostava de Celaena, mas não sabia dizer se conseguiria dormir à noite sabendo que havia retreinado e libertado a maior assassina do mundo. Se Celaena vencesse, entretanto, ficaria ali no castelo por quatro anos.

O que pensara o rei ao vê-los juntos e dando risadas? Certamente, aquele não fora o motivo pelo qual deixara de contar a Chaol o que aconteçera com seus homens. Não... o rei não se importaria com esse tipo de coisa, principalmente se Celaena, em breve, pudesse se tornar sua campeã.

Chaol massageou os ombros. A assassina pareceu tão frágil quando viu o rei.

Desde o retorno de suas viagens, o rei não parecia diferente e continuava tão rude com Chaol como sempre fora. Mas o desaparecimento repentino e depois o retorno sem uma alma viva... Algo estava sendo preparado, e a viagem do rei servira para misturar os ingredientes nesse caldeirão. E, de alguma forma, Celaena também sabia disso.

O capitão da guarda se apoiou contra uma parede e contemplou o teto. Não deveria se intrometer nos assuntos do rei. No momento, seu foco era resolver os assassinatos dos campeões e garantir que Celaena vencesse. Já não se tratava mais do orgulho de Dorian; Celaena não sobreviveria outro ano em Endovier.

Chaol esboçou um sorriso. A assassina havia causado problemas o bastante nos meses que estivera no castelo. Ele podia apenas imaginar o que aconteceria ao longo dos próximos quatro anos.

☙ 45 ❧

Celaena arfou quando ela e Nox abaixaram as espadas e o mestre de armas gritou para que os cinco campeões fossem beber água. No dia seguinte, aconteceria a última prova antes do duelo. Celaena manteve distância quando Cain se arrastou em direção à jarra de água sobre a mesa próxima à parede oposta, observando cada um de seus movimentos. Ela olhou para os músculos do competidor, para a altura dele, para o porte de Cain – tudo era força roubada dos campeões mortos. Celaena analisou o anel preto no dedo de Cain. Teria alguma ligação com aquelas terríveis habilidades? Ele nem mesmo pareceu surpreso ao vê-la com vida quando Celaena adentrou o salão de treinamento. Simplesmente lançou à jovem um sorriso discreto e provocador e pegou a espada de treino.

– Há algum problema? – perguntou Nox, com a respiração irregular ao parar ao lado de Celaena. Cain, Cova e Renault conversavam entre eles. – Você estava um pouco desequilibrada.

Como Cain aprendera a invocar aquela criatura? E o que era aquela escuridão de onde a besta surgira? O único objetivo daquilo era realmente que ele ganhasse a competição?

– Ou – continuou Nox – você está pensando em outras coisas?

Celaena expulsou Cain dos pensamentos.

– O quê?

Nox sorriu.

– Pareceu que você estava gostando da atenção do príncipe herdeiro durante o baile.

– Cuide da própria vida – vociferou Celaena.

Nox ergueu as mãos.

– Não tive a intenção de me intrometer. – A assassina caminhou até a jarra de água e, sem dizer uma palavra, encheu um copo para si mesma, sem se preocupar em oferecer outro a ele. Nox se inclinou para a frente enquanto Celaena colocava a jarra sobre a mesa. – Essas cicatrizes em sua mão são novas.

A assassina enfiou a mão no bolso, e seus olhos faiscaram.

– Cuide da própria vida – repetiu ela. Celaena se afastou, mas Nox agarrou-a pelo braço.

– Você me disse para ficar em meus aposentos naquela noite. E essas cicatrizes parecem marcas de mordida. Dizem que Verin e Xavier foram mortos por animais. – Os olhos cinzentos do ladrão se semicerraram. – Você está sabendo de alguma coisa.

Celaena olhou por cima dos ombros para Cain, que brincava com Cova como se não fosse um psicopata invocador de demônios.

– Restam apenas cinco de nós. Quatro chegarão aos duelos e a prova é amanhã. O que quer que tenha acontecido com Verin e Xavier, não foi um acidente; suas mortes ocorreram dois dias antes das provas. – Celaena se desvencilhou de Nox.

– *Cuidado* – ciciou ela.

– Conte-me o que sabe.

Celaena não podia, não sem parecer que perdeu o juízo.

– Se você fosse esperto, sairia deste castelo.

– Por quê? – Nox lançou o olhar para Cain. – O que você está escondendo?

Brullo terminou de beber água e foi buscar a espada. Celaena não tinha muito tempo antes que o mestre de armas ordenasse a continuação do treino.

– Estou dizendo que se eu tivesse opção além de ficar aqui... se a escolha não fosse entre isto e a morte, eu já estaria do outro lado de Erilea e sem olhar para trás.

Nox massageou o pescoço.

– Não entendi uma palavra do que você acabou de dizer. Por que não tem escolha? Sei que as coisas vão mal com seu pai, mas, certamente, ele não vai... – Celaena o calou com um olhar objetivo. – E você não é uma ladra de joias, é? – Ela balançou a cabeça. Nox olhou novamente para Cain. – Cain também sabe. É por isso que ele sempre tenta irritar você... para fazer você mostrar quem realmente é.

Celaena fez que sim com a cabeça. Que diferença faria se ele soubesse? Tinha coisas mais importantes com que se preocupar. Como de que forma sobreviveria até os duelos. Ou deteria Cain.

– Mas quem é você? – indagou Nox. Celaena mordeu o lábio. – Você disse que seu pai a mandou para Endovier, isso é verdade. O príncipe foi até lá para buscá-la; há evidências dessa viagem. – Ao dizer aquilo, os olhos de Nox se voltaram na direção da jovem. Celaena praticamente via a compreensão que florescia na mente do competidor. – E... você não estava na cidade de Endovier. Você estava *em* Endovier. Nas minas de sal. Isso explica por que estava tão magra quando a vi pela primeira vez.

Brullo bateu palmas.

– Vamos lá, pessoal! Exercícios!

Nox e Celaena permaneceram à mesa. Os olhos dele estavam arregalados.

– Você era escravizada em Endovier? – Celaena não foi capaz de formar palavras para confirmar. Nox era inteligente demais para o próprio bem. – Mas você ainda nem é uma mulher adulta. O que você fez para... – O olhar dele se direcionou a Chaol e aos guardas que estavam ao redor do capitão. – Eu já ouvi falar de você? De quando você foi mandada para Endovier?

– Sim. Todos ficaram sabendo quando eu fui. – Celaena respirou e observou o amigo relembrar todos os nomes que ouvira associados àquele lugar, até que Nox juntou as peças do quebra-cabeça. Ele deu um passo para trás.

– Você é uma *garota*?

– Surpreendente, eu sei. Todos pensam que sou mais velha.

Nox passou a mão pelo cabelo preto.

– E ou você se torna campeã do rei, ou volta para Endovier?

– É por isso que não posso ir embora. – Brullo gritou para que começassem os exercícios. – E é também por isso que estou dizendo a você que saia deste castelo enquanto ainda pode. – Celaena tirou a mão do bolso e a mostrou a Nox. – Eu recebi esta mordida de uma criatura que não tenho ideia de como descrever para você; tampouco você acreditaria em mim se eu tentasse descrevê-la. Mas somos cinco agora e, como a prova é amanhã, estaremos correndo perigo por mais uma noite.

– Eu não estou entendendo *nada* disso – falou Nox, ainda a um passo de distância.

– Não precisa entender. Mas você não vai voltar para a prisão se fracassar e não vai ser o campeão, mesmo que chegue aos duelos. Então precisa *ir embora*.

– E eu gostaria de saber o que está matando os campeões?

Celaena conteve um tremor ao se lembrar das presas e do fedor da criatura.

– Não – disse ela, incapaz de esconder o medo na voz. – Não gostaria. Basta que confie em mim... e que acredite que eu não estou usando truques a fim de eliminá-lo da competição.

O que quer que Nox tenha interpretado na expressão de Celaena fez seus ombros cederem.

– Durante todo esse tempo, eu pensava que você era só uma menina bonitinha de Enseada do Sino que roubou joias para chamar a atenção do pai. Eu mal sabia que a loirinha era a rainha do submundo. – Nox sorriu com pesar. – Obrigado por me alertar. Você poderia não ter dito nada.

– Você foi o único que me levou a sério – disse Celaena, sorrindo carinhosamente. – Eu estou surpresa que tenha acreditado em mim.

Brullo gritou com os dois, que começaram a andar em direção ao grupo. Os olhos de Chaol estavam fixos na dupla. Celaena sabia que o capitão faria um interrogatório sobre aquela conversa em outro momento.

– Vou pedir um favor a você, Celaena – disse Nox. Ela se espantou ao ouvir o próprio nome. O ladrão aproximou a boca do ouvido dela. – Arranque a cabeça de Cain – sussurrou ele, com um sorriso perverso. Celaena apenas sorriu de volta e assentiu.

Nox foi embora cedo naquela noite, fugindo do castelo sem dizer uma palavra a ninguém.

O relógio soou cinco da tarde, e Kaltain lutou contra a vontade de esfregar os olhos enquanto o ópio exsudava por todos os poros de seu corpo. À luz do sol poente, os corredores do castelo ficavam inundados de vermelho, laranja e dourado, como se as cores sangrassem juntas. Perrington a convidara a se sentar com ele para jantar no salão principal, e, normalmente, Kaltain não teria se atrevido a fumar antes de uma refeição em público, mas a dor de cabeça que a afligiu à tarde não melhorara.

O salão parecia se estender ao infinito. A dama ignorou os cortesãos e os serviçais, focando-se, em vez disso, no pôr do sol. Alguém se aproximava, vindo do lado oposto; um borrão escuro contra a luz laranja e dourada. Parecia haver sombras escoando dele, fluindo para as pedras, as janelas e as paredes como tinta derramada.

Kaltain tentou engolir conforme se aproximava da figura, mas viu que a língua estava pesada e seca como papel.

Cada passo o aproximava – tornava-o maior e mais alto – e o coração dela retumbava nos ouvidos. Talvez o ópio estivesse estragado; talvez tivesse fumado demais dessa vez. Em meio às palpitações nos ouvidos e na cabeça, um murmúrio de asas encheu o ar.

No intervalo entre cada piscar de olhos, Kaltain poderia jurar ter visto coisas revolvendo-se em torno do homem em círculos rápidos e intermináveis, pairando sobre ele, esperando, esperando, esperando...

– Milady – disse Cain, curvando a cabeça ao passar.

Kaltain não disse nada. Ela cerrou as mãos suadas e prosseguiu em direção ao salão principal. Levou algum tempo até que o som de asas batendo se esvaísse, mas, quando a moça chegou à mesa do duque, já havia se esquecido de tudo aquilo.

Após o jantar naquela noite, Celaena estava sentada à mesa de xadrez em frente a Dorian. O beijo após o baile dois dias antes não fora tão ruim. Fora bom, na verdade. Naturalmente, o príncipe retornara naquela noite e, até então, as cicatrizes recentes na mão da jovem não tinham sido mencionadas, tampouco o beijo. E Celaena jamais contaria a ele, nem em um milhão de anos, sobre o ridderak. Poderia ter sentimentos em relação a Dorian, mas, se ele contasse ao pai sobre o poder das marcas de Wyrd e dos portais... O sangue da assassina gelou só de imaginar.

Mas, olhando para ele, o rosto do príncipe iluminado pela luz do fogo, Celaena não conseguiu ver qualquer semelhança entre Dorian e o pai. Não, ela só via a gentileza, a inteligência, e talvez o príncipe fosse um tanto arrogante, mas... Celaena coçou as orelhas de Ligeirinha com os dedos do pé. Ela esperava que Dorian se afastasse, que fosse atrás de outra mulher, agora que já a havia experimentado.

Bem, será que ele sequer experimentaria *você, para início de conversa?*

Dorian andou com a peça da suma-sacerdotisa, e Celaena riu.

– Você vai realmente fazer isso? – perguntou ela. O príncipe ficou confuso, e seu rosto se contorceu. Celaena pegou um peão e, movendo-o diagonalmente, derrubou com tranquilidade a peça dele.

– Droga! – gritou Dorian, e ela soltou uma risada.

– Aqui. – Celaena deu a peça ao príncipe. – Pegue e tente outra jogada.

– Não. Eu vou jogar como um homem e aceitar minhas derrotas!

Os dois riram, mas um silêncio logo recaiu sobre eles. Ainda havia um sorriso no rosto de Celaena, e Dorian tomou a mão da jovem. Celaena quis se desvencilhar, mas não foi capaz. O príncipe segurou a mão da assassina sobre o tabuleiro e, suavemente, colocou uma palma contra a outra, entrelaçando os dedos com os dela. A mão de Dorian era calejada, porém robusta. As mãos entrelaçadas dos dois jaziam sobre a parte lateral da mesa.

– São necessárias duas mãos para se jogar xadrez – disse Celaena, se perguntando se era possível que seu coração explodisse. Ligeirinha bufou e saiu de perto, provavelmente a fim de desaparecer sob a cama.

– Eu acho que você precisa apenas de uma. – Dorian movimentou uma peça por todo o tabuleiro. – Viu?

Celaena mordeu o lábio. Ainda assim, não livrou a mão da de Dorian.

– Você vai me beijar de novo?

– Eu gostaria. – A assassina ficou imóvel enquanto Dorian se inclinava em direção a ela, cada vez mais perto, e a mesa rangeu sob o príncipe, até que ele parou com os lábios a um fio de cabelo dos dela.

– Eu cruzei com seu pai no saguão hoje – proferiu Celaena abruptamente.

Dorian sentou-se devagar de volta na cadeira.

– E?

– E foi tudo bem – mentiu a jovem. Os olhos dele se semicerraram.

Dorian levantou o queixo de Celaena com um dedo.

– Você não disse isso para evitar o inevitável, disse? – Não, ela dissera aquilo simplesmente para continuar falando, para manter Dorian por perto enquanto ele desejasse ficar, para que não passasse a noite sozinha, com a ameaça de Cain pairando sobre si. Quem melhor a seu lado durante as horas mais sombrias da noite que o filho do rei? Cain não ousaria causar qualquer mal a ele.

Mas tudo isso... tudo o que acontecera com o ridderak significava que os livros que Celaena lera diziam a verdade. E se Cain fosse capaz de invocar *qualquer coisa*? Como os mortos. Muitas pessoas haviam perdido suas fortunas quando a magia desapareceu. O próprio rei poderia ficar intrigado com esse tipo de poder.

– Você está tremendo – disse Dorian. Ela estava. Como uma tola. – Você está bem? – O príncipe contornou a mesa para se sentar ao lado de Celaena.

Não podia contar a ele; não, ele nunca poderia ficar sabendo. Da mesma forma como não poderia saber que, quando Celaena olhou embaixo da cama antes do jantar, havia marcas de giz recentes para limpar. Cain sabia que Celaena descobrira como ele estava eliminando os competidores. Talvez ele a caçasse naquela noite ou talvez não – a assassina não fazia a menor ideia. Mas não conseguiria dormir bem à noite – não antes que Cain estivesse empalado na espada de Celaena.

– Estou bem – disse ela, embora a voz não estivesse muito mais forte que um sussurro. Mas, se Dorian continuasse com as perguntas, acabaria contando tudo a ele.

– Você tem certeza de que está se sentindo... – começou Dorian, mas Celaena avançou e o beijou.

Ela quase o derrubou no chão. Mas Dorian esticou um braço até o encosto da cadeira e se segurou, enquanto usava o outro para abraçar Celaena pela cintura. A jovem permitiu que o toque e o sabor dele inundassem sua mente. Celaena o beijou na tentativa de roubar um pouco do ar de Dorian. A assassina enroscou os dedos no cabelo dele e, conforme Dorian a beijava intensamente, ela deixou que tudo se esvaísse.

O relógio soou três da manhã. Celaena sentou-se na cama com os joelhos encolhidos contra o peito. Após horas de beijos e conversas e mais beijos na cama, Dorian fora embora havia poucos minutos. Ela se sentira tentada a pedir que ele ficasse – a coisa sábia a se fazer teria sido pedir que ele ficasse –, mas a ideia de Dorian ali quando Cain ou o ridderak fossem atrás dela, de Dorian ser ferido, fez com que Celaena o deixasse ir.

Cansada demais para ler, mas desperta demais para dormir, a jovem simplesmente ficou contemplando o crepitar do fogo. A cada baque, a cada passo, ela se sobressaltava. Havia conseguido surrupiar alguns alfinetes da cesta de costura de Philippa quando a criada não estava prestando atenção. Mas uma faca improvisada, um livro e um castiçal não eram proteção suficiente contra aquilo que Cain podia invocar.

Você não deveria ter deixado Damaris no túmulo. Descer de novo não era uma opção – não enquanto Cain estivesse vivo. Celaena abraçou os joelhos e teve arrepios ao se lembrar da escuridão absoluta da qual aquela coisa havia saído.

Era provável que Cain tivesse aprendido sobre as marcas de Wyrd nas montanhas Canino Branco – aquela região fronteiriça entre Adarlan e os desertos do Ocidente. Dizia-se que o mal ainda rondava as ruínas do reino das bruxas – e aquelas mulheres velhas com dentes de ferro ainda vagavam pelas estradas solitárias dos desfiladeiros.

Os pelos dos braços de Celaena se eriçaram, e ela pegou um cobertor de pele da cama para enrolar em volta do corpo. Se conseguisse sobreviver até os duelos, derrotaria Cain e tudo chegaria ao fim. Então, poderia dormir profundamente mais uma vez – a menos que Elena tivesse um plano ainda maior em mente.

Celaena repousou a bochecha contra o joelho, ouvindo o tique-taque do relógio noite adentro.

≈≈≈

Cascos trovejantes se chocavam contra o solo congelado, cada vez mais rápidos, conforme o cavaleiro açoitava a montaria. Neve e lama se adensavam na terra, e flocos de neve perdidos flutuavam pelo céu noturno.

Celaena corria – mais rápido do que as pernas jovens eram capazes. Tudo doía. Árvores dilaceravam-lhe o vestido e o cabelo; pedras rasgavam-lhe os pés. Ela correu pelo bosque, respirando com tanta intensidade que não conseguia reunir ar para gritar por socorro. Tinha de chegar à ponte. A coisa não seria capaz de atravessar a ponte.

Atrás dela, uma espada guinchou ao ser desembainhada.

Celaena caiu, chocando-se contra pedras e lama. O som do demônio se aproximando encheu o ar enquanto ela tentava se levantar. Mas a lama a segurou firme e a assassina não pôde correr.

Tentando alcançar um arbusto, com as pequenas mãos sangrando, o cavalo agora próximo, Celaena...

Celaena arquejou e acordou. Levou uma das mãos ao coração e apertou o peito, que se ergueu e cedeu. Fora um sonho.

Do fogo, restavam apenas brasas; uma luz fria e cinzenta penetrava o quarto pelas cortinas. Fora só um pesadelo. Celaena adormecera em algum momento durante a noite. Ela agarrou o amuleto, correndo o polegar pela pedra no centro.

Que grande proteção você foi quando aquela coisa me atacou na outra noite.

Franzindo o cenho, a jovem arrumou gentilmente as cobertas em volta de Ligeirinha e afagou a cabeça da cadela por algum tempo. A aurora estava próxima. Ela sobrevivera mais uma noite.

Celaena deu um suspiro, deitou-se e fechou os olhos.

Algumas horas depois, quando se espalhou a notícia da partida de Nox, Celaena ficou sabendo que a última prova fora cancelada. No dia seguinte, ela duelaria contra Cova, Renault e Cain.

No dia seguinte – e, então, sua liberdade seria decidida.

❧ 46 ❧

A floresta estava quieta e congelada ao redor de Dorian, e a neve caía das árvores em grandes amontoados conforme o príncipe passava. Os olhos dele desviavam de galhos para arbustos. Precisava sair para uma caçada naquele dia, somente para deixar o ar congelante lhe percorrer o corpo.

Dorian via o rosto dela sempre que fechava os olhos. Ela assombrava seus pensamentos, fazia-o desejar realizar coisas grandiosas e maravilhosas em seu nome, fazia-o desejar ser um homem que merecia usar uma coroa.

Mas Celaena – Dorian não sabia como ela se sentia. Ela o beijara – com desejo, até –, mas as mulheres que o príncipe amara no passado sempre foram desejosas. Elas o olhavam de modo adorável, enquanto Celaena olhava para ele como se fosse um gato observando um rato. Dorian se endireitou, detectou movimentos próximos. Um veado estava a 9 metros de distância, alimentando-se de cascas de árvores. O príncipe parou o cavalo e pegou um arco da aljava. Mas se atrapalhou com o arco.

Ela duelaria no dia seguinte.

Se algum mal lhe acontecesse... Não, ela conseguiria se proteger; era forte, inteligente e ágil. Dorian tinha ido longe demais; jamais deveria tê-la beijado. Porque agora, não importava como poderia ter, algum dia, contemplado o próprio futuro ou com quem achava que passaria a vida, não podia mais imaginar ficar com qualquer outra pessoa – querer qualquer outra pessoa.

A neve começou a cair. Dorian olhou para o céu cinzento e cavalgou pelo parque de caça silencioso.

※

Celaena estava diante das portas da varanda, encarando Forte da Fenda, abaixo. Os telhados ainda estavam cobertos de neve, e as luzes piscavam em todas as casas. Poderia ter achado lindo, se ela não soubesse que tipo de corrupção e de sujeira vivia ali. E que monstruosidade governava a tudo. A assassina esperava que Nox estivesse muito, muito longe. Ela tinha dito aos guardas que não queria visitas naquela noite e pedira que dispensassem até mesmo Chaol ou Dorian, caso aparecessem. Alguém batera uma vez, mas Celaena não abriu e a pessoa logo saiu sem tentar de novo. A jovem apoiou a mão em um painel de vidro, aproveitando a queimadura de frio. O relógio soou meia-noite.

No dia seguinte – ou será que já havia chegado? – enfrentaria Cain. Jamais lutara com o competidor nos treinos. Os outros campeões estavam ansiosos demais para conseguir um pedaço dele. Embora Cain fosse forte, não era tão rápido quanto Celaena. Mas tinha resistência. Ela teria de se esquivar do adversário durante um tempo. Apenas rezava para que toda a corrida com Chaol a impedisse de se cansar antes de Cain. Se perdesse...

Nem se dê essa opção.

Celaena recostou a testa no vidro. Seria mais honroso morrer no duelo do que retornar para Endovier? Ou seria mais honroso morrer do que se tornar campeã do rei? Quem ele a mandaria matar?

Celaena tivera escolha quando fora a Assassina de Adarlan. Mesmo que Arobynn Hamel comandasse sua vida, ela sempre tivera escolha com relação aos empregos que aceitava. Nenhuma criança. Ninguém de Terrasen. Mas o rei poderia ordenar que ela matasse qualquer um. Será que Elena esperava que Celaena dissesse não ao rei quando fosse campeã? O estômago da jovem subiu até a garganta. Não era hora para aquilo. Celaena precisava se concentrar em Cain, em cansá-lo.

Por mais que tentasse, a jovem só conseguia pensar na assassina faminta e sem esperanças que fora arrastada de Endovier em um dia de outono por um mal-humorado capitão da guarda. O que teria dito diante do acordo do príncipe se soubesse que arriscaria perder tanta coisa? Teria rido se soubesse que outras coisas – que outras pessoas – passariam a significar tanto quanto a liberdade?

Celaena engoliu em seco. Talvez houvesse outros motivos para lutar no dia seguinte. Talvez alguns meses no castelo não tivessem sido o bastante. Talvez... Talvez ela quisesse ficar ali por motivos diferentes da esperada liberdade. *Isso* era algo em que a assassina sem esperanças de Endovier jamais teria acreditado.

Mas era verdade. Celaena queria ficar.

E isso tornaria o dia seguinte muito mais difícil.

⊰ 47 ⊱

Kaltain puxou o manto vermelho ao redor do corpo, aproveitando o calor. Por que os duelos eram do lado de fora? Ela congelaria antes que a assassina chegasse! A jovem passou os dedos pelo frasco no bolso e olhou para os dois cálices sobre a mesa de madeira. Aquele à direita seria para Sardothien. Kaltain não poderia confundi-los.

A jovem olhou para Perrington, que estava ao lado do rei. Ele não fazia ideia do que Kaltain faria depois que Sardothien estivesse fora do caminho – depois que Dorian estivesse livre novamente. O sangue da moça ficou quente e borbulhante.

O duque se aproximou de Kaltain, e a jovem manteve os olhos na varanda de azulejos onde deveria ocorrer o duelo. Perrington parou diante de Kaltain, formando uma parede entre a jovem e os outros membros do conselho, de modo que ninguém pudesse ver.

– Um pouco frio para um duelo ao ar livre – disse ele. Kaltain sorriu e deixou que as camadas do manto caíssem sobre a mesa quando o duque beijou sua mão. Com o véu vermelho para esconder a mão livre e habilidosa, Kaltain abriu a tampa do frasco e derramou o conteúdo no vinho. O frasco estava de volta no bolso da jovem quando o duque se levantou de novo. Apenas o bastante para enfraquecer Sardothien, para deixá-la tonta e desorientada.

Um guarda apareceu à porta, então outro. Entre eles caminhava uma figura. Ela usava roupas masculinas, embora Kaltain tivesse de admitir que o casaco preto e dourado era de tecido fino. Era estranho pensar naquela mulher como uma assassina, mas ao vê-la naquele momento, todas as esquisitices e falhas faziam sentido. Kaltain passou um dedo na base do cálice e sorriu.

O campeão do duque Perrington emergiu de trás do relógio da torre. As sobrancelhas de Kaltain se ergueram. Achavam que Sardothien conseguiria derrotar aquele homem se não fosse drogada?

Kaltain deu um passo para trás da mesa, e Perrington se aproximou para se sentar ao lado do rei quando os outros dois campeões chegaram. Com rostos ansiosos, eles esperaram por sangue.

~

De pé na ampla varanda que circundava o relógio cor de obsidiana da torre, Celaena tentava não tremer. Não entendia por que fazer os duelos do lado de fora – bem, a não ser por deixar os campeões ainda mais desconfortáveis. A jovem olhou com ansiedade para as janelas de vidro que se alinhavam na parede do castelo, então para o jardim coberto de gelo. As mãos dela já estavam dormentes. Depois de enfiá-las nos bolsos forrados com pele, a jovem se aproximou de Chaol, que estava sentado próximo à beira do enorme círculo de giz que fora desenhado nas pedras do chão.

– Está congelando aqui fora – disse Celaena. O colarinho e as mangas do casaco preto eram forrados com pele de coelho, mas não era o bastante. – Por que não me contou que seria ao ar livre?

Chaol balançou a cabeça, olhando para Cova e Renault – o mercenário de Baía da Caveira que, para a satisfação de Celaena, também parecia miserável no frio.

– Não sabíamos; o rei acabou de decidir – falou Chaol. – Pelo menos deve acabar rapidamente. – O capitão deu um leve sorriso, embora Celaena não tenha correspondido.

O céu era de um azul brilhante, e a jovem rangeu os dentes quando uma lufada forte de vento a atingiu. Os treze assentos da mesa estavam se enchendo e no centro dela estavam o rei e Perrington. Kaltain estava atrás do duque, vestindo uma linda capa vermelha costurada com pele branca. Os olhos das duas se encontraram, e Celaena imaginou por que a mulher tinha sorrido para ela. Kaltain, nesse momento, virou o rosto, na direção da torre, e Celaena seguiu o olhar da jovem e compreendeu.

Cain estava recostado contra a torre do relógio. Os músculos dele mal se continham dentro da túnica. Toda aquela força roubada... O que teria acontecido se o ridderak tivesse matado Celaena também? Quão mais forte seria ele naquele dia? Pior do que isso, o competidor vestia o uniforme vermelho e dourado de gala dos membros da Guarda Real – a serpente alada estava estampada no peito largo do homem. A espada ao lado de Cain era linda. Um presente de Perrington, sem dúvida. Será que o duque sabia do poder que o campeão possuía? Mesmo que Celaena tentasse expor Cain, ninguém jamais acreditaria nela.

A jovem foi tomada por enjoo, mas Chaol a pegou pelo cotovelo e a escoltou para a ponta da varanda. À mesa, Celaena reparou em dois homens de idade avançada lançando-lhe olhares ansiosos. A assassina assentiu para eles.

Lordes Urizen e Garnel. Parece que conseguiram aquilo que que desejavam tanto que estavam dispostos a matar para conseguir. E parece que alguém contou a vocês quem sou de verdade.

Dois anos antes, os lordes a haviam contratado, separadamente, para matar o mesmo homem. Celaena não se incomodara em contar a eles, é claro, que aceitara o pagamento dos dois. Celaena piscou para Lorde Garnel, e ele empalideceu, deixando cair a taça de chocolate quente e arruinando os papéis diante de si. Ah, Celaena guardaria os segredos deles; ou mancharia a própria reputação. Mas se a liberdade dela fosse posta em xeque... Celaena sorriu para Lorde Urizen, que virou o rosto. O olhar dela se voltou para outro homem, que Celaena percebeu que a encarava.

O rei. Por dentro, Celaena estremeceu, mas fez uma reverência com a cabeça.

– Está pronta? – perguntou Chaol. Celaena piscou, lembrando-se que ele estava atrás dela.

– Sim – disse a jovem, embora não fosse verdade.

O vento fustigava seus cabelos, formando nós nos fios com dedos congelados. Dorian surgiu à mesa, lindo de partir o coração, como sempre, e lançou a Celaena um sorriso sombrio quando enfiou as mãos nos bolsos e olhou na direção do pai.

O último dos conselheiros do rei se sentou à mesa. Celaena inclinou a cabeça quando Nehemia emergiu para ficar de pé nos arredores do enorme círculo branco. A princesa encontrou o olhar de Celaena e ergueu o queixo de modo encorajador. Ela vestia uma roupa espetacular: calças justas, uma túnica com diversas camadas decorada com espirais metálicas e botas na altura dos joelhos; Nehemia carregava o bastão de madeira, o qual se erguia mais alto do que a cabeça da princesa. Para honrá-la, percebeu Celaena, com os olhos marejados. Uma colega guerreira reconhecendo a outra.

Todos ficaram em silêncio quando o rei se levantou. As vísceras de Celaena viraram pedra, e ela se sentiu atrapalhada e estúpida, mas também leve e fraca como se fosse recém-nascida.

Chaol a cutucou com o cotovelo, indicando que Celaena deveria ficar de pé diante da mesa. A assassina concentrou-se nos pés conforme se movia e não olhava para o rosto do rei. Felizmente, Renault e Cova estavam ao seu lado. Se Cain estivesse ao lado de Celaena, a jovem poderia ter quebrado o pescoço dele simplesmente para acabar com tudo ali. Havia tanta gente assistindo...

Celaena estava a menos de três metros do rei de Adarlan. Liberdade ou morte estavam sobre aquela mesa. O passado e o futuro de Celaena estavam sentados sobre um trono de vidro.

O olhar da assassina voltou-se para Nehemia, cujos olhos ferozes e graciosos eram acolhedores para os ossos de Celaena e acalmavam seus braços.

O rei de Adarlan falou. Porque sabia que, se olhasse para o rosto dele, enfraqueceria a força encontrada nos olhos de Nehemia, Celaena não olhou para o rei, mas para o trono atrás dele. A jovem se perguntou se a presença de Kaltain significava que o duque Perrington tinha contado à moça quem Celaena realmente era.

– Vocês foram retirados de suas vidas miseráveis para que pudessem se provar dignos de serem um guerreiro sagrado para a Coroa. Depois de meses treinando, chegou o momento de decidir quem será meu campeão. Vocês se enfrentarão em um duelo. Só podem ganhar se encurralarem o oponente em uma posição de morte certa. E *nada além disso* – acrescentou o rei, com um olhar pungente na direção de Celaena. – Cain e o campeão do conselheiro Garnel começarão. Então, a campeã de meu filho enfrentará o campeão do conselheiro Mullison.

É claro que o rei sabia o nome de Cain. Ele poderia muito bem ter declarado o brutamontes seu campeão.

– Os vencedores enfrentarão um ao outro em um duelo final. Quem quer que ganhe, será nomeado o campeão do rei. Entendido?

Todos assentiram. Por uma fração de segundo, Celaena viu o rei como ele era: apenas um homem – um homem com poder demais. E naquela fração de segundo, a assassina não teve medo dele. *Não terei medo*, jurou Celaena, envolvendo o coração com essas palavras familiares.

– Que os duelos comecem ao meu comando – disse o rei.

Entendendo aquilo como sinal de que podia deixar o ringue, Celaena caminhou até onde Chaol estava e ficou ao lado do capitão.

Cain e Renault fizeram uma reverência para o rei, então um para o outro, e sacaram as espadas. Celaena olhou para o corpo de Renault quando ele assumiu posição. Tinha visto o competidor enfrentar Cain antes; ele jamais tinha ganhado, mas sempre conseguia aguentar mais tempo do que Celaena achava possível. Talvez ele vencesse.

Mas Cain ergueu a própria espada. Tinha a melhor arma. E tinha quinze centímetros a mais na altura do que Renault.

– Comecem – exclamou o rei. Metal reluziu. Os dois se golpearam e dançaram para trás. Renault, recusando-se a assumir posição defensiva, deslizou para a frente de novo, acertando alguns golpes fortes na lâmina de Cain. Celaena se obrigou a relaxar os ombros, a respirar o ar frio.

– Acha que foi apenas má sorte – murmurou a assassina para Chaol – o fato de eu lutar depois?

O capitão manteve a atenção no duelo.

– Acho que você receberá tempo o suficiente para descansar. – Chaol indicou com o queixo os homens que duelavam. – Cain às vezes se esquece de manter a guarda no lado direito. Olhe. – Celaena observou enquanto Cain golpeava, girando o corpo de modo a deixar o lado direito bastante aberto. – Renault sequer nota. – Cain grunhiu e atacou a lâmina de Renault, forçando o mercenário a dar um passo para trás. – Ele acabou de perder uma oportunidade.

O vento uivou ao redor deles.

– Mantenha-se esperta – disse Chaol, ainda observando o duelo. Renault estava recuando, cada golpe da espada de Cain o levava para mais perto da linha de giz que fora desenhada no chão. Um passo para fora daquele ringue e ele seria desqualificado. – Ele vai tentar provocá-la. Não se irrite. Concentre-se apenas na lâmina e naquele lado desprotegido de Cain.

– Eu sei – disse Celaena, e voltou o olhar para o duelo bem a tempo de ver Renault dar um grito e cambalear para trás. Cain, com o punho manchado com o sangue de Renault, apenas sorria enquanto apontava a espada para o coração do oponente. O rosto ensanguentado do mercenário ficou pálido, e ele exibiu os dentes enquanto encarava seu vencedor.

Celaena olhou para a torre do relógio. Não durara três minutos.

Houve aplausos educados e Celaena notou que o rosto de Lorde Garnel estava tomado pela fúria. Não conseguia imaginar quanto dinheiro o homem acabara de perder.

– Um bravo esforço – disse o rei.

Cain fez uma reverência e não ofereceu a mão a Renault para ajudá-lo a se levantar antes de sair caminhando para o lado oposto da varanda. Com mais dignidade do que Celaena esperava, Renault se levantou e fez uma reverência para o rei, murmurando seu agradecimento. Com a mão no nariz, o mercenário mancou para longe. O que ele tinha a perder e para onde voltaria agora?

Do outro lado do ringue, Cova sorriu para Celaena quando fechou a mão ao redor do punho da espada. A assassina conteve uma careta ao ver os dentes do oponente. É claro que tinha de duelar contra o grotesco. Pelo menos Renault tinha a aparência limpa.

– Começaremos em um momento – falou o rei. – Preparem suas armas. – Com isso, o rei se virou para Perrington e começou a falar baixo demais para que qualquer um ouvisse ao vento ruidoso.

Celaena se virou para Chaol. Em vez de entregar-lhe a espada sem graça que Celaena costumava brandir nos treinos, o capitão desembainhou a própria arma. O punho em formato de águia brilhava ao sol do meio-dia.

– Aqui – disse Chaol.

As batidas do coração de Celaena retumbavam em seus ouvidos. Ela ergueu a mão para pegar a espada, mas alguém tocou seu cotovelo.

– Se me permite – falou Nehemia, em eyllwe –, eu gostaria de oferecer isto a você. – A princesa estendeu o bastão com ponta de ferro e entalhamento lindo. Celaena olhou para a espada de Chaol e para a arma da amiga. A espada, obviamente, era a escolha mais inteligente, e Chaol ter oferecido a própria arma fez com que Celaena se sentisse incrivelmente zonza, mas o bastão...

Nehemia se inclinou para sussurrar no ouvido de Celaena.

– Que seja com uma arma de Eyllwe que você os derrote – sibilou a princesa. – Que a madeira das florestas de Eyllwe derrote o aço de Adarlan. Que o campeão do rei seja alguém que entende o sofrimento dos inocentes.

Elena não dissera quase a mesma coisa tantos meses antes? Celaena engoliu em seco, e Chaol abaixou a espada, recuando um passo. Nehemia não deixou de encará-la.

Celaena sabia o que a princesa estava pedindo que fizesse. Como campeã do rei, poderia encontrar meios de salvar inúmeras vidas – meios de enfraquecer a autoridade do rei.

E isso, percebeu Celaena, era o que Elena, a própria ancestral do rei, poderia querer também.

Embora um lampejo de medo a tenha atravessado ao pensar nisso, embora enfrentar o rei fosse a única coisa que Celaena jamais achou que seria corajosa o bastante para fazer, não conseguia se esquecer das três cicatrizes nas costas ou dos escravizados que deixara em Endovier ou dos quinhentos rebeldes de Eyllwe massacrados.

Celaena pegou o bastão das mãos de Nehemia. A princesa lançou-lhe um sorriso destemido.

Chaol, surpreendentemente, não fez objeções. Apenas embainhou a espada e fez uma reverência com a cabeça para Nehemia quando a princesa deu um tapinha no ombro da assassina antes de sair.

Celaena fez alguns movimentos experimentais com o bastão no espaço ao seu redor. Equilibrado, sólido, forte. A ponta de metal arredondada poderia nocautear um homem.

A jovem conseguia sentir os resquícios de óleo das mãos de Nehemia e o perfume de flor-de-lótus da amiga na madeira entalhada. Sim, o bastão funcionaria muito bem. Celaena derrotara Verin com as próprias mãos. Conseguiria derrotar Cova e Cain com aquilo.

A jovem olhou para o rei, que ainda conversava com Perrington, e viu que Dorian a observava. Os olhos dele, cor de safira, refletiam o brilho do céu, embora tivessem ficado levemente escuros quando os virou na direção de Nehemia. Dorian era muitas coisas, mas não era tolo: teria percebido o simbolismo da oferta de Nehemia? A assassina rapidamente desviou o olhar.

Celaena se preocuparia com aquilo mais tarde. Do outro lado do ringue, Cova começou a caminhar de um lado para outro, esperando que o rei voltasse a atenção para o duelo e desse a ordem para que começasse.

Celaena emitiu um suspiro e estremeceu. Ali estava, finalmente. Segurou o bastão com a mão esquerda, sentindo a força da madeira, a força da amiga. Muito poderia acontecer em alguns minutos – muito poderia mudar.

A assassina encarou Chaol. O vento puxou alguns fios de cabelo da trança de Celaena e ela os colocou atrás das orelhas.

– Não importa o que aconteça – disse a jovem, baixinho –, quero lhe agradecer.

Chaol virou a cabeça para o lado.

– Pelo quê?

Os olhos de Celaena ardiam, mas ela culpou o vento impiedoso e piscou para afastar a umidade.

– Por fazer com que minha liberdade significasse alguma coisa.

Chaol não disse nada; apenas pegou os dedos da mão direita de Celaena e os segurou entre os seus, roçando o dedão no anel que a jovem usava.

– Que o segundo duelo comece – vociferou o rei, gesticulando com uma das mãos na direção da varanda.

Chaol apertou a mão de Celaena, a pele dele era quente contra o ar gélido.

– Acabe com ele – disse o capitão da guarda. Cova entrou no ringue e sacou a espada.

Desvencilhando a mão da de Chaol, Celaena esticou as costas e entrou no ringue. Ela fez uma reverência rápida para o rei e depois para o oponente.

A assassina encarou Cova de volta e sorriu enquanto fazia a reverência, segurando o bastão com as mãos.

Você não tem ideia de onde está se metendo, homenzinho.

⊰ 48 ⊱

Como esperado, Cova lançou-se imediatamente ao ataque, mirando o golpe no centro do bastão com a intenção de parti-lo ao meio.

Mas Celaena desviou facilmente. Quando o golpe do adversário não encontrou o alvo, ela lançou a extremidade do bastão na coluna de Cova. Ele cambaleou, mas se manteve de pé, então girou e golpeou a assassina novamente.

Celaena bloqueou o golpe seguinte, colocando o bastão no ângulo certo, de modo que Cova atingisse a parte inferior. A espada dele afundou na madeira, e Celaena se lançou na direção do oponente, permitindo que a força do golpe de Cova alavancasse a parte superior do bastão contra o rosto do oponente. Ele tropeçou, mas o punho da assassina estava à espera. Depois de acertar o nariz de Cova, Celaena saboreou a dor na mão e o ruído dos ossos do oponente se quebrando sob as articulações dos dedos. Ela saltou para trás antes que Cova pudesse atacá-la. O sangue brilhava ao escorrer do nariz dele.

– Vaca! – sibilou Cova, e atacou.

Celaena foi de encontro à espada, segurando o bastão com as mãos e pressionando a haste contra a lâmina mesmo quando a madeira soltou um gemido como se fosse se partir.

A assassina empurrou o adversário, grunhindo, e girou. Ela bateu com a ponta do bastão atrás da cabeça de Cova, quase desequilibrando-o, mas ele se recuperou. Cova limpou o sangue do nariz, ofegante, com os olhos brilhando. O rosto com marcas de catapora do adversário se tornou feroz, e ele partiu para outro ataque, mirando direto no coração de Celaena. Rápido e brusco demais para que parasse.

Celaena se agachou. No momento que a espada zuniu sobre sua cabeça, a assassina golpeou as pernas de Cova. Ele não teve tempo de gritar enquanto Celaena varria seus pés por baixo, nem de erguer a arma antes de a assassina se agachar sobre seu peito e tocar a ponta de ferro do bastão em sua garganta.

Celaena aproximou a boca de uma das orelhas de Cova.

– Meu nome é Celaena Sardothien – sussurrou ela. – Mas não faz diferença se meu nome é Celaena, Lillian, ou Vaca, eu ganharia de você da mesma forma, independentemente de como você me chamasse. – Celaena sorriu ao se levantar. O homem a encarou, o sangue do nariz escorria-lhe pelas bochechas. A assassina tirou um lenço do bolso e jogou-o em cima de Cova. – Pode ficar – disse ela, e saiu da varanda.

⸙

Celaena interceptou Chaol assim que atravessou o contorno de giz do ringue.

– Quanto tempo demorei? – perguntou. Nehemia sorria para ela, e Celaena ergueu o bastão para cumprimentar a princesa.

– Dois minutos.

A assassina abriu um sorriso para o capitão. Mal ofegava.

– Fui mais rápida que Cain.

– E certamente mais dramática – completou Chaol. – Precisava mesmo jogar o lenço nele?

Celaena mordeu o lábio e estava prestes a responder quando o rei se levantou, aquietando a multidão.

– Vinho para os vencedores – disse ele, e Cain, que estava na lateral do ringue, caminhou até a mesa do rei. Celaena permaneceu ao lado de Chaol.

O rei fez um gesto para Kaltain, que obedientemente pegou a bandeja de prata que continha dois cálices. Deu um para Cain, então caminhou até Celaena e lhe deu o outro, depois parou diante da mesa do rei.

– De boa-fé e como uma homenagem à Deusa – disse Kaltain, com uma voz dramática. Celaena teve vontade de lhe dar um soco. – Que esta seja sua oferta à Mãe que nos trouxe ao mundo. Bebam e deixem que Ela os abençoe e restaure suas forças. – Quem será que escrevera *aquele* discursinho? Kaltain fez uma reverência para os campeões, e Celaena levou o cálice à boca. O rei sorriu para ela, e a assassina tentou não se encolher ao beber o vinho. Kaltain pegou o cálice depois que Celaena terminou, fez uma reverência para Cain ao pegar o dele, e foi embora discretamente.

Ganhe. Ganhe. Ganhe. Acabe com ele depressa.

– Preparem-se – ordenou o rei. – E comecem quando eu der o sinal.

Celaena olhou para Chaol. Não a deixariam descansar por um momento? Até Dorian levantou as sobrancelhas para o pai, mas o rei se recusou a reconhecer o questionamento do filho.

Cain desembainhou a espada, abaixando-se no centro do ringue em posição defensiva, com um sorriso torto no rosto.

Celaena teria proferido insultos se Chaol não tivesse colocado a mão em seu ombro, os olhos castanhos cheios de alguma emoção que a assassina ainda não conseguia entender. Havia uma força naquele rosto que Celaena achava dolorosamente bela.

– Não perca – sussurrou ele para que apenas Celaena ouvisse. – Não quero ter de escoltar você de volta a Endovier. – O mundo ficou nebuloso quando o capitão se afastou com a cabeça erguida, ignorando o olhar furioso do rei.

Cain se aproximou, a espada montante brilhando. Celaena respirou fundo e entrou no ringue.

O conquistador de Erilea levantou as mãos.

– Comecem! – bradou ele, e Celaena sacudiu a cabeça, tentando se livrar da visão borrada. Ela se equilibrou, segurando o bastão como se fosse uma espada enquanto Cain começava a circular ao seu redor. Quando Cain flexionou os músculos, Celaena sentiu náuseas. Por algum motivo, o mundo ainda estava enevoado. A assassina trincou os dentes e piscou. Usaria a força dele a seu favor.

Cain lhe atacou mais rápido do que Celaena antecipara. Ela bloqueou a espada com a parte larga do bastão, evitando as pontas afiadas, então saltou para trás quando escutou a madeira gemer.

Cain atacou tão rápido que a assassina teve de absorver o golpe da lâmina da espada, deixando-a fincar-se nas profundezas da madeira. Os braços de Celaena doeram com o impacto. Antes que pudesse se recuperar, Cain puxou a espada para fora do bastão e se impulsionou na direção de Celaena. A jovem precisou dar um passo para trás, defendendo-se do golpe com a ponta de ferro do bastão. Sua circulação parecia grossa e lenta, e a cabeça parecia girar. Será que estava doente? O enjoo não melhorava.

Grunhindo, Celaena se afastou com um esforço de habilidade e força. Se estava realmente ficando doente, tinha de terminar aquilo o mais rápido possível. Não era uma exibição de suas habilidades, principalmente se o livro estivesse certo e Cain realmente possuísse o poder de todos os campeões mortos.

Trocando para posição ofensiva, Celaena avançou no oponente com agilidade. Cain bloqueou o ataque com um roçar da espada. Ela desceu o bastão contra a espada, farpas voaram para todos os lados.

Celaena sentia a pulsação do coração nas orelhas, e o som da madeira contra o aço tornou-se quase insuportável. Por que as coisas estavam ficando mais lentas?

Ela atacou – mais e mais rápido, mais e mais forte. Cain riu, e Celaena quase gritou de raiva. Cada vez que ficava a um passo de derrubá-lo, cada vez que ficavam próximos demais, ela se atrapalhava ou ele se afastava como se já soubesse o que Celaena planejava fazer. A jovem teve a sensação extremamente irritante de que Cain estava brincando com ela, de que havia alguma piada que ela não estava entendendo.

Celaena chicoteou o bastão no ar, querendo acertar o pescoço indefeso de Cain. Mas o adversário a driblava, e mesmo que Celaena girasse e tentasse lhe dar um soco no estômago, Cain a bloqueava novamente.

– Está passando mal? – disse ele, mostrando os dentes brancos e brilhantes. – Talvez fosse melhor se você não tivesse se segurado durante todas aquelas...

BAM!

Celaena sorriu ao ver a haste do bastão colidir com as costelas de Cain. Ele se dobrou, e a jovem chutou e o derrubou ao chão. Celaena ergueu o bastão, mas sentiu um enjoo tão forte que seus músculos se enfraqueceram. Não tinha mais força.

Cain afastou o golpe de Celaena como se não significasse nada, e ela recuou enquanto o oponente se levantava. E foi aí que Celaena ouviu o riso – suave, feminino e maligno. Kaltain. Celaena tropeçou, mas se manteve de pé e olhou brevemente para a dama e para os cálices diante dela. Então soube que não era vinho naquele copo, mas sanguinária, a mesma droga que não soubera identificar na prova. No melhor dos casos, causava alucinações e desorientação. No pior dos casos...

Celaena tinha dificuldades para segurar o bastão. Cain avançou na adversária, e a assassina não teve escolha a não ser enfrentar os golpes, sem força o bastante para erguer a arma a cada golpe. Quanto de sanguinária teria tomado? O bastão rachou, soltou farpas e rangeu. Se fosse uma dose fatal, já estaria morta. Eles provavelmente haviam colocado o suficiente para desorientá-la, mas não o suficiente para ser fácil comprovar. Celaena não conseguia se concentrar, e seu corpo ficava quente e frio. Cain era tão grande – era uma montanha, e seus golpes... faziam os de Chaol parecerem os de uma criança...

– Já cansou? – perguntou o oponente. – É uma pena que todos aqueles latidos não tenham servido para nada.

Ele sabia. Sabia que a haviam drogado. A assassina rosnou e partiu para o ataque. Cain desviou, e os olhos de Celaena se arregalaram quando ela acertou o ar, o vácuo, até que...

Cain afundou o punho na coluna dela, e Celaena só pôde ver rapidamente o borrão dos azulejos antes de cair com o rosto no chão.

– Patético – disse o adversário. A sombra de Cain cobriu Celaena, e ela virou de barriga para cima, arrastando-se para longe antes que o adversário pudesse se aproximar. Sentia gosto de sangue na boca. Era inacreditável, eles não poderiam tê-la traído dessa forma. – Se eu fosse Cova, ficaria ofendido por ter sido derrotado por você.

Com os joelhos latejando e a respiração ofegante, Celaena se levantou com dificuldade e tentou atacá-lo. Rápido demais para ser bloqueado, Cain agarrou a gola da blusa de Celaena e empurrou-a para trás. A assassina se manteve de pé ao tropeçar e parou a alguns passos dele.

Cain começou a andar ao redor de Celaena, balançando casualmente a espada. Seus olhos estavam pretos – tão pretos quanto o portal para aquele outro mundo. O adversário adiava o inevitável, um predador brincando com a presa antes de devorá-la. Cain queria saborear cada momento.

Celaena precisava acabar logo com aquilo, antes que as alucinações começassem. Sabia que seriam poderosas: tempos atrás, as videntes usavam sanguinária para ver os espíritos de outros mundos. Celaena se lançou para a frente com um golpe do bastão. A madeira colidiu com o aço.

O bastão se partiu ao meio.

A ponta de ferro voou para o outro lado da varanda, deixando Celaena com um pedaço de madeira completamente inútil. Os olhos pretos de Cain encontraram os dela por um momento, antes de o adversário golpear o ombro de Celaena com o outro braço.

A assassina ouviu o estalo antes de sentir a dor, então gritou, caindo de joelhos ao sentir o ombro se deslocar. Cain lhe deu um chute no ombro, e Celaena voou de costas, caindo no chão com tanta força que o ombro voltou para o lugar com um som terrível. A agonia desorientava a assassina, o mundo entrava e saía de foco. Estava tudo tão devagar...

Cain agarrou o colarinho do casaco de Celaena para puxá-la, colocando a assassina de pé mais uma vez. Ela cambaleou para trás e se libertou das mãos dele, o chão deslizou sob os pés de Celaena, e ela caiu – com força.

A assassina ergueu a base quebrada do bastão com a mão esquerda. Cain, ofegante e sorridente, aproximou-se.

***

Dorian trincou os dentes. Havia algo terrivelmente errado. Ele soube no momento em que o duelo começou, e o suor lhe escorreu quando Celaena teve a oportunidade de dar o golpe da vitória e fracassou no último momento. Mas agora...

O príncipe não conseguia ver Cain chutando o ombro de Celaena e pensou que fosse vomitar quando o brutamontes a levantou e a jogou de volta no chão. Celaena enxugava os olhos sem parar, e o suor brilhava em sua testa. O que estava acontecendo?

Ele devia dar um fim àquilo – devia cancelar o duelo imediatamente. Deixá-la começar no dia seguinte, com uma espada e a saúde mental restaurada. Chaol ciciou, e Dorian gritou ao ver Celaena tentar ficar de pé e desmoronar. Cain a estava provocando – danificando não só o corpo de Celaena, mas também sua força mental... Dorian precisava impedir aquilo.

Cain atacou Celaena com a espada, e ela se jogou para trás – mas fora tarde demais. A assassina gemeu ao sentir a espada perfurar sua coxa, rasgando roupa e carne. Sangue tingiu as calças de Celaena. Mesmo assim, ela ficou de pé novamente, a expressão do rosto transparecia uma raiva desafiadora.

Dorian tinha de ajudá-la. Mas se interferisse, Cain poderia acabar sendo eleito o campeão. Então o príncipe viu, desesperado e horrorizado, o punho de Cain atingir o queixo de Celaena.

Os joelhos da assassina cederam, e ela caiu.

Algo dentro de Chaol começou a se desfazer quando ele viu Celaena erguer o rosto ensanguentado para olhar para Cain.

– Esperava mais de você – disse Cain, enquanto Celaena rastejava até ficar de joelhos, ainda agarrada ao pedaço de madeira inútil. A assassina estava ofegante e sangue escorria de seu lábio. Cain estudou Celaena como se pudesse ler pensamentos, como se estivesse ouvindo algo que Chaol era incapaz de escutar. – E o que seu pai diria?

Uma expressão que beirava medo e incompreensão passou brevemente pelos olhos de Celaena.

– Cale a boca – disse ela, as palavras trêmulas enquanto lutava contra a dor das feridas.

Mas Cain continuava encarando Celaena com um sorriso cada vez mais largo no rosto.

– Está tudo aí – disse ele. – Logo abaixo desse muro que você construiu por cima. Consigo ver perfeitamente.

Do que ele estava falando? Cain levantou a espada e passou o dedo pelo sangue de Celaena. Chaol reprimiu o nojo e a fúria.

Cain gargalhou espalhafatosamente.

– Como foi acordar deitada entre seus pais, coberta pelo sangue deles?

– Cale a boca! – repetiu Celaena, com a mão livre raspando o chão e o rosto tomado por raiva e por angústia. Qualquer que fosse a ferida que Cain remexia, ardia.

– Sua mãe era uma coisinha tão linda, não era? – disse Cain.

– *Cale a boca!* – Celaena tentou se levantar de uma só vez, mas a perna ferida não a deixava ficar de pé. A assassina arquejou para tomar fôlego. Como Cain sabia aquelas coisas sobre o passado de Celaena? O coração de Chaol batia rapidamente, mas não havia nada que pudesse fazer para ajudar a jovem.

Celaena deixou escapar um grito incompreensível, que despedaçou o vento gelado no momento em que a jovem se erguia do chão. A dor se perdia entre a fúria, e Celaena empunhou o que restava do bastão contra a espada.

– Bom – disse Cain, ofegante, empurrando o bastão com tanta força que a espada penetrou a madeira. – Mas não o bastante.

O adversário empurrou Celaena e, enquanto ela cambaleava um passo para trás, ergueu a perna e chutou a assassina nas costelas. Celaena saiu voando.

Chaol nunca vira ninguém levar um golpe tão forte. Celaena caiu no chão e rolou várias vezes até bater na torre do relógio. A cabeça da jovem se chocou contra a pedra preta, e Chaol apertou os lábios para não gritar, obrigando-se a ficar do lado de fora do ringue e a assistir enquanto Cain destruía Celaena, pedaço por pedaço. Como era possível tudo dar errado tão de repente?

Celaena tremeu ao erguer-se até ficar de joelhos, com um braço envolto nas costelas. Ainda segurava o resto do bastão de Nehemia como se fosse uma pedra no mar violento.

Celaena sentiu gosto de sangue ao ser agarrada por Cain de novo e arrastada pelo chão. A assassina não tentou impedi-lo. Cain poderia apontar a espada para o coração de Celaena a qualquer momento. Aquilo não era um duelo – era uma execução. E ninguém estava fazendo nada para ajudar. Eles a haviam drogado. Não era justo. A luz do sol oscilou, e Celaena se debateu nos braços de Cain mesmo com a dor agonizante irradiando por seu corpo.

A seu redor, ouviam-se sussurros, risadas, vozes do além. Os sons a chamavam – mas um nome diferente, um nome perigoso....

Celaena olhou para cima e viu a ponta do queixo de Cain antes de ser levantada e atirada, de frente, contra uma parede de pedras gélidas e lisas.

A assassina foi cercada por uma escuridão familiar. A cabeça ainda latejava com a dor do impacto, mas o grito de dor de Celaena foi interrompido quando ela abriu os olhos no escuro e viu o que havia surgido. Alguma coisa – alguma coisa morta estava diante dela.

Era um homem de pele pálida e apodrecida. Os olhos dele eram vermelhos, e o homem apontou para Celaena de forma fraca e rigorosa. Os dentes dele eram tão pontiagudos e longos que mal cabiam na boca.

Para onde fora o mundo? As alucinações deviam estar começando. A luz oscilou quando Celaena foi puxada de volta bruscamente. Os olhos da jovem se arregalaram quando Cain a jogou no chão perto da linha do ringue.

Uma sombra passou à frente do sol. Era o fim. Agora, Celaena morreria – morreria ou perderia e seria mandada de volta para Endovier. Era o fim. O fim.

Um par de botas pretas entrou no seu campo de visão, então um par de joelhos quando alguém se agachou perto da linha do ringue.

– Levante-se – sussurrou Chaol. Celaena não teve coragem de olhar nos olhos dele. Era o fim.

Cain começou a rir, e a assassina sentiu as reverberações de cada um dos passos do adversário enquanto ele a circulava.

– É só *isso* que você tem para oferecer? – gritou ele, triunfante. Celaena estremeceu. O mundo estava coberto por névoa, escuridão e vozes.

– *Levante-se* – repetiu Chaol, mais alto. Só restava a Celaena encarar a linha de giz que marcava o ringue.

Cain dissera coisas que não tinha como saber – ele as *vira* dentro dos olhos de Celaena. E se Cain sabia do passado dela... A assassina gemeu, furiosa consigo mesma por demonstrar tanta fraqueza, as lágrimas escorrendo pelo rosto, pelo nariz, e caindo no chão. Era realmente o fim.

– Celaena – disse Chaol, com gentileza. A jovem ouviu o ruído de arranhões no momento em que as mãos de Chaol surgiram em seu campo de visão. Os dedos dele tocaram as beiradas da linha branca. – *Celaena* – suspirou ele, a voz cheia de dor e de esperança. Era tudo o que lhe restava: a mão estendida de Chaol e a esperança de que havia algo melhor além daquela linha.

Mover o braço fazia com que Celaena visse centelhas diante dos olhos, mas ainda assim ela estendeu-o até alcançar a linha de giz, e ficou ali, a meio centímetro de Chaol, separados apenas por aquela linha grossa e branca.

Celaena ergueu os olhos para ver o rosto do capitão e enxergou esperança no olhar dele.

– Levante-se. – Foi tudo o que Chaol disse.

Nesse momento, por algum motivo, somente o rosto de Chaol importava para Celaena. A assassina se mexeu, mas não conseguiu segurar o choro quando sentiu uma erupção de dor por todo o corpo, então se deitou, parada, de novo. Mas Celaena se concentrou nos olhos castanhos de Chaol, nos lábios cerrados que se entreabriram e sussurraram:

– Levante-se.

A jovem afastou o braço da linha de contorno do ringue, apoiando-se no chão congelado com uma das mãos. Celaena continuou olhando para Chaol enquanto colocava a outra mão debaixo do peito, então, a jovem suprimiu o grito de dor quando se impulsionou para cima, seu ombro quase se deslocando. Celaena deslizou a perna que não estava ferida para debaixo do corpo. Quando deu impulso para ficar de pé, ouviu o barulho dos passos de Cain, e os olhos de Chaol se arregalaram.

O mundo girou em tons de preto e azul sob uma cortina nebulosa quando Cain a agarrou e a jogou contra a torre do relógio mais uma vez; o rosto de Celaena colidiu com a pedra. Quando a assassina abriu os olhos, o mundo havia mudado. A escuridão estava em todos os lugares. Lá no fundo, Celaena sabia que não era só uma alucinação – o que estava vendo, quem estava vendo, realmente existia logo além do véu de sua realidade e das drogas venenosas que, de alguma forma, tinham aberto sua mente para vê-los.

Havia duas criaturas agora, e a segunda tinha asas. Estava sorrindo... sorrindo como um...

Celaena não teve tempo de gritar antes de ser lançada para o alto. A criatura jogou-a no chão e enfiou as garras na assassina. Celaena se debateu. Para onde fora o mundo? Onde ela estava?

Havia mais deles – mais apareceram. Mortos, demônios, monstros – todos a queriam. Chamavam seu nome. A maioria tinha asas e os que não tinham eram carregados pelos outros.

As criaturas atacavam ao passar, rasgando a pele de Celaena com as garras. Queriam levá-la para a dimensão deles, e a torre era o portal aberto.

Celaena seria devorada. Terror – terror como a assassina nunca sentira antes – tomou conta dela. Celaena cobriu a cabeça quando as criaturas investiram contra ela, chutando às escuras. Para onde fora o mundo? Quanto veneno recebera? Estava prestes a morrer. *Liberdade ou morte.*

Fúria e rebeldia se misturaram em seu sangue. A jovem golpeou com o braço livre e acertou um rosto sombreado cujos olhos pareciam pedras de carvão em chamas. A escuridão se dissolveu e revelou o rosto enorme de Cain. Havia sol ali – Celaena estava de volta à realidade. Quanto tempo ainda tinha antes de ser tomada por outra onda de alucinações causadas pelo veneno?

Cain tentou agarrar a garganta da assassina, e ela se jogou para trás. O adversário conseguiu apenas arrebentar o amuleto de Celaena. Com um estalo ruidoso, o Olho de Elena foi arrancado do pescoço da assassina.

A luz do sol desapareceu, a sanguinária tomou o controle da mente de Celaena mais uma vez, e a assassina se viu diante de um exército de mortos-vivos. A silhueta de Cain levantou o braço e jogou o amuleto no chão.

As criaturas avançaram na direção de Celaena.

❧ 49 ❧

Dorian observava com os olhos arregalados de terror enquanto Celaena se debatia no chão, afastando coisas que os outros não podiam ver. O que estava acontecendo? O que havia naquele vinho? Mas também havia algo de anormal no modo como Cain ficava parado ali, sorrindo. Poderia... poderia realmente haver algo ali que os demais não conseguiam enxergar?

Celaena gritou. Foi o som mais terrível que Dorian já ouvira.

– Pare isso, agora – disse ele a Chaol, quando viu o amigo se levantar de seu lugar perto do ringue. Mas Chaol, apenas olhou, boquiaberto, para a assassina que se debatia, o rosto pálido como a morte.

Celaena estava chutando e dando socos no ar enquanto Cain, agachado ao lado dela, lhe esmurrava a boca. O sangue não parava de escorrer. Aquilo não pararia até que o rei desse algum comando ou até que Cain deixasse Celaena inconsciente de vez. Ou pior. Dorian teve de se forçar para lembrar mais uma vez que qualquer interferência – até mesmo tentar dizer que o vinho fora adulterado – poderia resultar na desqualificação de Celaena.

A assassina se arrastou para longe de Cain, o sangue e a saliva dela formando uma poça no chão.

Alguém tomou o lugar ao lado de Dorian, e ele sabia, pelo modo como ela inspirou, que era Nehemia. A princesa disse algo em eyllwe e foi até a margem do ringue. Os dedos de Nehemia, cobertos pelas camadas do manto, quase escondidos ali, moviam-se rapidamente – traçando símbolos no ar.

Cain avançou na direção de Celaena com passos fortes. O rosto da assassina estava pálido e vermelho ao mesmo tempo. Ela se ajoelhou e olhou para o ringue sem conseguir enxergá-lo, olhou para todos, para algo além das pessoas, talvez.

Estava só esperando que ele... Esperando que ele...

A matasse.

<hr/>

Ajoelhada no chão, Celaena tentava tomar fôlego, incapaz de escapar da alucinação e voltar à realidade. Ali, os mortos a cercavam, esperando. A estranha sombra de Cain estava próxima, observando, os olhos flamejantes eram a única característica que se destacava. Cain foi envolvido pela escuridão como retalhos de roupa levados pelo vento.

Celaena morreria em breve.

Luz e escuridão. Vida e morte. Onde eu me encaixo?

O questionamento fez uma descarga de adrenalina tão forte percorrer o corpo de Celaena que suas mãos tatearam desesperadamente por algo que pudesse usar contra Cain. Não poderia acontecer dessa maneira. Ela encontraria um jeito – encontraria um jeito de sobreviver. *Não terei medo.* A assassina sussurrava aquilo todas as manhãs em Endovier; mas para que serviriam as palavras agora?

Um demônio foi até Celaena, e um grito – não de terror ou de desespero, mas um apelo – escapou do fundo da garganta da jovem. Um pedido de ajuda.

O demônio recuou, como se o grito o tivesse assustado. Cain comandou que avançasse.

Mas então algo extraordinário aconteceu.

Portas, portas e mais portas se escancararam. Portas de madeira, portas de ferro, portas de ar e de magia.

E Elena desceu de um outro mundo, coberta por uma luz dourada. O cabelo da antiga rainha cintilava como uma estrela cadente enquanto ela entrava em Erilea.

Cain gargalhou ao se aproximar da assassina, que arquejava, e ergueu a espada, mirando o coração de Celaena.

Elena caminhava provocando explosões entre as fileiras de mortos, lançando-os em várias direções.

A espada de Cain desceu.

Uma rajada de vento atingiu o brutamontes com tanta força que o arremessou ao chão, a espada escapou-lhe da mão e caiu do outro lado da varanda. Mas, presa naquele mundo escuro e terrível, Celaena só teve tempo de ver a antiga rainha se lançar sobre Cain e derrubá-lo, antes que os mortos atacassem. Mas eles chegaram tarde demais.

Uma luz dourada envolveu Elena, protegendo-a contra os mortos e fazendo-os recuar.

A ventania mais furiosa que qualquer um dos espectadores já presenciara ainda soprava pela varanda. As pessoas cobriram os rostos ao escutar os uivos do vento.

Os demônios gritaram e atacaram novamente. Mas uma espada soou, e um demônio caiu. Sangue escuro escorria da lâmina, e a rainha rosnou furiosamente ao erguer a espada. Era um desafio; uma provocação para que tentassem passar por ela, para que testassem sua fúria.

Com a visão borrada, Celaena viu uma coroa de estrelas cintilando em cima da cabeça de Elena, a armadura de prata da rainha brilhando como um farol na escuridão. Os demônios gritaram, e Elena esticou uma das mãos; luz dourada saiu de sua palma e formou uma parede entre as duas mulheres e os mortos no momento em que Elena correu até Celaena e segurou com as mãos o rosto da assassina.

– Não posso lhe proteger – sussurrou a rainha, com a pele brilhando. Seu rosto era tão diferente, mais definido, mais belo. A herança dos feéricos. – Não posso lhe dar minha força. – Ela passou os dedos gentilmente na testa de Celaena. – Mas posso remover o veneno de seu corpo.

Longe delas, Cain se levantava com dificuldade. O vento vinha de todas as direções, imobilizando-o.

Do outro lado da varanda, uma rajada de vento fez com que a ponta metalizada do bastão rolasse na direção de Celaena. O objeto quicou até parar a alguns metros de distância.

Elena colocou a palma da mão na testa de Celaena.

– Pegue – disse ela.

Celaena se esticou para alcançar o que restava do bastão, sua visão se alternando entre a varanda ensolarada e a escuridão interminável. O ombro da assassina se deslocou ligeiramente, e ela segurou o grito de dor. Finalmente, Celaena sentiu a madeira lisa e entalhada – e também a dor latejante nos dedos.

– Quando o veneno for eliminado, você não me verá. Não verá os demônios – disse a rainha, traçando marcas na testa de Celaena.

Cain olhou para o rei ao recuperar a espada. O soberano assentiu.

Elena segurou o rosto de Celaena nas mãos.

– Não tenha medo – falou a rainha. Além da barreira de luz dourada, os mortos gritavam e gemiam o nome de Celaena. Mas Cain, ainda com a entidade sombria que o habitava, passou pela barreira sem nenhum esforço, quebrando-a por completo.

– Truques medíocres, Vossa Majestade – disse Cain a Elena. – Apenas truques medíocres.

Elena ficou de pé imediatamente, bloqueando a passagem de Cain até Celaena. Sombras tremiam ao longo do contorno do adversário, os olhos dele brilhavam como fogo. A atenção de Cain se voltou para Celaena, e ele falou:

– Vocês foram trazidos aqui, todos vocês. Todos os participantes do jogo não terminado. Meus amigos – Cain apontou para os mortos – me contaram.

– Vá embora – rosnou Elena, formando um símbolo com os dedos. Uma luz azul forte irrompeu de suas mãos.

Cain gritou quando a luz o penetrou, cortando o corpo sombreado do competidor em vários pedaços. Então a luz sumiu, deixando a multidão de mortos e condenados. Elena ainda estava diante deles. A multidão atacou, mas a rainha os jogou para trás com o escudo dourado, ofegando entre os dentes trincados. Ela então caiu de joelhos ao lado de Celaena e segurou a assassina pelos ombros.

– O veneno se foi quase todo – disse Elena. O mundo ficou menos escuro; Celaena podia ver alguns raios de sol.

A jovem assentiu e a dor substituiu o pânico. Celaena sentia o frio do inverno, sentia a dor latejante na perna e o calor e a viscosidade do próprio sangue por todo o corpo. Por que Elena estava ali, e o que Nehemia estava fazendo no contorno do círculo, com as mãos se mexendo de forma tão estranha?

– Levante-se – comandou Elena. A rainha ficava cada vez mais translúcida. Assim que tirou as mãos do rosto de Celaena, uma luz branca tomou o céu. O veneno saíra do corpo da jovem.

Cain, que voltara a ser uma criatura de carne e osso, caminhou até a assassina jogada no chão.

Dor, dor, dor. Dor na perna, dor na cabeça, no ombro e no braço e nas costelas...

– *Levante-se* – sussurrou Elena novamente, e desapareceu. O mundo ressurgiu.

Cain estava próximo, sem um traço sequer de sombra ao seu redor. Celaena ergueu os restos do bastão quebrado na mão. Sua visão clareou.

Então, tremendo e fazendo enorme esforço, a assassina se levantou.

⊰ 50 ⊱

A perna direita de Celaena mal conseguia suportar o peso do corpo, mas a jovem trincou os dentes e ficou de pé. Cain parou de repente, e Celaena endireitou os ombros.

A brisa acariciou o rosto da assassina e soprou os cabelos da jovem para trás dos ombros, como um véu oscilante de ouro. *Não terei medo.* Um símbolo brilhava na testa de Celaena com uma forte luz azul.

– O que é isso no seu rosto? – perguntou Cain. O rei se levantou, franzindo as sobrancelhas, e, logo ao lado, Nehemia arquejou.

Com o braço latejante e quase inutilizado, Celaena secou o sangue do canto da boca. Cain rosnou e atacou, como se fosse decapitá-la.

Celaena avançou, rápida como uma flecha de Deanna.

Os olhos de Cain se arregalaram quando a assassina enterrou a ponta quebrada do bastão no lado direito de seu corpo, exatamente onde Chaol dissera que ele estaria desprotegido.

Sangue escorreu e manchou as mãos de Celaena quando ela arrancou a arma do corpo de Cain, e o adversário cambaleou para trás, levando as mãos às costelas.

Celaena esqueceu a dor, esqueceu o medo, esqueceu o tirano que observava atentamente com olhos sombrios a marca em sua testa. Ela saltou para trás e abriu o braço de Cain com a ponta quebrada do bastão, rasgando músculo e tendão. O adversário a golpeou com o outro braço, mas Celaena desviou e cortou esse braço também.

Cain se lançou na direção de Celaena, mas ela desviou. O homem caiu esparramado no chão. A jovem pisou nas costas do brutamontes, e quando ele ergueu a cabeça, notou a ponta afiada do bastão quebrado pressionada contra seu pescoço.

– Mexa-se e abro sua garganta – disse Celaena, com o maxilar doendo.

Cain ficou parado, e, por um breve momento, Celaena poderia ter jurado que os olhos dele brilhavam como carvão. Por uma fração de segundo, a jovem considerou matá-lo ali mesmo, para que nunca pudesse contar a ninguém o que sabia. Sobre ela, sobre seus pais, sobre as marcas de Wyrd e seu poder. Se o rei ficasse sabendo disso... a mão de Celaena tremeu com o esforço que fazia para não atravessar o pescoço de Cain com a ponta afiada, mas Celaena ergueu o rosto machucado e olhou para o rei.

Os integrantes do conselho começaram a bater palmas, nervosos. Nenhum deles vira o espetáculo, nenhum deles vira as sombras no meio da ventania. O rei observou Celaena, e ela se obrigou a ficar de queixo erguido e coluna reta enquanto o soberano a julgava. Celaena sentiu cada segundo de silêncio como socos no estômago. Será que o rei estava procurando uma forma de lhe negar a vitória? Depois do que pareceu uma eternidade, ele falou:

– A campeã de meu filho é a vencedora – grunhiu o soberano. O mundo girou sob os pés de Celaena.

Vencera. Vencera. Estava livre – ou o mais próximo da liberdade que poderia estar. Ela se tornaria a campeã do rei e depois estaria livre...

A percepção arrebatou a jovem, e ela largou o que restava do bastão no chão, então tirou o pé das costas de Cain. Celaena mancou para longe, com a respiração pesada e irregular. Fora salva. Elena a salvara. E tinha... tinha ganhado.

Nehemia estava exatamente onde estivera antes, sorrindo ligeiramente, mas...

A princesa desmaiou, e seus guarda-costas correram para ajudá-la. Celaena tentou ir na direção da amiga, mas suas pernas cederam, e a assassina caiu no azulejo. Dorian, como se tivesse acordado de um feitiço, disparou na direção de Celaena e ajoelhou-se ao lado dela, murmurando o nome da jovem várias vezes.

Mas Celaena mal o escutava. Encolhida no chão, lágrimas quentes escorriam por seu rosto. Ela vencera. Apesar da dor, Celaena começou a rir.

Enquanto a assassina dava risadas consigo mesma, com a cabeça baixa, Dorian verificava o estado do corpo de Celaena. O corte na coxa não parava de sangrar, um dos braços dela pendia, inerte, seu rosto e braços pareciam retalhos de cortes, e hematomas se formavam rapidamente. Cain, com as feições cheias de fúria, estava de pé logo atrás, sangue lhe escorria pelos dedos enquanto o competidor tentava cobrir a ferida nas costelas. Que sofresse.

– Ela precisa de um curandeiro – disse Dorian ao pai. O rei não respondeu. – Você, menino – disparou Dorian para um dos pajens. – Chame um curandeiro o mais rápido possível! – O príncipe mal conseguia respirar. Devia ter impedido Cain antes que ele acertasse o primeiro golpe. Devia ter feito algo além de ficar observando quando ficou evidente que Celaena fora drogada. Ela teria lhe ajudado sem hesitar. Até Chaol a ajudara, ajoelhara-se ao lado do ringue. E quem a havia drogado?

Colocando com cuidado os braços em volta de Celaena, Dorian olhou rapidamente para Kaltain e Perrington. Ao fazê-lo, acabou perdendo a troca de olhares entre Cain e o rei. O soldado tirou do bolso uma adaga.

Mas Chaol viu. Cain ergueu a adaga para apunhalar a jovem nas costas.

Sem pensar, sem entender, Chaol saltou na frente e enterrou a espada no coração de Cain.

Sangue espirrou para todos os lados, encharcando os braços, a cabeça, as roupas de Chaol. O sangue, de alguma forma, fedia a morte e podridão. Cain desabou no chão.

O mundo silenciou. Chaol viu o último suspiro escapar pelos lábios de Cain, assistiu à morte do competidor. Depois que tudo acabou e Chaol percebeu que os olhos de Cain já não enxergavam, a espada escapou das mãos do capitão e caiu no chão. Ele caiu de joelhos ao lado de Cain, mas não o tocou. Céus, o que fizera?

Chaol não conseguia parar de olhar para as mãos ensanguentadas. Ele o matara.

– Chaol – sussurrou Dorian. Celaena estava paralisada nos braços do príncipe.

– O que foi que fiz? – perguntou Chaol. Celaena gemeu baixinho e começou a tremer.

Dois guardas levantaram o capitão, mas Chaol só olhava para as mãos manchadas de sangue ao ser levado embora.

Dorian observou o amigo desaparecer no interior do castelo e voltou a atenção para a assassina. O rei já estava aos berros por algum motivo.

Celaena tremia tanto que intensificava o sangramento das feridas.

– Ele não devia tê-lo matado... Agora, ele... ele... – A respiração da jovem ficou mais ofegante. – Ela me salvou – disse Celaena, apertando o rosto contra o peito de Dorian. – Dorian, ela tirou o veneno de dentro de mim. Ela... ela... ai, deuses, nem sei o que aconteceu – Dorian não fazia ideia do que Celaena estava dizendo, mas abraçou-a com mais força.

O príncipe percebeu os olhares do conselho sobre eles, pesando e considerando cada palavra que saía da boca de Celaena, cada movimento ou reação do príncipe. Amaldiçoando o conselho, Dorian beijou o cabelo de Celaena. A marca na testa da assassina tinha sumido. O que significara aquilo? O que significara tudo aquilo? Cain tocara num ponto sensível para Celaena durante a luta. Quando mencionou os pais da jovem, ela perdeu completamente o controle. Dorian jamais a tinha visto tão selvagem, tão descontrolada.

O príncipe odiava a si mesmo por não ter tomado uma atitude, por ter agido como um covarde. Ele compensaria Celaena por essa atitude, certificaria-se de que a jovem fosse libertada, e depois... depois...

Celaena não protestou quando Dorian a levou para os aposentos, instruindo o curandeiro para que os seguisse.

Estava farto de política e de intriga. Ele a amava, e não havia império, rei ou ameaça naquela terra que o separaria de Celaena. Não, se tentassem tomá-la dele, Dorian destruiria o mundo com as próprias mãos. E, de alguma forma, aquilo não o assustava.

───

Kaltain observou, desesperada e perplexa, Dorian carregar nos braços a assassina, que chorava. Como a garota havia vencido Cain se estava drogada? Por que não estava morta?

Sentado ao lado do rei furioso, Perrington parecia fumegar. Os conselheiros rabiscavam pedaços de papel. Kaltain retirou o frasco vazio do bolso. Será que a dose de sanguinária que o duque lhe dera não fora bastante para afetar seriamente a assassina? Por que Dorian não estava chorando sobre o cadáver de Celaena? Por que não era Kaltain quem abraçava e reconfortava Dorian? A enxaqueca ressurgiu, tão forte que a visão da moça embaçou, e ela não conseguiu mais pensar com nitidez.

Kaltain se aproximou do duque e sussurrou em seu ouvido:

– Achei que tivesse dito que funcionaria. – Ela lutou para manter a voz baixa. – Achei que tivesse dito que essa maldita droga funcionaria!

O rei e o duque a encararam, e os membros do conselho trocaram olhares enquanto Kaltain endireitava a coluna. O duque, então, levantou lentamente do assento.

– O que é isso na sua mão? – perguntou ele, um pouco alto demais.

– Você sabe muito bem o que é! – respondeu a moça, furiosa, ainda se esforçando para falar baixo mesmo depois que a dor na cabeça se tornou terrivelmente intensa. Kaltain mal conseguia pensar direito, só conseguia reagir à fúria que tomava conta de seu corpo. – O maldito veneno que dei a ela – murmurou a jovem, de modo que somente Perrington ouvisse.

– Veneno? – perguntou Perrington, tão alto que os olhos de Kaltain se arregalaram. – Você a envenenou? Por que faria isso? – O duque gesticulou para três guardas.

Por que o rei não falava nada? Por que não tentava ajudá-la? Perrington lhe dera o veneno sob ordens do rei, não? Os membros do conselho lançaram a Kaltain um olhar acusatório.

– Foi você quem me deu! – disse ela ao duque.

Perrington franziu as sobrancelhas cor de laranja.

– Do que está falando?

Kaltain deu um passo à frente.

– Seu filho de meretriz ardiloso!

– Prendam-na, por favor – comandou o duque, num tom casual e tranquilo, como se Kaltain não fosse nada mais que uma criada descontrolada. Como se não fosse ninguém.

– Eu disse a você – falou o duque ao ouvido do rei – que ela faria qualquer coisa para conseguir a coro...

As palavras se perderam conforme Kaltain era arrastada para longe. Não havia nada, nenhuma emoção, no rosto do duque. Ele a fizera de tola.

Kaltain lutou em vão contra os guardas.

– Vossa Majestade, *por favor*! Sua Graça me disse que *você*...

O duque desviou o olhar.

– Eu vou matar você! – gritou a moça para Perrington. Kaltain se virou para o rei, pedindo clemência, mas o soberano também desviou o olhar, com o rosto contorcido de nojo. Ele não escutaria nada que Kaltain tivesse a dizer, mesmo que fosse verdade. Perrington planejara isso há muito tempo. E ela caíra em cheio na armadilha. O duque se fingira de tolo apaixonado para apunhalá-la pelas costas.

Kaltain chutava e se debatia, tentando se libertar dos guardas, mas a mesa do rei ficava cada vez mais longe. Quando a moça chegou às portas do castelo, o duque sorriu para ela, e Kaltain viu todos os seus sonhos se despedaçarem.

❧ 51 ❧

Na manhã seguinte, Dorian mantinha o queixo erguido enquanto o pai o observava. O príncipe não desviou o olhar, independentemente de quantos segundos de silêncio passassem. Depois de o rei permitir que Cain brincasse e ferisse Celaena por tanto tempo, quando a jovem tinha obviamente sido drogada... Era um milagre o príncipe ainda não ter explodido, mas precisava daquela audiência com o rei.

– Então? – perguntou, enfim, o soberano.

– Quero saber o que acontecerá com Chaol. Por ter matado Cain.

Os olhos pretos do rei reluziram.

– O que *você* acha que deveria acontecer com ele?

– Nada – replicou Dorian. – Acho que o matou para defender Cel... para defender a assassina.

– Acha que a vida de um assassino vale mais do que a de um soldado?

O olhar cor de safira de Dorian ficou sombrio.

– Não. Também não acredito que seja justo ou digno apunhalar Celaena pelas costas depois da vitória.

E se algum dia Dorian descobrisse que Perrington ou o rei tinham aprovado o ataque... Ou que, de alguma forma, tinham ajudado Kaltain a envenenar Celaena... Dorian cerrou os punhos.

– Digno? – questionou o rei de Adarlan, brincando com a barba. – Por acaso você me mataria se eu fizesse o mesmo?

359

– Você é meu pai – ponderou, cauteloso, o príncipe. – Confiaria no seu julgamento.

– Que mentiroso ardiloso! Quase tão bom quanto Perrington.

– Então não punirá Chaol?

– Não vejo por que desperdiçar um capitão de guarda tão competente.

Dorian suspirou.

– Obrigado, pai.

A gratidão nos olhos de Dorian era genuína.

– Mais alguma coisa? – perguntou o rei, bruscamente.

– Eu... – Dorian encarou a janela, então voltou o olhar para o pai, criando coragem novamente. O segundo motivo da visita. – Quero saber o que fará com a assassina.

O rei sorriu de modo que fez o sangue de Dorian congelar.

– A assassina... – ponderou o pai. – Teve uma atuação vergonhosa no duelo. Não tenho certeza se quero uma chorona como campeã, com ou sem veneno. Se fosse boa *mesmo*, teria notado a substância antes de beber. Talvez eu devesse mandá-la de volta para Endovier.

Dorian perdeu a calma com uma rapidez inebriante.

– Está errado em relação a ela – declarou, mas depois fez que não com a cabeça. – Você não a verá de outro jeito, não importa o que eu diga.

Dorian exibia os dentes. Nunca ousara encarar o pai assim. A sensação o entusiasmava, e, enquanto o rei se sentava devagar, o príncipe se perguntou se seu pai acreditava que o filho se tornara um problema de fato. E, para a própria surpresa, Dorian percebeu que não se importava. Talvez tivesse chegado a hora de o príncipe começar a questionar o pai.

– Ela não é um monstro. Fez o que fez para sobreviver.

– Sobreviver? Essa é a mentira que ela contou? Poderia ter feito qualquer coisa para sobreviver, mas *escolheu* matar. Sentia *prazer* nisso. Ela o tem na palma da mão, não é? Ah, como é esperta! Se fosse homem, daria um ótimo político.

Dorian soltou um rugido do fundo da garganta.

– Você não sabe do que está falando. Não tenho nenhuma ligação com ela.

Naquela única frase, o príncipe cometera um erro e notou que o pai agora conhecia o novo ponto fraco do filho: o medo arrebatador de ser separado de Celaena. Dorian relaxou as mãos na lateral do corpo.

O rei de Adarlan encarou o príncipe herdeiro.

– Enviarei um contrato a ela assim que possível. Até lá, nenhuma palavra sobre o assunto, rapaz.

Dorian se afogou na raiva intensa que o dominava. Entretanto, uma imagem surgia nitidamente na cabeça do príncipe: Nehemia, no duelo, entregara o bastão a Celaena. Nehemia não era boba. Como ele, compreendia que os símbolos carregavam poderes especiais. Celaena era a campeã do rei, porém, conquistara o título usando uma arma de Eyllwe. Ainda que Nehemia tivesse se aventurado em um jogo que não tinha chances de ganhar, Dorian não podia negar que admirava a princesa por tal ousadia.

Um dia, quem sabe, Dorian se atreveria a exigir uma reparação por tudo o que pai infligira aos rebeldes de Eyllwe. Não hoje. Não ainda. Contudo, poderia dar o primeiro passo.

O príncipe olhou para o rei e manteve a cabeça erguida ao falar:

– Perrington pretende usar Nehemia como refém para obrigar os rebeldes de Eyllwe a obedecerem.

O pai inclinou a cabeça.

– É mesmo? Uma ideia interessante. Não concorda?

Dorian sentiu as palmas da mão úmidas, mas se controlou e respondeu com o tom de voz neutro:

– Não, não concordo. Acredito que somos melhores do que isso.

– Mesmo? Sabe quantos soldados e equipamentos perdi graças aos rebeldes?

– Sei. Mas é muito arriscado usar Nehemia dessa forma. Os rebeldes podem se aproveitar disso para ganhar aliados em outros reinos. E a princesa é amada pelo povo dela. Se você está preocupado em perder soldados e equipamentos, vai se preocupar ainda mais se o plano de Perrington inflamar uma rebelião geral em Eyllwe. O melhor é tentar conquistar Nehemia e trabalhar com ela para que a princesa convença os rebeldes a recuarem. Nada disso ocorrerá se ela for usada como refém.

O silêncio dominou a sala. Dorian tentou se manter calmo enquanto o pai o analisava. Cada pulsação doía como uma martelada no corpo.

Por fim, o pai fez que sim com a cabeça.

– Ordenarei a Perrington a interrupção dos planos, então.

Dorian quase se desequilibrou de alívio, entretanto, manteve um rosto sem expressões e a voz firme na resposta.

– Obrigado por me ouvir.

O rei não respondeu. Sem esperar autorização para se retirar, o príncipe virou as costas e partiu.

⬥

Ao acordar, Celaena se esforçou para não se encolher devido à dor que latejava em seus ombros e pernas. Envolta em lençóis e curativos, a assassina olhou para o relógio sobre a lareira. Quase uma da tarde.

A mandíbula de Celaena estalou quando a jovem abriu a boca. Não precisava de um espelho para confirmar que estava coberta de lesões. Celaena franziu a testa, e seu rosto tremeu. Com certeza, estava com uma péssima aparência. A jovem tentou sem sucesso se sentar, mas tudo doía.

O braço estava preso em uma tipoia, e sua coxa estalava quando Celaena mexia as pernas debaixo das cobertas. Não lembrava muito do duelo no dia anterior. Ao menos, estava viva – não fora morta por Cain ou por ordens do rei.

Celaena sonhara com Nehemia e Elena – ainda que, muitas vezes, a imagem de ambas se transformasse em visões de demônios e de mortos. E aquelas coisas que Cain dissera. Os pesadelos eram tão assustadores que Celaena mal dormiu, apesar da dor e da exaustão. A assassina imaginava o que tinha acontecido com o amuleto de Elena. Teve a sensação de que os pesadelos se deviam à ausência do amuleto e desejou, repetidamente, que lhe fosse devolvido, mesmo que Cain estivesse morto.

As portas do quarto se abriram, e Celaena viu Nehemia em pé na entrada. A princesa apenas esboçou um sorriso ao fechar as portas e se aproximar. Ligeirinha ergueu a cabeça, abanando o rabo em reconhecimento e chicoteando-o sobre a cama.

– Olá – saudou Celaena, em eyllwe.

– Como se sente? – respondeu Nehemia na língua comum, sem qualquer traço de sotaque. Ligeirinha subiu nas pernas machucadas de Celaena para cumprimentar a princesa.

– Exatamente como aparento – afirmou Celaena, com os lábios doloridos ao falar.

Nehemia se sentou na ponta do colchão. Quando ele se acomodou à princesa, Celaena se encolheu de dor. A recuperação seria difícil. Quando se cansou de lamber e cheirar Nehemia, Ligeirinha se enroscou como uma bolinha entre as duas e dormiu. Celaena afundou as mãos entre as orelhas macias como veludo da cadela.

– Não vou perder tempo margeando a verdade. Eu salvei sua vida no duelo – declarou Nehemia.

Celaena tinha uma vaga lembrança de ver os dedos de Nehemia formando símbolos estranhos no ar.

– Aquilo tudo não foi uma alucinação? E... você viu tudo também?

Celaena tentou se levantar um pouco, mas era doloroso demais se mover sequer um centímetro.

– Não, não foi uma alucinação. E, sim, vi tudo o que você viu. Meus dons me permitem enxergar o que os outros normalmente não enxergam. Ontem, o veneno que Kaltain colocou no seu vinho também a fez ver o que se esconde atrás do véu deste mundo. Não acho que Kaltain tivesse previsto esse efeito, mas seu sangue reagiu assim. Magia atrai magia.

Celaena ouviu, desconfortável, tais palavras.

– Por que fingiu por todos esses meses que não entendia nossa língua? – perguntou a assassina, ansiosa para mudar de assunto, mas refletindo sobre por que a pergunta doía tanto quanto seus ferimentos.

– No início, para me defender – respondeu Nehemia, repousando com carinho a mão no braço são de Celaena. – Você ficaria surpresa ao descobrir o quanto as pessoas estão dispostas a revelar quando pensam que não vai entendê-las. Mas, com o passar do tempo, fingir que não sabia nada perto de você ficou cada vez mais difícil.

– E por que me fazer lhe dar aulas?

Nehemia fitou o teto.

– Queria uma amiga. E gostava de você.

– Então você estava realmente lendo aquele livro quando nos encontramos na biblioteca.

Nehemia assentiu.

– Eu... estava pesquisando. Sobre as marcas de Wyrd, como você as chama em sua língua. Menti quando disse que não sabia nada sobre elas. Sei tudo. Sei como ler e como usá-las. Minha família inteira faz isso, mas mantemos em segredo, passado de geração em geração. *Só* podem ser usados como último recurso contra o mal ou no mais grave caso de doença. E aqui, com a magia banida... Bem, ainda que as marcas de Wyrd sejam um tipo diferente de poder, tenho certeza de que seria presa se descobrissem que eu as usava.

Celaena tentou se endireitar, xingando a si mesma por não conseguir se mover sem quase desmaiar de dor.

– Você as estava usando?

Nehemia assentiu com seriedade.

– Mantemos em segredo porque carregam um terrível poder. Terrível porque pode ser usado para o bem ou para o mal... Embora a maioria das pessoas as tenha usado para fazer maldades. Logo que cheguei, percebi que alguém estava usando as marcas de Wyrd para chamar quatro demônios dos outros mundos, de reinos além deste. Aquele tolo do Cain sabia o suficiente sobre as marcas de Wyrd para conjurar as criaturas, mas não para controlá-las e mandá-las de volta. Passei meses expulsando e destruindo os monstros que ele conjurou. Por isso estive tão ausente em alguns momentos.

Celaena corou de vergonha. Como pôde acreditar que Nehemia estava matando os campeões? A assassina levantou a mão direita para que a princesa visse as cicatrizes.

– Por isso você não perguntou nada naquela noite em que minha mão foi mordida. Você... usou as marcas de Wyrd para me curar.

– Ainda não sei como você encontrou o ridderak... Mas acho que isso é uma história para outra ocasião. – Nehemia estalou a língua. – As marcas que encontrou embaixo da cama... Eu desenhei.

Celaena estremeceu ao ouvir isso. A jovem sibilou quando o corpo inteiro latejou de dor.

– Aqueles são símbolos de proteção. Você não faz ideia de como foi trabalhoso redesenhá-los toda vez que você os apagava. – Um sorriso surgiu nos cantos da boca de Nehemia. – Sem eles, acredito que o ridderak teria sido atraído até você muito antes.

– Por quê?

– Porque Cain odiava você, é claro. Queria você fora da competição. Queria que não estivesse morto, assim poderia perguntar a ele como aprendeu a abrir portais tão grandes. Enquanto o veneno fazia você flutuar entre mundos, a presença de Cain, de alguma forma, trouxe aquelas criaturas ao limite entre os mundos para destruí-la. Se bem que, depois de tudo que fez, merecia que Chaol o atravessasse daquela forma.

Celaena olhou para a porta. Não via Chaol desde o dia anterior. Será que fora punido por tudo o que fizera para ajudá-la?

– Esse homem se preocupa com você mais do que vocês dois imaginam – acrescentou Nehemia, sorrindo.

O rosto de Celaena queimou de vergonha.

Nehemia pigarreou.

– Imagino que queira saber como lhe salvei.

– Se estiver disposta a contar... – respondeu Celaena, fazendo a princesa sorrir novamente.

– Com as marcas de Wyrd, consegui abrir um portal para uma das realidades do outro mundo e fiz passar Elena, a primeira rainha de Adarlan.

– Você a conhece?

– Não, mas ela atendeu meu pedido de ajuda. Nem todos os reinos são repletos de morte e escuridão. Alguns abrigam criaturas do bem... Seres que, se a necessidade for grandiosa o bastante, nos seguem até Erilea para ajudar em nossa missão. Elena ouviu seu grito de socorro muito antes de eu abrir o portal.

– É... possível *ir* até esses mundos?

Celaena recordava vagamente dos portais de Wyrd, que vira por acaso num livro há meses.

Nehemia a observou com cautela.

– Não sei. Não terminei meus estudos ainda. Mas a rainha estava, ao mesmo tempo, neste mundo e fora dele. Estava no limite entre os mundos, de onde não poderia sair totalmente, assim como as criaturas que você viu. Abrir um portal de verdade para deixar algo passar exige um poder enorme... Mesmo assim, o portal se fecha logo depois. Cain conseguia abrir um portal por tempo o bastante para o ridderak atravessar, então o portal se fechava. Eu tinha de abri-lo por tempo suficiente para enviar a criatura *de volta*. Ficamos brincando de gato e rato por meses. – Nehemia esfregou as têmporas. – Você não faz ideia de como foi exaustivo.

– Cain convocou todas aquelas coisas no duelo, não é?

Nehemia pensou um pouco antes de responder.

– Talvez. Quem sabe já estivessem esperando.

– Mas eu só conseguia vê-las por conta do veneno que Kaltain me deu?

– Não sei, Elentiya. – Nehemia soltou um suspiro e se levantou. – Só sei que Cain conhecia os segredos dos poderes do meu povo... Poderes que estão há muito tempo esquecidos nas terras do Norte. Tudo isso me preocupa muito.

– Pelo menos ele está morto – lembrou Celaena. – Mas... mas naquele... lugar... Cain não parecia Cain. Parecia um demônio. Por quê?

– É possível que o mal que Cain conjurava tenha se infiltrado em sua alma e o transformado.

– Ele falou sobre mim. Como se soubesse de tudo.

Celaena puxou os lençóis.

Algo reluziu nos olhos de Nehemia.

– Às vezes, o mal diz coisas somente para nos confundir... Para nos assombrar com ideias com as quais já lidamos há muito tempo. Ele adoraria saber que você ainda está angustiada com as bobagens que disse. – Nehemia acariciou a mão de Celaena. – Não dê a ele o prazer de saber que ainda lhe incomoda. Tire esses pensamentos da cabeça.

– Pelo menos o rei não sabe de nada disso. Nem consigo imaginar o que faria se tivesse acesso a esse tipo de poder.

– Consigo imaginar um bocado – falou Nehemia, baixinho. – Você sabe o que significa aquela marca de Wyrd que apareceu na sua testa?

Celaena se enrijeceu.

– Não. Você sabe?

Nehemia a encarou com gravidade.

– Não sei. Mas já a vi antes. Parece ser parte de você. Fico preocupada com o que o rei pensa dela. É um milagre ele não ter questionado mais. – O sangue de Celaena gelou, e Nehemia rapidamente acrescentou: – Não se preocupe. Se ele quisesse questionar, já o teria feito.

Celaena soltou um suspiro.

– Por que, de fato, você está aqui, Nehemia?

A princesa passou alguns segundos em silêncio.

– Não vou alegar fidelidade ao rei de Adarlan. Você já sabe disso. Não temo dizer que vim a Forte da Fenda somente pela excelente oportunidade de observar as ações dele... E os planos.

– Você realmente veio aqui espionar?

– Se prefere definir dessa forma... Não há nada que eu não faria pelo meu país... Nenhum sacrifício é demais para manter meu povo vivo e livre da escravidão, impedir um novo massacre.

A tristeza era visível no olhar de Nehemia.

O coração de Celaena se apertou.

– Você é a pessoa mais corajosa que já conheci – declarou a assassina.

Nehemia acariciava os pelos de Ligeirinha.

– Meu amor por Eyllwe anula o meu medo do rei de Adarlan. Mas não vou envolver você nisso, Elentiya. – Celaena quase demonstrou alívio, ainda que se envergonhasse do sentimento. – Nossos caminhos podem estar entrelaçados, mas... Acho que você deve continuar sua jornada por outra estrada agora. Ajustar-se à nova posição.

Celaena assentiu e pigarreou.

– Não vou contar a ninguém sobre seus poderes.

Nehemia sorriu com tristeza.

– E não haverá mais segredos entre nós. Quando estiver melhor, vou querer saber como se aproximou de Elena. – Nehemia olhou para baixo procurando Ligeirinha. – Você se importa se eu levá-la para dar uma volta? Preciso tomar um ar....

– Claro... Ela ficou presa aqui a manhã inteira.

Como se tivesse entendido, a cadela saltou da cama e se sentou aos pés de Nehemia.

– Fico feliz de tê-la como minha amiga, Elentiya.

– Fico ainda mais feliz por ter você cuidando de mim – replicou Celaena, segurando um bocejo. – Obrigada por salvar minha vida. Pela segunda vez, na verdade. Ou mais. – Celaena franziu a testa. – Será que quero saber quantas vezes você, em segredo, salvou minha vida das criaturas de Cain?

– Não se quiser dormir esta noite.

Nehemia beijou a testa da amiga antes de se retirar, seguida de perto por Ligeirinha. A princesa parou na soleira da porta e jogou algo para Celaena.

– Isto pertence a você. Um dos meus guardas pegou depois do duelo.

Era o Olho de Elena.

Celaena envolveu nas mãos o amuleto de metal.

– Obrigada.

Quando Nehemia saiu, Celaena sorriu, apesar de tudo o que descobrira, e fechou os olhos. Com o amuleto apertado na mão, dormiu como não dormia há meses.

⇥ 52 ⇤

Celaena acordou no dia seguinte sem saber que horas eram. Alguém batera à porta, e ela piscou como para espantar o sono, a tempo de ver Dorian entrando. O príncipe a observou por alguns momentos antes de se aproximar. Celaena conseguiu sorrir para ele.

– Olá – cumprimentou, ainda rouca.

A assassina se lembrava de ser carregada por Dorian, de ter o príncipe ao lado dela enquanto os médicos lhe davam pontos na perna ferida...

Dorian deu passos pesados na direção de Celaena.

– Você parece ainda pior hoje – sussurrou ele.

Apesar da dor, Celaena se ergueu e se sentou.

– Estou bem – mentiu. Não estava bem. Cain quebrara uma de suas costelas, fato que ela era obrigada a se lembrar toda vez que respirava. Dorian enrijeceu o maxilar, olhando para a janela. – O que há com você? – perguntou a jovem.

Ela tentou puxá-lo pelo casaco. Mas se esticar doía muito, e Dorian estava muito distante.

– Eu... não sei.

O olhar vazio e perdido do príncipe acelerou o coração de Celaena.

– Não consigo dormir desde o duelo.

– Aqui – chamou ela, tão suave quanto possível, apontando para a cama. – Sente-se aqui.

Obediente, Dorian se sentou, mas se manteve de costas para Celaena. Ele apoiou a cabeça entre as mãos e respirou profundamente diversas vezes. Celaena então tocou delicadamente as costas do príncipe, que se retesou, e ela quase recuou. Mas Dorian logo se acalmou e voltou à respiração controlada.

– Você está doente? – perguntou Celaena.

– Não – murmurou Dorian.

– Dorian. O que aconteceu?

– Como assim "o que aconteceu?" – exclamou ele, com as mãos ainda escondendo o rosto. – Em um minuto, você estava espancando Cova, no outro, Cain estava lhe dando uma surra...

– Você perdeu o sono por causa *disso*?

– Não consigo... Não consigo.... – gemeu o príncipe.

Celaena deu um tempo a ele, deixando-o organizar os pensamentos.

– Desculpe-me – prosseguiu Dorian, tirando as mãos do rosto e se endireitando. A assassina se calou, não insistiria. – Como você está de verdade?

Ainda havia medo sob as palavras de Dorian.

– Horrível – respondeu ela, cautelosamente. – Imagino que minha aparência esteja tão ruim quanto me sinto.

Ele esboçou um sorriso. Tentava resistir àquele sentimento que lhe perseguia.

– Nunca a vi tão bonita – respondeu Dorian, então olhou para a cama. – Você se importa se eu deitar? Estou tão cansado.

Celaena não protestou. O príncipe tirou as botas e desabotoou o casaco. Com um gemido, ele se deitou ao lado dela, repousando as mãos na barriga. Celaena o observou fechar os olhos e respirar fundo. O rosto de Dorian voltava ao normal.

– Como está Chaol? – perguntou ela, nervosa.

Lembrava-se de Chaol com o rosto cheio de sangue numa expressão de horror.

Dorian abriu só um olho.

– Ele vai ficar bem. Tirou ontem e hoje de folga. Acho que precisa. – O coração de Celaena se apertou. – E você não deve se sentir culpada – disse Dorian, se virando para olhar nos olhos dela. – Ele fez o que achou que deveria fazer.

– Sim, mas...

– Não. Chaol sabia o que estava fazendo. – O príncipe acariciou o rosto dela com a mão gelada, e Celaena se segurou para não estremecer. – Desculpe-me – repetiu Dorian, recuando a mão. – Desculpe-me por não ter lhe salvado.

– Do que você está falando? É por *isso* que está se martirizando?

– Desculpe-me por não ter parado Cain no momento em que soube que havia algo errado. Kaltain envenenou você, eu deveria saber disso... Deveria ter achado uma forma de impedi-la. Quando notei que você estava alucinando, eu... Desculpe-me por não ter dado um fim àquilo.

Uma pele verde e presas amarelas surgiram diante dos olhos de Celaena, e os dedos doloridos da jovem se fecharam em punho.

– Você não deve pedir desculpas – disse ela, sem vontade de falar dos horrores que tinha visto, da traição de Kaltain e mesmo da confissão de Nehemia. – Você fez o que qualquer um faria... Ou deveria fazer. Se tivesse interferido, eu seria desqualificada.

– Eu deveria ter destruído Cain no momento em que ele encostou em você. Em vez disso, fiquei lá parado, enquanto Chaol estava pronto para entrar em campo. *Eu* deveria ter matado Cain.

Os demônios desapareceram, e um sorriso surgiu.

– Você está começando a falar como um assassino, amigo.

– Talvez eu tenha passado muito tempo perto de você.

Celaena levantou a cabeça do travesseiro e se recostou no aconchegante espaço entre o ombro e o peitoral de Dorian. De repente, sentiu calor. Embora seu corpo quase tivesse convulsionado de agonia quando ela tentou se virar, Celaena apoiou a mão machucada na barriga dele. O hálito de Dorian assoprava calorosamente o rosto dela, e Celaena sorriu no momento em que o príncipe a envolveu com o braço e repousou a mão no ombro dela. Os dois ficaram em silêncio.

– Dorian – começou Celaena, mas foi interrompida por um peteleco no nariz. – Ai! – reclamou ela, e enrugou o nariz. Estava com o rosto salpicado de manchas roxas, porém, milagrosamente, Cain não deixara qualquer marca permanente, exceto na perna, onde ganharia mais uma cicatriz.

– Sim? – perguntou Dorian, descansando o queixo na cabeça de Celaena.

A jovem ouvia o coração de Dorian batendo, tranquilo.

370

– Quando você me resgatou de Endovier... Realmente achou que eu fosse ganhar?

– Claro. Por que mais eu iria tão longe para encontrar você?

Celaena bufou no peitoral dele, mas o príncipe ergueu o queixo dela com carinho. O olhar dele parecia tão familiar, como algo de que havia se esquecido.

– Soube que você ganharia no momento em que lhe conheci – sussurrou Dorian, e o coração de Celaena disparou ao perceber o que estava diante deles. – Mas devo admitir que não imaginava que *isso* fosse acontecer. E... por mais que essa competição tenha sido leviana e bárbara, sou grato a ela por ter trazido você para minha vida. Serei grato por isso até minha morte.

– Você quer me fazer chorar ou é só um bobo?

Dorian se curvou para beijá-la. O beijo fez com que o maxilar de Celaena doesse.

***

Sentado no trono de vidro, o rei de Adarlan acariciava o punho de Nothung. Perrington estava ajoelhado diante dele, esperando. Que esperasse.

Ainda que a assassina fosse a campeã de direito, o rei ainda não enviara o contrato a ela. Celaena era próxima do filho dele e da princesa Nehemia; nomeá-la poderia ser, de alguma forma, arriscado?

Mas o capitão da guarda confiava na assassina a ponto de salvar a vida dela. A expressão do rei se tornou dura como a de uma pedra. Não puniria Chaol Westfall... Mesmo que fosse para evitar o alvoroço de Dorian em defesa o capitão. Se ao menos Dorian tivesse se tornado um soldado, e não um estudioso...

Havia, porém, um homem em Dorian... Um homem que poderia ser aperfeiçoado para se tornar um guerreiro. Talvez alguns meses na linha de frente da batalha lhe fizessem bem. Um elmo e uma espada faziam maravilhas ao temperamento de um jovem. Depois daquela demonstração de força de vontade e de poder na sala do trono... Dorian tinha em si o que era necessário para se tornar um forte general, se recebesse incentivo.

Quanto à assassina... Quando se curasse, quem seria melhor para ter às suas ordens? Além disso, não podia confiar em mais ninguém. Celaena Sardothien era a única e a melhor escolha agora que Cain estava morto.

O rei traçou uma marca no encosto de vidro do trono. Conhecia bem as marcas de Wyrd, mas nunca vira uma como a dela. Descobriria o significado. E se fosse um sinal de um ato terrível ou de uma profecia, enforcaria a garota antes do anoitecer. Quando a viu se debater sob efeito do veneno quase se convenceu de que mandaria matá-la. Mas então os sentiu... Os olhos furiosos dos mortos... Alguém se intrometera e salvara a assassina. E se essas criaturas tanto a protegiam quanto a atacavam...

Talvez Celaena não devesse morrer sob suas ordens. Pelo menos não antes que o rei descobrisse o significado daquela marca. Por ora, no entanto, tinha outras coisas mais importantes com que se preocupar.

– Sua manipulação de Kaltain foi interessante – disse por fim, enquanto Perrington se mantinha de joelhos. – Você estava usando o poder nela?

– Não. Diminuí recentemente, como sugeriu – respondeu o duque, deslizando o anel de obsidiana no dedo gordo. – Além disso, ela estava começando a ficar visivelmente alterada. Cansada, pálida e até mencionou dores de cabeça.

A traição de Lady Kaltain era perturbadora. Mas se o rei soubesse dos planos de Perrington para revelar o caráter da moça – mesmo com a intenção de provar como ela se adaptaria facilmente aos planos deles e até onde iria sua determinação –, teria impedido. Aquela revelação, tão pública, levantara somente questionamentos irritantes.

– Foi inteligente de sua parte testar nela. Kaltain se tornou uma aliada de peso... E ainda não desconfia de nossa influência. Tenho grandes esperanças nesse poder – confessou o rei, olhando para o próprio anel preto. – Cain testou os efeitos físicos transformadores, e Kaltain comprovou a habilidade de influenciar pensamentos e emoções. Gostaria, agora, de testar todo o potencial de aprimorar a mente de alguns outros.

– Parte de mim deseja que Kaltain não tivesse sido tão suscetível – resmungou Perrington. – Ela queria me usar para chegar até seu filho, mas não quero que o poder a transforme em Cain. Apesar do que já fiz, não gosto de imaginá-la apodrecendo naquelas masmorras por muito tempo.

– Não tema por Kaltain, meu amigo. Ela não vai ficar nas masmorras para sempre. Quando esquecerem o escândalo e a assassina estiver ocupada trabalhando para mim, faremos uma oferta irrecusável a Kaltain. Por outro lado, há formas de controlá-la, se você a considera confiável.

– Vamos ver primeiro se ela muda de ideia nas masmorras – disse rapidamente Perrington.

– Claro, claro. Era só uma sugestão.

Ambos ficaram em silêncio, e o duque se ergueu.

– Duque... – falou o rei, a voz ecoando na sala. O fogo crepitava na lareira em forma de boca. A luz verde preenchia as sombras do espaço. – Logo teremos muito o que fazer em Erilea. Prepare-se. E desista do plano de usar a princesa de Eyllwe. Está atraindo muita atenção.

O duque só assentiu com a cabeça, curvou-se numa reverência e deixou a sala.

⊰ 53 ⊱

Celaena se recostou na cadeira, repousando os pés em cima da mesa e equilibrando perigosamente o assento nas duas pernas traseiras. Saboreou o alongamento e o alívio da tensão nos músculos, então virou a página do livro que tinha no colo. Ligeirinha dormia embaixo da mesa, roncando baixinho. Lá fora, o sol da tarde derretera a neve e a água que pingava do telhado cintilava, iluminando todo o quarto. As lesões já não a aborreciam tanto, porém Celaena ainda mancava. Com sorte, voltaria a correr logo.

Passara-se uma semana desde o duelo. Philippa se ocupava com a tarefa de organizar os armários de Celaena para acomodar *mais* roupas. Peças que Celaena planejava comprar quando estivesse livre para explorar Forte da Fenda com o altíssimo salário de campeã do rei, que esperava começar a receber tão logo assinasse o contrato... quando quer que isso acontecesse.

Com Philippa ocupada, Nehemia e Dorian tinham passado a cuidar de Celaena – e o príncipe frequentemente lia histórias para ela até tarde da noite. Quando enfim dormia, sonhava com palavras arcaicas, com rostos há muito esquecidos, com marcas de Wyrd de brilho azul, com o rei e com um exército de mortos conjurado do reino do inferno. Ao acordar, esforçava-se ao máximo para esquecer os pesadelos, principalmente a magia.

Quando ouviu a maçaneta girando, o coração de Celaena quase pulou pela boca. Seria hora de finalmente assinar o contrato com o rei? Mas não era Dorian ou Nehemia, nem mesmo um pajem. O mundo parou de girar quando Chaol entrou no quarto. Ligeirinha correu até ele, abanando o rabo. Celaena quase caiu da cadeira quando tirou os pés de cima da mesa e se encolheu com a dor que irradiou do machucado na perna. Levantou-se num instante, porém, ao tentar falar, notou que não tinha o que dizer.

Depois que Chaol cumprimentou Ligeirinha com um carinho na cabeça, a cadela voltou para o mesmo lugar e se enroscou novamente.

Por que ele não saía da porta? Celaena deu uma olhada na própria camisola e corou ao notar que Chaol via as pernas nuas dela.

– Como estão os machucados?

O capitão tinha a voz suave, e ela percebeu que Chaol não estava observando o quão curta era a camisola, mas sim o curativo na coxa.

– Estou bem – respondeu Celaena, rapidamente. – Os curativos agora servem só para despertar empatia alheia – A assassina tentou sorrir, mas não conseguiu. – Não vejo você há uma semana... Você... Está tudo bem?

Os sete dias tinham transcorrido como uma eternidade.

Os olhos castanhos dele se encontram com os dela. De repente, era como se Celaena estivesse de volta no duelo, jogada no chão, Cain rindo a suas costas. E, no entanto, tudo o que ouvia e via era Chaol, ajoelhando-se para ajudá-la. A garganta de Celaena secou. Compreendera algo naquele momento. Mas não conseguia lembrar o quê. Talvez fosse outra alucinação.

– Estou bem – disse ele, e Celaena deu um passo à frente, ciente do quão curta era aquela camisola. – Só... queria me desculpar por não ter vindo visitá-la antes.

A assassina parou a menos de um metro do capitão e inclinou o pescoço. Chaol não carregava a espada.

– Sei que esteve ocupado – afirmou Celaena.

O capitão apenas ficou parado. Ela engoliu em seco e escondeu uma mecha dos cabelos soltos atrás da orelha. Deu mais um passo na direção dele e precisou erguer a cabeça para encará-lo. Os olhos de Chaol exibiam uma expressão pesarosa. Celaena mordeu o lábio.

– Você salvou minha vida, sabia? Duas vezes.

Chaol franziu suavemente as sobrancelhas.

– Fiz o que devia.

– Por isso lhe devo minha gratidão.

– Você não me deve nada – replicou ele, com o tom de voz tenso.

Quando Chaol piscou, a jovem sentiu o coração apertado. Pegou as mãos dele, mas o capitão se desvencilhou.

– Só queria ver como você estava. Preciso ir a uma reunião – argumentou Chaol, porém Celaena sabia que era mentira.

– Obrigada por matar Cain. – Chaol se enrijeceu. – Eu... ainda me lembro de como me senti ao matar alguém pela primeira vez. Não foi fácil.

O capitão abaixou o rosto.

– Não consigo parar de pensar nisso. Porque *foi* fácil. Só levantei a espada e o matei. *Queria* matá-lo. – Chaol fixou os olhos em Celaena. – Ele sabia sobre seus pais. Como?

– Não sei – mentiu ela.

Celaena sabia muito bem. O acesso de Cain aos outros mundos, ao limite entre os mundos, o que quer que essas coisas sem sentido fossem, tinha lhe dado a habilidade de enxergar os pensamentos de Celaena, as memórias e a alma da assassina. Talvez até além. A jovem ficou arrepiada ao pensar nisso.

A expressão de Chaol se suavizou.

– Sinto muito por terem morrido dessa forma.

Celaena se fechou por completo, exceto pela voz, quando falou:

– Foi há muito tempo. Estava chovendo e pensei que a cama estava molhada por que tínhamos deixado a janela aberta. Quando acordei na manhã seguinte, percebi que não era chuva. – A assassina tentou respirar fundo e apagar a sensação de ter o sangue dos pais na pele. – Arobynn Hamel me encontrou logo depois.

– Sinto muito.

– Faz muito tempo – repetiu Celaena. – Nem me lembro de como eles eram. – Outra mentira. Lembrava-se de cada detalhe dos rostos dos pais. – Às vezes até esqueço que eles existiram.

Chaol assentiu, mais para confirmar que tinha ouvido do que para mostrar que compreendia aquele sentimento.

– O que você fez por mim, Chaol – tentou ela novamente –, não só com Cain, mas quando você...

– Preciso ir – interrompeu o capitão, dando as costas.

– Chaol – chamou Celaena, agarrando a mão dele e virando-o para encará-la.

Ela só viu o brilho atormentado nos olhos de Chaol antes de abraçá-lo pelo pescoço e apertá-lo com força. Chaol enrijeceu, porém Celaena apertou o corpo contra o dele, mesmo que as lesões ainda incomodassem. Então, depois de um momento, os braços de Chaol enlaçaram Celaena, mantendo-a próxima, tão próxima que, quando Celaena fechou os olhos e respirou, não pôde dizer onde Chaol terminava e ela começava.

O hálito do capitão aquecia o pescoço dela. Chaol inclinou a cabeça e apoiou o queixo entre os cabelos de Celaena. O coração dela batia tão rápido e, ao mesmo tempo, sentia-se totalmente calma — não teria se incomodado em ficar ali para sempre, pela eternidade, e deixar o mundo desabar ao redor deles. Celaena imaginou os dedos de Chaol ultrapassando a linha de giz, alcançando-a apesar da barreira entre eles.

— Está tudo bem? — perguntou Dorian à porta.

Chaol se desvencilhou dela tão rápido que Celaena quase tropeçou.

— Tudo bem — respondeu Chaol, endireitando os ombros.

O ar ficou frio, e Celaena se arrepiou quando o calor de Chaol deixou seu corpo. Não conseguiu olhar direito para Dorian depois que Chaol cumprimentou o príncipe e deixou o quarto.

Dorian encarou Celaena. Ela manteve o olhar na porta, mesmo depois que Chaol a bateu atrás de si.

— Não acho que ele está se recuperando bem de ter matado Cain.

— Óbvio! — disparou Celaena.

Dorian ergueu as sobrancelhas, e ela suspirou.

— Desculpe-me.

— Vocês dois pareciam estar no meio de... alguma coisa — comentou o príncipe, cautelosamente.

— Não é nada. Só me senti mal por ele, só isso.

— Queria que ele não tivesse saído tão rápido. Tenho boas notícias. — O estômago de Celaena revirou diante do anúncio. — Meu pai parou de enrolar. Você deve assinar o contrato na sala do conselho amanhã.

— Quer dizer... Quer dizer que sou oficialmente a campeã do rei?

— No fim das contas, ele não a odeia tanto quanto parece. É um milagre não ter feito você esperar ainda mais — respondeu Dorian, com uma piscadela.

Quatro anos. Quatro anos de servidão, então estaria livre. Por que Chaol saíra tão rápido? Celaena olhou para a porta, pensando se conseguiria alcançá-lo ainda no corredor.

Dorian colocou as mãos na cintura de Celaena.

– Isso significa que ficaremos presos um ao outro por mais tempo.

Ele abaixou o rosto e a beijou, mas ela se soltou dos braços de Dorian.

– Eu... Dorian, sou a campeã do rei.

Ao dizer isso, Celaena quase engasgou com uma risada.

– Sim, você é – confirmou Dorian, reaproximando-se dela.

Mas ela manteve distância. A assassina fitou a janela, admirando o belo dia lá fora. O mundo estava cheio de possibilidades – e aos pés dela. Podia atravessar aquela linha branca. Então voltou o olhar para Dorian.

– Não posso ficar com você enquanto for a campeã do rei.

– Claro que pode. Terá de ser em segredo, mas...

– Já tenho muitos segredos. Não preciso de outro.

– Então vou encontrar um meio de contar a meu pai. E a minha mãe. – Dorian se encolheu ligeiramente.

– Para quê? Dorian, sou subordinada a seu pai. Você é o príncipe herdeiro.

Era verdade. E se o relacionamento ficasse *mais* sério, seria ainda mais complicado quando Celaena tivesse de deixar o castelo. Sem contar as complicações de estar com Dorian enquanto servia como campeã do pai dele. E, admitisse ou não, Dorian tinha os próprios deveres a cumprir. Por mais que o desejasse e gostasse dele, sabia que um relacionamento sério não terminaria bem. Não quando Dorian era o herdeiro do trono.

A expressão dele mudou.

– Está dizendo que não quer ficar comigo?

– Estou dizendo que... Vou ter de ir embora em quatro anos e não consigo ver um final feliz para nenhum de nós dois. Estou dizendo que não quero pensar nas possibilidades. – A luz do sol aquecia Celaena, e o peso sob os ombros dela de repente desapareceu. – Estou dizendo que em quatro anos estarei livre. E nunca fui livre na *vida*. – O sorriso de Celaena cresceu. – Quero saber como é essa sensação.

Dorian abriu a boca para falar, mas parou ao contemplar o sorriso de Celaena.

– Como quiser.

– Mas quero continuar sua amiga.

O príncipe colocou as mãos nos bolsos.

– Sempre.

Celaena pensou em tocar o braço dele ou dar um beijo na bochecha de Dorian. Mas a palavra "livre" ecoava incessantemente em sua cabeça, e a jovem não conseguiu controlar o sorriso.

O príncipe virou o rosto e seu sorriso pareceu contido.

– Acho que Nehemia estava a caminho para lhe contar sobre o contrato. Vai ficar com raiva porque contei primeiro. Peça desculpas por mim, está bem? – Dorian parou ao abrir a porta, a mão ainda presa à maçaneta – Parabéns, Celaena – disse o príncipe, baixinho. Antes que ela pudesse agradecer, Dorian fechou a porta e saiu.

Sozinha, Celaena olhou para a janela e levou a mão ao coração, murmurando para si mesma repetidas vezes aquela palavra.

Livre.

◄§ 54 §►

Horas depois, Chaol fitava a porta da sala de jantar de Celaena. Não sabia exatamente o que fazia ali novamente, mas procurara por Dorian nos aposentos do príncipe e não o encontrara. *Precisava* dizer a ele que a cena testemunhada pouco antes não significava nada do que estava pensando. Chaol encarou as mãos.

O rei mal falara com ele na última semana. O nome de Cain nem fora mencionado em nenhuma das reuniões. Não que devesse ser. Cain não era membro da Guarda Real, era pouco mais do que um peão num jogo que distraía o rei.

Mesmo assim, estava morto. Aqueles olhos não se abririam mais por causa de Chaol... Cain não respiraria mais por culpa do capitão... O coração do competidor havia parado por causa dele...

A mão de Chaol foi até o lugar onde deveria estar sua espada. O capitão havia jogado a arma em um canto do quarto logo que voltou do duelo na semana anterior. Caridosamente, alguém limpara o sangue da lâmina. Talvez um dos guardas que o levara até os aposentos e lhe oferecera uma bebida forte. Tinham permanecido em silêncio até que alguma semelhança com a realidade reaparecesse, então se foram, sem nenhuma palavra, sem esperar o agradecimento de Chaol.

O capitão passou a mão pelo cabelo curto e abriu a porta da sala de jantar.

Celaena estava brincando com a comida, jogada na cadeira. As sobrancelhas dela se ergueram.

– Duas visitas em um dia? – perguntou a jovem, repousando o garfo. – A que devo o prazer?

Chaol franziu a testa.

– Onde está Dorian?

– Por que ele estaria aqui?

– Achei que ele viesse sempre a esta hora.

– Bem, não espere encontrá-lo aqui depois de hoje.

Chaol se aproximou, parando na quina da mesa.

– Por quê?

Celaena abocanhou um pedaço de pão.

– Por que terminei tudo.

– Você o quê?

– Sou a campeã do rei. Certamente você entende o quão inapropriado é, para mim, ter um relacionamento com o príncipe.

Os olhos azuis dela brilharam, e Chaol se perguntou por que a jovem enfatizara levemente a palavra príncipe. E por que aquilo fez com que o coração dele pulsasse mais forte.

Chaol segurou o sorriso.

– Estava curioso para saber quando você agiria racionalmente.

Será que Celaena se angustiava tanto quanto ele? Será que se lembrava sempre das mãos cobertas de sangue? Mesmo com toda a arrogância, as comemorações e a postura, caminhando com as mãos nos quadris...

Havia algo de doce naquele rosto. Deixava-o esperançoso... Esperançoso de não ter perdido a alma ao matar uma pessoa; porque a humanidade poderia ser encontrada, e a honra, resgatada... Celaena saíra de Endovier e ainda conseguia rir.

Ela brincava com uma mecha de cabelo entre os dedos. Ainda usava aquela camisola incrivelmente curta, que subia mais quando ela apoiava os pés na extremidade da mesa. Chaol se concentrava no rosto da jovem.

– Quer se juntar a mim? – convidou ela, apontando para um lugar na mesa. – É vergonhoso comemorar sozinha.

Chaol olhou para o sorriso de canto de boca no rosto de Celaena. O que quer que tivesse acontecido com Cain, o que quer que tivesse ocorrido no duelo... Aquilo o assombraria para sempre. Mas naquele momento...

O capitão puxou uma cadeira à frente e se sentou. Celaena serviu uma taça de vinho e a entregou a ele.

— Aos quatro anos até a liberdade — disse ela, levantando a taça.

Ele brindou.

— A você, Celaena.

Os olhares dos dois se encontraram, e Chaol não escondeu o sorriso ao vê-la feliz daquele jeito. Quatro anos com ela talvez fosse pouco.

<center>~~~</center>

Celaena estava diante da tumba e sabia que era um sonho. Visitava a tumba constantemente nos sonhos... Para matar o ridderak de novo, para ficar presa no sarcófago de Elena, para encarar uma jovem sem rosto com cabelos dourados e uma coroa pesada demais para carregar... Mas naquela noite eram só ela e Elena, e a tumba estava iluminada pela lua. Nenhum sinal do cadáver do ridderak.

— Como está se recuperando? — perguntou a rainha, recostando-se contra o próprio sarcófago.

Celaena se manteve à porta. A rainha trocara a armadura pelo vestido fluido de sempre. A ferocidade de Elena também não estava estampada em suas feições.

— Bem — respondeu Celaena, baixando os olhos para si mesma. Naquele mundo dos sonhos, suas feridas tinham sumido. — Não sabia que você era uma guerreira.

Ao dizer isso, apontou o queixo para onde Damaris estava.

— Há muito que a história apagou sobre mim. — Os olhos azuis de Elena brilhavam de raiva e mágoa. — Lutei nos campos de batalha durante as guerras demoníacas contra Erawan, ao lado de Gavin. Assim nos apaixonamos. Mas suas lendas me retratam como uma donzela esperando numa torre com um cordão mágico que ajudaria o príncipe heroico.

Celaena tocou o amuleto.

— Sinto muito.

— Você pode ser diferente — sugeriu Elena, em voz baixa. — Você pode ser incrível. Maior do que eu, do que qualquer um de nós.

Celaena abriu a boca, mas não conseguiu falar.

Elena deu um passo na direção dela.

– Você poderia sacudir o universo – sussurrou a rainha. – Poderia fazer qualquer coisa, se ousasse. E, no fundo, também sabe disso. É o que mais lhe assusta.

Elena caminhou até Celaena, e a assassina mal conseguia evitar o desejo de virar as costas e sair correndo. Os olhos azul-escuros penetrantes da rainha eram tão etéreos quanto seu belo rosto.

– Você descobriu e derrotou o mal que Cain estava trazendo ao mundo. Agora é a campeã do rei. Fez tudo como pedi.

– Fiz pela minha liberdade.

Elena deu um sorriso sábio que fez Celaena querer gritar de medo, mas a assassina se manteve impassível.

– É o que você diz. Mas quando pediu ajuda, quando o amuleto se abriu e você deixou que sua necessidade fosse sentida, sabia que alguém viria em socorro. Sabia que *eu* acudiria.

– Por quê? – ousou perguntar Celaena. – Por que responder? *Por que* eu preciso ser a campeã do rei?

Elena levantou o rosto na direção da luz da lua.

– Porque há pessoas que precisam tanto ser salvas por você quanto você precisava ser salva. Negue o quanto quiser, mas há aqueles, como os seus amigos, que precisam de você aqui. Sua amiga Nehemia precisa de você aqui. Porque eu estava dormindo... Um sono longo e eterno... E fui acordada por uma voz. Essa voz não pertencia a uma única pessoa, mas a muitas. Algumas sussurravam, outras gritavam, algumas nem sabiam que estavam pedindo ajuda. Mas todas querem a mesma coisa. – A rainha tocou o centro da testa de Celaena. O calor emanou entre as duas. Uma luz azul brilhou iluminando o rosto de Elena quando a marca de Celaena queimou por um momento, então dissipou-se. – Quando você estiver pronta... Quando começar a ouvir os gritos de socorro também... Então saberá por que vim até você, por que fiquei ao seu lado e por que vou continuar cuidando de você, não importa quantas vezes me afaste.

Os olhos de Celaena ardiam, e a assassina caminhou em direção ao corredor.

Elena sorriu com tristeza.

– Até esse dia chegar, você está exatamente onde precisa estar. Ao lado do rei, entenderá o que precisa ser feito. Por ora, aproveite a conquista.

Celaena ficou enjoada só de imaginar o que mais poderiam querer dela, mas assentiu.

– Tudo bem – suspirou, preparando-se para sair, mas parou no corredor. A jovem falou por cima do ombro, olhando nos olhos tristes da rainha: – Obrigada por salvar minha vida.

Elena inclinou a cabeça.

– Laços de sangue não podem ser desfeitos – sussurrou ela, então desapareceu, deixando as palavras ecoarem no silencioso túmulo.

❧ 55 ❧

No dia seguinte, Celaena se aproximou do trono de vidro lançando um olhar suspeito para a câmara do conselho. A mesma onde encontrara o rei, meses atrás. Uma chama verde crepitava na lareira, e treze homens a aguardavam atrás de uma longa mesa, todos olhando para ela. Mas não havia outros campeões – só ela. A vencedora. Dorian estava ao lado do pai e sorria para Celaena.

Tomara que seja um bom sinal.

Apesar da esperança que a expressão de Dorian lhe dava, não podia ignorar o terror que enchia seu coração enquanto o rei seguia seus passos com aqueles olhos sombrios. O único som na sala vinha da saia dourada do vestido de Celaena. Ela manteve as mãos contra o corpete marrom, tentando não esfregá-las.

Celaena parou e se curvou em reverência. Chaol, ao lado dela, fez o mesmo. Na verdade, o capitão estava mais próximo do que era necessário.

– Você veio para assinar seu contrato – afirmou o rei, com uma voz que ressoava nos ossos dela.

Como um homem tão maligno pode ter tanto poder sobre o mundo?

– Sim, Vossa Majestade – respondeu ela, tão submissa quanto possível, fitando as botas do rei.

– Seja minha campeã e logo se verá uma mulher livre. Quatro anos de serviço foram a barganha estipulada com meu filho. Ainda que eu não compreenda por que negociar com *você* – comentou o rei, lançando um olhar mortal na direção de Dorian. O príncipe herdeiro mordeu os lábios, mas não disse nada.

O coração de Celaena quicava como uma bola. Faria qualquer coisa que o rei mandasse – qualquer missão abominável na qual pudesse lançá-la e, então, ao fim dos quatro anos, seria livre para viver como bem entendesse, sem temer perseguições ou escravidão. Poderia recomeçar, longe de Adarlan. Partir e esquecer aquele reino terrível.

Não sabia se caía na gargalhada, se ria, se assentia ou se chorava, se fazia uma dancinha. Poderia viver com a fortuna que receberia até a velhice. Não precisaria matar. Diria adeus a Arobynn e deixaria Adarlan para sempre.

– Não vai me agradecer? – vociferou o rei.

A assassina se curvou em reverência, mal contendo a alegria. Derrotara o rei – pecara contra o império e ainda sairia vitoriosa.

– Obrigada por tamanha honra e dádiva, Vossa Majestade. Sou sua humilde serva.

O rei bufou.

– Mentir não vai ajudar. Tragam o contrato.

Obedientemente, um membro do conselho colocou um pedaço de pergaminho na mesa em frente a Celaena.

Os olhos do rei brilharam, mas ela não mordeu a isca. Um sinal de rebelião, um movimento mais agressivo, e ele a mandaria para a forca.

– Não haverá questionamentos de sua parte. Quando receber uma ordem, obedecerá. Não precisarei me explicar para você. E se em algum momento for pega, negará qualquer ligação comigo até seu último suspiro. Alguma dúvida?

– Nenhuma, Vossa Majestade.

Ele se levantou do trono. Dorian começou a se mover, mas Chaol balançou a cabeça.

Celaena olhou para o chão quando o rei parou diante dela.

– Agora, ouça isto, assassina – recomeçou o rei. Ela se sentia fraca e diminuta tão próxima dele. – Caso fracasse em suas missões ou não dê conta de seu trabalho, pagará caro por isso.

A voz do rei se tornou tão baixa que Celaena mal conseguia ouvir.

– E se não retornar das missões nas quais eu a enviar, seu amigo, o capitão... – O rei fez uma pausa dramática. – Será morto.

Celaena arregalou os olhos enquanto fitava o trono vazio.

– Se, depois disso, ainda não retornar, mandarei matar Nehemia. Então, executarei os irmãos dela. Depois disso, a mãe deles será enterrada. Não duvide: sou tão esperto e dissimulado quanto você. – Celaena sentia o sorriso estampado na cara dele. – Você entendeu, não? – O rei se afastou. – Assine.

Ela olhou a lacuna e a oportunidade que simbolizava. Inspirou longa e silenciosamente e, rezando pela própria alma, assinou. A cada letra ficava mais difícil empunhar a pena. Finalmente, Celaena largou-a sobre a mesa.

– Ótimo. Agora saia daqui – mandou o rei, apontando para a porta. – Chamarei quando precisar.

O rei voltou a se acomodar no trono. Celaena fez uma nova mesura, cuidando para não encará-lo diretamente. Por um momento, vislumbrou Dorian, cujos olhos azuis brilhavam com uma expressão que Celaena jurou ser de tristeza, então o príncipe sorriu para ela. A assassina sentiu a mão de Chaol apertando-lhe o braço.

Chaol morreria. Ela não poderia condená-lo à morte. Ou a família Ytger. Com os passos pesados, e ao mesmo tempo leves, Celaena deixou a sala.

Do lado de fora, o vento rugia e batia contra o pináculo de vidro, mas nada podia fazer para destruir os muros.

A cada passo que a afastava da sala, o peso nos ombros de Celaena diminuía. Chaol ficou em silêncio até entrarem no castelo de pedra, então o capitão se virou para ela.

– Bem, campeã – disse ele. Ainda não voltara a usar a espada.

– Sim, capitão?

Chaol esboçou um leve sorriso.

– Feliz agora?

Celaena não conseguia conter o próprio sorriso.

– Posso ter vendido a alma com aquela assinatura, mas... sim. Ou tão feliz quanto possível.

– Celaena Sardothien, a campeã do rei.

– O que tem?

– Soa bem – comentou Chaol, e deu de ombros. – Quer saber qual será sua primeira missão?

Celaena olhou para os olhos castanho-dourados de Chaol e todas as promessas que havia sob eles. A assassina deu o braço ao capitão e sorriu.

– Conte-me amanhã.

⊰ AGRADECIMENTOS ⊱

Levou uma década até que *Trono de vidro* passasse da concepção à publicação, e tenho muito mais pessoas às quais agradecer do que poderia encaixar neste espaço.

Gratidão infinita para meu agente e campeão pessoal, Tamar Rydzinski, que compreendeu Celaena desde a primeira página. Obrigada pelo telefonema que mudou minha vida.

Para minha editora brilhante e ousada, Margareth Miller – como poderei agradecer por ter acreditado em mim e em *Trono de vidro*? Tenho muito orgulho de trabalhar com você. Para Michelle Nagler e para o resto da equipe absolutamente fantástica da Bloomsbury – muito, muito obrigada por todo o trabalho árduo e o apoio!

Tenho uma dívida enorme com Mandy Hubbard por me dar aquele empurrão inicial porta afora. Mandy, você é – e sempre será – meu Yoda.

Para meu marido maravilhoso, Josh – você me dá uma razão para acordar todas as manhãs. É minha melhor metade de todos os jeitos possíveis.

Agradeço a meus pais, Brian e Carol, por lerem contos de fadas para mim e jamais dizerem que eu era velha demais para eles; para meu irmãozinho Aaron – você é o tipo de pessoa que eu gostaria de poder ser.

Para Stanlee Brimberg e Janelle Schwartz – vocês não têm ideia de até onde chegou seu encorajamento (embora, talvez, este livro lhes dê alguma pista). Gostaria que existissem mais professores como vocês.

Para Susan Dennard, pelas sugestões de revisão incríveis e por ser uma amiga de verdade a todo momento. Você entrou em minha vida quando eu mais precisava, e meu mundo agora brilha mais porque você está nele.

Agradeço a Alex Bracken, uma excelente colega de crítica, uma escritora fenomenal e uma amiga ainda melhor – palavras não conseguem expressar o quanto estou grata por chamá-la assim. Ou o quanto estou grata por todos os doces que me mandou durante as revisões!

Para Kat Zhang, por sempre arranjar tempo para criticar meu trabalho e por ser uma amiga sensacional. Para Brigid Kemmerer, por todos os e-mails que me mantiveram sã. Para Biljana Likic – porque conversar com você sobre os personagens e sobre o enredo tornou tudo real. Para Leigh Bardugo, extraordinária colega de beliche – eu não teria superado esse processo sem você.

Para Erin Bowman, Amie Kaufman, Vanessa Di Gregorio, Meg Spooner, Courtney Allison Moulton, Aimée Carter e para as moças do Pub(lishing) Crawl – são escritoras muito talentosas e pessoas maravilhosas, obrigada por serem parte da minha vida.

Para Meredith Anderson, Rae Buchanan, Renee Carter, Anna Deles, Gordana Likic, Sarah Liu, Juliann Ma, Chantal Mason, Arianna Sterling, Samantha Walker, Diyana Wan e Jane Zhao: não as conheci pessoalmente, mas os anos de entusiasmo infalível significaram muito para mim. Kelly De Groot, obrigada pelo mapa incrível de Erilea!

Por fim, e talvez o mais importante, agradeço a todos os meus leitores do FictionPress.com. Suas cartas, arte e encorajamento me deram confiança para tentar ser publicada. Sinto-me honrada por ter vocês como fãs – mas ainda mais por ter vocês como amigos. Foi uma jornada longa, mas conseguimos! Este é para vocês!

Este livro foi composto na tipologia Adobe Caslon Pro,
em corpo 11/14.9, e impresso em papel off-white
no Sistema Cameron da Divisão Gráfica
da Distribuidora Record.